교과서

다:품

중학 수학 1-2

Ⅰ **도형의 기초**

01 점, 선 면 6

02 각 12

03 위치 관계 20

04 평행선의 성질 28

05 삼각형의 작도 36

06 삼각형의 합동 조건 44

Ⅱ **도형의 성질**

07 다각형의 성질 52

08 다각형의 내각과 외각 60

09 원과 부채꼴 68

10 다면체와 회전체 78

11 기둥의 겉넓이와 부피 88

12 뿔과 구의 겉넓이와 부피 94

Ⅲ **통계**

13 줄기와 잎 그림과 도수분포표 106

14 히스토그램과 도수분포다각형 114

15 상대도수 122

구성과 특징

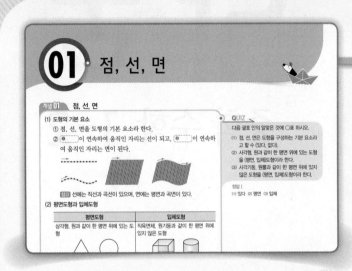

개념 정리

- 단원별로 꼭 알아야 할 개념을 정리하였습니다.
- 빈칸 채우기 등을 통해 스스로 개념을 완성하면서 숙지하도록 하였습니다.

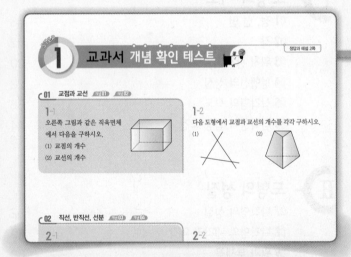

교과서 개념 확인 테스트

- 10종 교과서 예제, 유제, 공통 문제를 수록하였습니다.
- 쌍둥이 구성으로 반복 연습이 가능하도록 하였습니다.

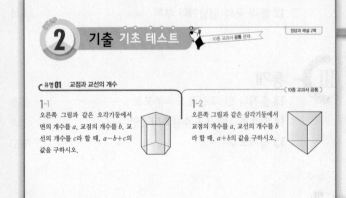

기출 기초 테스트

- 10종 교과서 중요 문제를 수록하고, 반복 연습이 가능하도록 하였습니다.

" 〈다ː품〉은 이렇게

구성되어 있습니다. "

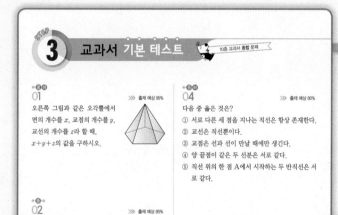

교과서 기본 테스트

• 10종 교과서 종합 문제를 수록하여 시험 준비와 내신 대비를 할 수 있도록 하였습니다.

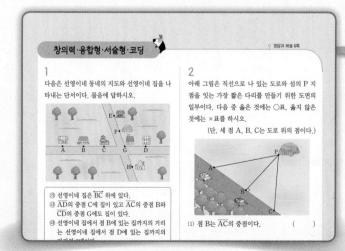

창의력 · 융합형 · 서술형 · 코딩

• 10종 교과서 창의융합형 문제를 분석하여 수록 하였습니다.

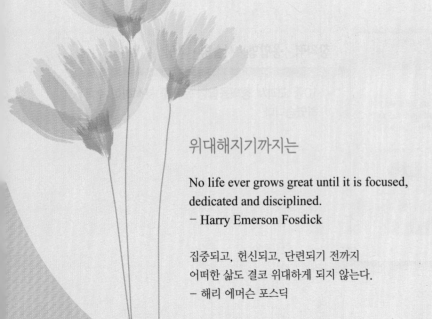

위대해지기까지는

No life ever grows great until it is focused,
dedicated and disciplined.
– Harry Emerson Fosdick

집중되고, 헌신되고, 단련되기 전까지
어떠한 삶도 결코 위대하게 되지 않는다.
– 해리 에머슨 포스딕

I

도형의 기초

01 점, 선, 면 ······································ 6
02 각 ·· 12
03 위치 관계 ······································ 20
04 평행선의 성질 ································ 28
05 삼각형의 작도 ································ 36
06 삼각형의 합동 조건 ······················ 44

개념 01   점, 선, 면

(1) 도형의 기본 요소

① 점, 선, 면을 도형의 기본 요소라 한다.

② [❶   ]이 연속하여 움직인 자리는 선이 되고, [❷   ]이 연속하여 움직인 자리는 면이 된다.

[참고] 선에는 직선과 곡선이 있으며, 면에는 평면과 곡면이 있다.

(2) 평면도형과 입체도형

평면도형	입체도형
삼각형, 원과 같이 한 평면 위에 있는 도형	직육면체, 원기둥과 같이 한 평면 위에 있지 않은 도형

답 | ❶ 점 ❷ 선

QUIZ

다음 괄호 안의 알맞은 것에 ◯표 하시오.

(1) 점, 선, 면은 도형을 구성하는 기본 요소라고 할 수 (있다, 없다).
(2) 사각형, 원과 같이 한 평면 위에 있는 도형을 (평면, 입체)도형이라 한다.
(3) 사각기둥, 원뿔과 같이 한 평면 위에 있지 않은 도형을 (평면, 입체)도형이라 한다.

정답 |
(1) 있다   (2) 평면   (3) 입체

개념 02   교점과 교선

(1) 교점   선과 선 또는 선과 면이 만나서 생기는 점

(2) 교선   면과 [❶   ]이 만나서 생기는 선

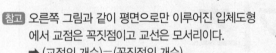 

[참고] 오른쪽 그림과 같이 평면으로만 이루어진 입체도형에서 교점은 꼭짓점이고 교선은 모서리이다.
➡ (교점의 개수)=(꼭짓점의 개수)
    (교선의 개수)=(모서리의 개수)

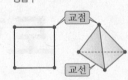

답 | ❶ 면

QUIZ

다음 도형 위에 교점과 교선을 나타내시오.

정답 |

개념 03   직선이 하나로 정해질 조건

한 점 A를 지나는 직선은 무수히 많지만 서로 다른 두 점 A, B를 지나는 직선은 오직 [❶   ]뿐이다.

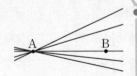

QUIZ

다음 괄호 안의 알맞은 것에 ◯표 하시오.

서로 다른 두 점을 지나는 직선은 (오직 하나뿐이다, 무수히 많다).

정답 |
오직 하나뿐이다

답 | ❶ 하나

(1) **직선 AB**   서로 다른 두 점 A, B를 지나는 직선 ➡ $\overleftrightarrow{AB}$

직선 AB
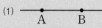
A   B

[참고] $\overleftrightarrow{AB}$와 $\overleftrightarrow{BA}$는 서로 같은 직선이다.

(2) **반직선 AB**   점 A에서 점 B쪽으로 끝없이 곧게 연장한 반직선 ➡ $\overrightarrow{AB}$

반직선 AB
A   B

[참고] $\overrightarrow{AB}$와 $\overrightarrow{BA}$는 서로 다른 반직선이다.

[주의] 두 반직선이 같으려면 시작점과 방향이 모두 같아야 한다.

시작점이 다른 경우	방향이 다른 경우	시작점과 방향이 모두 다른 경우
$\overrightarrow{AB}$ A B C $\overrightarrow{BC}$ ➡ $\overrightarrow{AB} \neq \overrightarrow{BC}$	$\overleftarrow{BA}$ A B C $\overrightarrow{BC}$ ➡ $\overleftarrow{BA} \neq \overrightarrow{BC}$	$\overrightarrow{AB}$ A B $\overleftarrow{BA}$ ➡ $\overrightarrow{AB} \neq \overleftarrow{BA}$

(3) **선분 AB**   직선 AB 위의 점 A에서 점 ❶〔   〕까지의 부분 ➡ $\overline{AB}$

선분 AB
A   B

[참고] $\overline{AB}$와 $\overline{BA}$는 서로 같은 선분이다.

답 | ❶ B

QUIZ

다음 도형을 기호를 사용하여 나타내시오.

(1)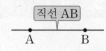
     A   B

(2)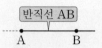
     A   B

(3)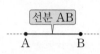
     A   B

(4)   A   B

정답 |
(1) $\overleftrightarrow{AB}$ 또는 $\overleftrightarrow{BA}$ (2) $\overrightarrow{AB}$
(3) $\overrightarrow{BA}$ (4) $\overline{AB}$ 또는 $\overline{BA}$

---

(1) **두 점 A, B 사이의 거리**
두 점 A, B를 잇는 무수히 많은 선 중에서 길이가 가장 ❶〔   〕선인 선분 AB의 길이를 두 점 A, B 사이의 거리라 한다.

두 점 A, B 사이의 거리
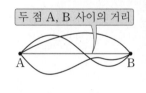
A   B

[참고] $\overline{AB}$는 선분을 나타내기도 하고 그 선분의 길이를 나타내기도 한다.
① 선분 AB의 길이가 3 cm일 때, $\overline{AB}=3$ cm와 같이 나타낸다.
② 두 선분 AB와 CD의 길이가 서로 같을 때, $\overline{AB}=\overline{CD}$와 같이 나타낸다.

(2) **선분 AB의 중점**
선분 AB 위에 있는 점으로 양 끝점에서 같은 거리에 있는 점 M을 선분 AB의 ❷〔   〕이라고 한다.

선분 AB의 중점
A   M   B

➡ $\overline{AM}=\overline{BM}=\dfrac{1}{2}\overline{AB}$

[예] 오른쪽 그림에서 점 M은 선분 AB의 중점이므로
$$\overline{AM}=\overline{BM}=\dfrac{1}{2}\overline{AB}=\dfrac{1}{2}\times12=6\,(\text{cm})$$

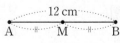
12 cm
A   M   B

답 | ❶ 짧은 ❷ 중점

QUIZ

1. 다음 괄호 안의 알맞은 것에 ○표 하시오.

두 점 A, B 사이의 거리는 두 점 A, B를 잇는 선 중에서 길이가 가장 (짧은, 긴) 선을 말한다.

2. 다음 □ 안에 알맞은 것을 써넣으시오.

(1) 두 점 C, D 사이의 거리는 4 cm이다.
➡ 〔   〕=4 cm

(2) 아래 그림에서 점 M은 $\overline{BC}$의 중점일 때,
$\overline{BM}=$〔   〕cm

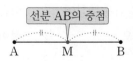
7 cm
B   M   C

정답 |
1. 짧은 2. (1) $\overline{CD}$ (2) 7

교과서 개념 확인 테스트

---

01 교점과 교선 개념01 개념02

1-1

오른쪽 그림과 같은 직육면체에서 다음을 구하시오.

(1) 교점의 개수

(2) 교선의 개수

1-2

다음 도형에서 교점과 교선의 개수를 각각 구하시오.

(1) 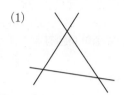 (2)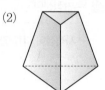

---

02 직선, 반직선, 선분 개념03 개념04

2-1

오른쪽 그림과 같이 한 직선 위에 있지 않은 세 점 A, B, C가 있다. 다음 도형을 그리고, 기호로 나타내시오.

A•   •C

                    •B

(1) 직선 AB

(2) 반직선 BC

(3) 선분 AC

2-2

다음 중 아래 그림에 대한 설명으로 옳은 것에는 ○표, 옳지 않은 것에는 ×표를 하시오.

A   B   C   D

(1) $\overrightarrow{AB}=\overrightarrow{BA}$ (   ) (2) $\overrightarrow{BC}=\overrightarrow{BD}$ (   )

(3) $\overline{BC}=\overline{CB}$ (   ) (4) $\overleftrightarrow{AC}=\overleftrightarrow{BD}$ (   )

---

03 두 점 사이의 거리 개념05

3-1

다음 그림에서 두 점 M, N은 $\overline{AB}$의 삼등분점이다. $\overline{MB}=8$ cm일 때, 다음을 구하시오.

8 cm

A   M   N   B

(1) $\overline{MN}$의 길이   (2) $\overline{AM}$의 길이

(3) $\overline{AN}$의 길이   (4) $\overline{AB}$의 길이

✓ 두 점 M, N이 $\overline{AB}$의 삼등분점이므로 $\overline{AM}=\overline{MN}=\overline{NB}$

3-2

다음 그림에서 두 점 M, N은 각각 $\overline{AB}$, $\overline{MB}$의 중점이다. $\overline{MN}=5$ cm일 때, 다음을 구하시오.

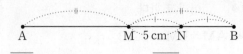

A   M 5 cm N   B

(1) $\overline{NB}$의 길이   (2) $\overline{AM}$의 길이

(3) $\overline{AB}$의 길이   (4) $\overline{AN}$의 길이

유형 01 교점과 교선의 개수

(10종 교과서 공통)

1-1

오른쪽 그림과 같은 오각기둥에서 면의 개수를 a, 교점의 개수를 b, 교선의 개수를 c라 할 때, $a-b+c$의 값을 구하시오.

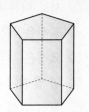

1-2

오른쪽 그림과 같은 삼각기둥에서 교점의 개수를 a, 교선의 개수를 b라 할 때, $a+b$의 값을 구하시오.

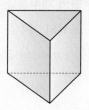

유형 02 직선, 반직선, 선분

(10종 교과서 공통)

2-1

오른쪽 그림과 같이 한 직선 위에 세 점 A, B, C가 있을 때, 다음 중 서로 같은 것끼리 짝 지으시오.

A   B   C

$\overline{AC}$, $\overrightarrow{BC}$, $\overrightarrow{CB}$, $\overline{BC}$, $\overrightarrow{CA}$, $\overleftrightarrow{CB}$

2-2

오른쪽 그림과 같이 네 점 A, B, C, D가 한 직선 위에 있을 때, 다음 중 옳지 <u>않은</u> 것은?

A   B   C   D

① $\overrightarrow{AB}=\overrightarrow{CD}$ ② $\overrightarrow{AB}=\overrightarrow{AC}$

③ $\overrightarrow{CB}=\overrightarrow{CD}$ ④ $\overline{BD}=\overline{DB}$

⑤ $\overrightarrow{AB}=\overrightarrow{BA}$

유형 03 두 점 사이의 거리

(10종 교과서 공통)

3-1

아래 그림에서 점 M은 $\overline{AB}$의 중점이고, 점 N은 $\overline{MB}$의 중점이다. $\overline{AB}=24$ cm일 때, 다음 선분의 길이를 구하시오.

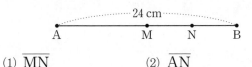

(1) $\overline{MN}$ (2) $\overline{AN}$

3-2

아래 그림에서 두 점 M, N은 각각 $\overline{AB}$, $\overline{AM}$의 중점이다. $\overline{AB}=16$ cm일 때, 다음 선분의 길이를 구하시오.

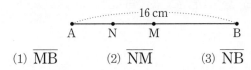

(1) $\overline{MB}$ (2) $\overline{NM}$ (3) $\overline{NB}$

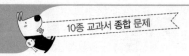
종하
01
>>> 출제 예상 95%

오른쪽 그림과 같은 오각뿔에서 면의 개수를 x, 교점의 개수를 y, 교선의 개수를 z라 할 때, $x+y+z$의 값을 구하시오.

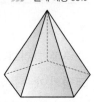

중
02
>>> 출제 예상 85%

오른쪽 그림과 같이 어느 세 점도 한 직선 위에 있지 않은 네 점 A, B, C, D가 있다. 이 중 두 점을 지나는 직선의 개수는?

① 3   ② 4   ③ 5
④ 6   ⑤ 7

종하
03
>>> 출제 예상 95%

오른쪽 그림과 같이 한 직선 위에 네 점 A, B, C, D가 있을 때, 다음 보기 중 같은 것끼리 짝 지어진 것을 모두 고른 것은?

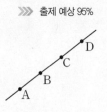

┤ 보기 ├
ㄱ. $\overrightarrow{AB}$와 $\overrightarrow{BD}$ ㄴ. $\overrightarrow{BA}$와 $\overrightarrow{BC}$
ㄷ. $\overrightarrow{AC}$와 $\overrightarrow{AD}$ ㄹ. $\overline{AB}$와 $\overline{BA}$

① ㄱ, ㄴ   ② ㄷ, ㄹ   ③ ㄱ, ㄴ, ㄷ
④ ㄱ, ㄷ, ㄹ   ⑤ ㄴ, ㄷ, ㄹ

종하
04
>>> 출제 예상 80%

다음 중 옳은 것은?
① 서로 다른 세 점을 지나는 직선은 항상 존재한다.
② 교선은 직선뿐이다.
③ 교점은 선과 선이 만날 때에만 생긴다.
④ 양 끝점이 같은 두 선분은 서로 같다.
⑤ 직선 위의 한 점 A에서 시작하는 두 반직선은 서로 같다.

종하
05
>>> 출제 예상 95%

다음 그림에서 점 M은 $\overline{AB}$의 중점이고, $\overline{AC}=13$ cm, $\overline{BC}=5$ cm일 때, $\overline{MC}$의 길이를 구하시오.

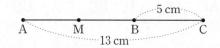

중
06
>>> 출제 예상 90%

다음 그림에서 점 M은 $\overline{AC}$의 중점이고, 점 N은 $\overline{CB}$의 중점이다. $\overline{MN}=6$ cm일 때, $\overline{AB}$의 길이를 구하시오.

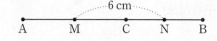

07

>>> 출제 예상 90%

다음 그림에서 점 M은 $\overline{AB}$의 중점이고, 점 N은 $\overline{MB}$의 중점이다. $\overline{AN}=15$ cm일 때, $\overline{AB}$의 길이를 구하시오.

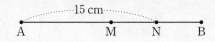

10 까다로운 문제

>>> 출제 예상 80%

다음 그림에서 $\overline{AC}=2\overline{CD}$, $\overline{AB}=3\overline{BC}$이고, $\overline{AD}=18$ cm일 때, $\overline{BC}$의 길이를 구하시오.

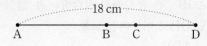

08

>>> 출제 예상 90%

아래 그림에서 점 M은 $\overline{AN}$의 중점이고, 점 N은 $\overline{MB}$의 중점일 때, 다음 보기 중 옳은 것을 모두 고른 것은?

| 보기 |

ㄱ. $\overline{AM}=\overline{NB}$　　　　ㄴ. $\overline{AB}=3\overline{MB}$

ㄷ. $\overline{AN}=\dfrac{2}{3}\overline{NB}$　　　ㄹ. $\overline{MN}=\dfrac{1}{3}\overline{AB}$

① ㄱ, ㄴ　　　② ㄱ, ㄹ　　　③ ㄴ, ㄷ
④ ㄴ, ㄹ　　　⑤ ㄷ, ㄹ

● 과정을 평가하는 서술형입니다.

11

>>> 출제 예상 95%

오른쪽 그림과 같이 직선 l 위에 있는 네 점 A, B, C, D와 직선 l 위에 있지 않은 점 E가 있다. 이 중에서 두 점을 지나는 직선의 개수를 a, 반직선의 개수를 b라 할 때, $a+b$의 값을 구하시오.

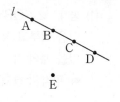

✓ 네 점 A, B, C, D 중에서 두 점을 지나는 직선은 모두 직선 l과 같다.

09

>>> 출제 예상 95%

아래 그림에서 점 M은 $\overline{AB}$의 중점이고, 점 N은 $\overline{MB}$의 중점일 때, 다음 중 옳은 것은?

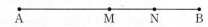

① $\overline{AM}=2\overline{AB}$　　　　② $\overline{AM}=\overline{NB}$

③ $\overline{AB}=\dfrac{1}{2}\overline{MB}$　　　④ $\overline{AN}=3\overline{MN}$

⑤ $\overline{MB}=\dfrac{1}{3}\overline{MN}$

12

>>> 출제 예상 85%

다음 그림에서 세 점 C, D, E는 각각 $\overline{AB}$, $\overline{CB}$, $\overline{AD}$의 중점이다. $\overline{AB}=16$ cm일 때, $\overline{EC}$의 길이를 구하시오.

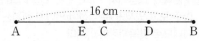

02 각

개념 01 각

(1) **각 AOB**   한 점 O에서 시작하는 두 반직선 OA, OB로 이루어진 도형

  ➡ ∠AOB

  참고 ∠AOB는 ∠BOA, ∠O, ∠a로 나타내기도 한다.

(2) **각 AOB의 크기**   ∠AOB에서 반직선 OB가 각의 꼭짓점 O를 중심으로 반직선 ❶ 까지 회전한 양

  예 ∠AOB의 크기가 50°일 때, ∠AOB=50°와 같이 나타낸다.

  참고 ∠AOB는 도형인 각 AOB를 나타내기도 하고 그 각의 크기를 나타내기도 한다.

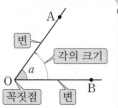

답 | ❶ OA

개념 02 각의 크기에 따른 분류

(1) **평각**   ∠AOB의 두 변 OA와 OB가 한 직선을 이루고 점 O에 대하여 서로 반대쪽에 있을 때의 각

  ➡ 평각의 크기는 180°

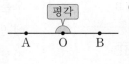

(2) **직각**   ❶ 의 크기의 $\frac{1}{2}$인 각

  ➡ 직각의 크기는 90°

  참고 직각은 오른쪽 그림과 같이 기호 'ㄱ'으로 표시한다.

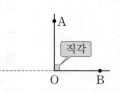

(3) **예각**   크기가 0°보다 크고 90°보다 작은 각

(4) **둔각**   크기가 90°보다 크고 180°보다 작은 각

답 | ❶ 평각

개념 03 맞꼭지각

(1) **교각**   서로 다른 두 직선이 한 점에서 만날 때 생기는 4개의 각

  ➡ ∠a, ∠b, ∠c, ∠d

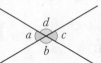

(2) **맞꼭지각**   교각 중에서 서로 마주 보는 두 각

  ➡ ∠a와 ❶ , ❷ 와 ∠d

  주의 오른쪽과 그림에서 ∠a와 ∠c, ∠b와 ∠d는 서로 마주 보고 있지만 두 직선이 만나서 생기는 교각이 아니므로 맞꼭지각이 아니다.

답 | ❶ ∠c ❷ ∠b

개념 04 맞꼭지각의 성질

두 직선이 한 점에서 만날 때, 맞꼭지각의 크기는 서로 같다.

➡ $\angle a = \angle c$, $\angle b = \angle d$

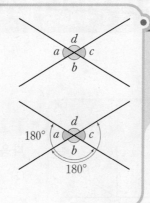

[설명] 오른쪽 그림에서
$\angle a + \angle b = $ ❶[　　]°,
$\angle b + \angle c = 180°$
이므로 $\angle a + \angle b = \angle b + \angle c$
∴ $\angle a = $ ❷[　　]
같은 방법으로 $\angle b = \angle d$

답 | ❶ 180 ❷ $\angle c$

개념 05 직교

(1) **직교** 두 직선 AB, CD의 교각이 ❶[　　]일 때, 이 두 직선은 서로 직교한다고 한다.
➡ $\overleftrightarrow{AB} \perp \overleftrightarrow{CD}$

(2) **수직과 수선** 직교하는 두 직선을 서로 수직이라 하고, 한 직선을 다른 직선의 수선이라 한다.

(3) **수직이등분선** 선분 AB의 중점 M을 지나고 선분 AB에 ❷[　　]인 직선 l을 선분 AB의 수직이등분선이라 한다.
➡ $\overline{AB} \perp l$, $\overline{AM} = \overline{BM}$

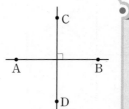

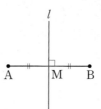

(4) **수선의 발** 직선 l 위에 있지 않은 점 P에서 직선 l에 수선을 그었을 때, 그 교점 H를 점 P에서 직선 l에 내린 수선의 발이라 한다.

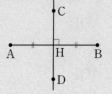

점 P와 직선 l 사이의 거리

수선의 발

(5) **점과 직선 사이의 거리** 점 P와 직선 l 위의 점을 이은 선분 중에서 길이가 가장 짧은 선분 PH의 길이를 점 P와 직선 l 사이의 거리라 한다.

[참고] 직교, 수직, 수선
① 직교 : 두 선분 또는 두 직선이 90°를 이루며 만나는 것
② 수직 : 두 선분 또는 두 직선이 90°를 이루도록 만난 상태
③ 수선 : 수직인 두 직선 중 한 직선을 다른 직선의 수선이라 한다.

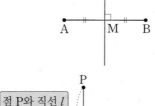

STEP 1 교과서 개념 확인 테스트

정답과 해설 4쪽

01 각 개념01 개념02

1-1

오른쪽 그림에서 ∠AOB가 평각일 때, 다음 각의 크기를 구하시오.

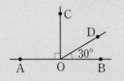

(1) ∠AOD

(2) ∠COD

1-2

다음 그림에서 ∠x의 크기를 구하시오.

(1)

(2)

02 맞꼭지각 개념03 개념04

2-1

오른쪽 그림과 같이 세 직선이 한 점 O에서 만날 때, 다음 각의 맞꼭지각을 구하시오.

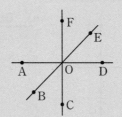

(1) ∠AOB

(2) ∠BOC

(3) ∠AOE

2-2

다음 그림에서 ∠a, ∠b의 크기를 각각 구하시오.

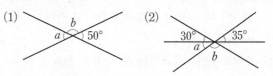

(1)

(2)

03 직교 개념05

3-1

오른쪽 그림에서 $\overleftrightarrow{PM}$은 $\overline{AB}$의 수직이등분선이다.
$\overline{AM}$=4 cm일 때, 다음을 구하시오.

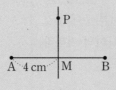

(1) $\overline{AB}$의 길이

(2) ∠AMP의 크기

3-2

오른쪽 그림과 같은 사다리꼴 ABCD에서 다음을 구하시오.

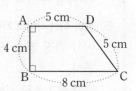

(1) $\overleftrightarrow{AB}$와 직교하는 직선

(2) 점 C와 $\overleftrightarrow{AB}$ 사이의 거리

(3) 점 D에서 $\overleftrightarrow{AB}$에 내린 수선의 발

유형 01 **각의 크기 구하기**

(10종 교과서 공통)

1-1

다음 그림에서 ∠AOB가 평각일 때, ∠x의 크기를 구하시오.

(1)
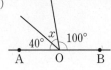

(2)
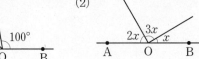

1-2

오른쪽 그림에서 ∠AOB가 평각일 때, ∠x의 크기를 구하시오.

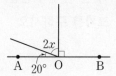

유형 02 **각의 등분**

(10종 교과서 공통)

2-1

오른쪽 그림에서 ∠AOB=24°이고 ∠BOC=$\frac{1}{4}$∠BOD일 때, 다음 각의 크기를 구하시오.

(1) ∠BOC   (2) ∠COD

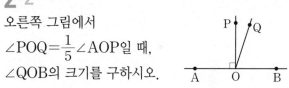

2-2

오른쪽 그림에서 ∠POQ=$\frac{1}{5}$∠AOP일 때, ∠QOB의 크기를 구하시오.

유형 03 **맞꼭지각 (1)**

(10종 교과서 공통)

3-1

다음 그림에서 ∠x의 크기를 구하시오.

(1)
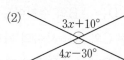

(2)

3-2

다음 그림에서 ∠x의 크기를 구하시오.

(1)
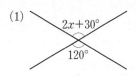

(2)
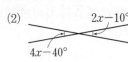

유형 **04** 맞꼭지각 (2)

10종 교과서 공통

4-1

오른쪽 그림과 같이 세 직선
이 한 점에서 만날 때, $\angle x$의
크기를 구하시오.

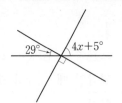

4-2

오른쪽 그림과 같이 세 직선
이 한 점에서 만날 때, $\angle x$의
크기를 구하시오.

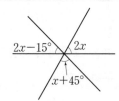

유형 **05** 맞꼭지각 (3)

10종 교과서 공통

5-1

오른쪽 그림에서 $\angle x + \angle y$의
크기를 구하시오.

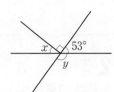

5-2

오른쪽 그림에서 $\angle x$, $\angle y$의
크기를 각각 구하시오.

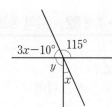

유형 **06** 수직과 수선

10종 교과서 공통

6-1

오른쪽 그림과 같은 평
행사변형 ABCD에서 다
음을 구하시오.

(1) 점 A와 $\overleftrightarrow{BC}$ 사이의
거리

(2) 점 C와 $\overleftrightarrow{AB}$ 사이의 거리

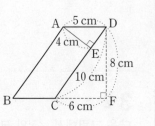

6-2

오른쪽 그림에서 $\overleftrightarrow{AB} \perp \overleftrightarrow{CD}$이
고, $\overline{AH} = \overline{BH}$일 때, 다음 중
옳지 않은 것은?

① $\angle AHC = 90°$

② 점 H는 $\overline{AB}$의 중점이다.

③ $\overleftrightarrow{CD}$는 $\overline{AB}$의 수직이등분선이다.

④ 점 C와 $\overleftrightarrow{AB}$ 사이의 거리는 $\overline{CH}$의 길이와 같다.

⑤ 점 D에서 $\overleftrightarrow{AB}$에 내린 수선의 발은 점 C이다.

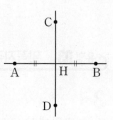

정답과 해설 5쪽

●중●
01

>>> 출제 예상 85%

오른쪽 그림에서

$\angle COD = \dfrac{1}{4}\angle AOD$,

$\angle DOE = \dfrac{1}{4}\angle DOB$일 때,

$\angle COE$의 크기를 구하시오.

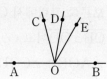

●중하●
04

>>> 출제 예상 90%

오른쪽 그림과 같이 세 직선이 한 점에서 만날 때, $\angle x$의 크기를 구하시오.

●중●
02

>>> 출제 예상 85%

오른쪽 그림에서

$\angle x : \angle y : \angle z = 2 : 3 : 5$

일 때, $\angle x$, $\angle y$, $\angle z$의 크기를 각각 구하시오.

✓ $\angle x + \angle y + \angle z = 180°$이고 $\angle x : \angle y : \angle z = a : b : c$이면

$\angle x = 180° \times \dfrac{a}{a+b+c}$, $\angle y = 180° \times \dfrac{b}{a+b+c}$, $\angle z = 180° \times \dfrac{c}{a+b+c}$

●중하●
05

>>> 출제 예상 90%

오른쪽 그림과 같이 $\overleftrightarrow{AB}$와 $\overleftrightarrow{CD}$가 한 점 O에서 만날 때, $\angle x$, $\angle y$의 크기를 각각 구하시오.

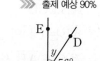

●중하●
03

>>> 출제 예상 95%

오른쪽 그림에서 $\angle x$, $\angle y$의 크기를 각각 구하시오.

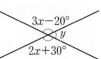

●중하●
06

>>> 출제 예상 95%

오른쪽 그림과 같이 세 직선이 한 점에서 만날 때, $\angle x$의 크기를 구하시오.

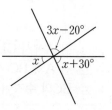

3 교과서 **기본 테스트**

중
07
>>> 출제 예상 80%

오른쪽 그림에서 $\angle x - \angle y$의 값은?

① 75°   ② 80°

③ 85°   ④ 90°

⑤ 95°

중하
08
>>> 출제 예상 90%

오른쪽 그림에서 $\overline{CD}$는 $\overline{AB}$의 수직이등분선일 때, 다음 중 옳지 않은 것은?

① $\overline{AH} = \overline{BH}$

② $\overline{AB} \perp \overline{CD}$

③ $\overline{AB}$는 $\overline{CD}$의 수선이다.

④ 점 C와 $\overline{AB}$ 사이의 거리는 $\overline{CD}$의 길이와 같다.

⑤ 점 B에서 $\overline{CD}$에 내린 수선의 발은 점 H이다.

중하
09
>>> 출제 예상 90%

다음 보기 중 아래 그림에 대한 설명으로 옳은 것을 고르시오.

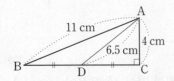

11 cm
6.5 cm
4 cm

┤ 보기 ├
㉠ 점 A에서 $\overleftrightarrow{CD}$에 내린 수선의 발은 점 D이다.
㉡ 점 A와 $\overleftrightarrow{BC}$ 사이의 거리는 4 cm이다.
㉢ $\overline{BC}$의 수직이등분선은 $\overline{AD}$이다.

● 과정을 평가하는 서술형입니다.

중
10
>>> 출제 예상 90%

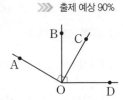

오른쪽 그림에서 $\overrightarrow{OA} \perp \overrightarrow{OC}$, $\overrightarrow{OB} \perp \overrightarrow{OD}$이고 $\angle AOB + \angle COD = 120°$일 때, $\angle BOC$의 크기를 구하시오.

중
11
>>> 출제 예상 85%

오른쪽 그림에서 $\angle AOC = 2\angle COD$, $\angle BOE = 2\angle DOE$일 때, $\angle COE$의 크기를 구하시오.

중하
12
>>> 출제 예상 95%

오른쪽 그림과 같이 세 직선이 한 점에서 만날 때, $2\angle x + \angle y$의 크기를 구하시오.

$x+30°$
y
$2x+50°$

창의력·융합형·서술형·코딩

1

다음은 선영이네 동네의 지도와 선영이네 집을 나타내는 단서이다. 물음에 답하시오.

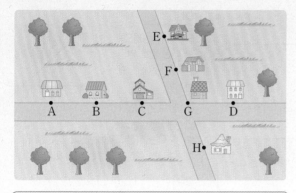

> ㉮ 선영이네 집은 $\overleftrightarrow{BC}$ 위에 있다.
> ㉯ $\overline{AD}$의 중점 C에 집이 있고 $\overline{AC}$의 중점 B와 $\overline{CD}$의 중점 G에도 집이 있다.
> ㉰ 선영이네 집에서 점 B에 있는 집까지의 거리는 선영이네 집에서 점 D에 있는 집까지의 거리의 2배이다.

(1) 선영이네 집이 있는 위치를 찾으시오.

(2) $\overline{AD}=8$ km일 때, 선영이네 집에서 점 A에 있는 집까지의 거리를 구하시오.

2

아래 그림은 직선으로 나 있는 도로와 섬의 P 지점을 잇는 가장 짧은 다리를 만들기 위한 도면의 일부이다. 다음 중 옳은 것에는 ○표, 옳지 않은 것에는 ×표를 하시오.

(단, 세 점 A, B, C는 도로 위의 점이다.)

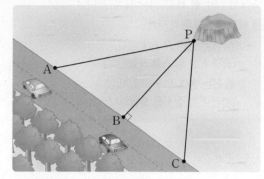

(1) 점 B는 $\overline{AC}$의 중점이다. ( )

(2) $\overline{AB}=\overline{PB}$ ( )

(3) 점 B는 점 P에서 도로에 내린 수선의 발이다. ( )

(4) 점 P와 도로를 잇는 가장 짧은 다리의 길이는 $\overline{PB}$의 길이와 같다. ( )

(5) 점 C에서 $\overline{PB}$에 그은 길이가 가장 짧은 선은 $\overline{CP}$이다. ( )

03 위치 관계

개념 01 점과 직선의 위치 관계

(1) 점 ❶[ ]는 직선 l 위에 있다.

(직선 l이 점 A를 지난다.)

(2) 점 B는 직선 ❷[ ] 위에 있지 않다.

(직선 l이 점 B를 지나지 않는다.)

[참고] 점과 평면의 위치 관계

① 점 A는 평면 P 위에 있다.

(평면 P는 점 A를 포함한다.)

② 점 B는 평면 P 위에 있지 않다.

(평면 P는 점 B를 포함하지 않는다.)

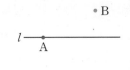

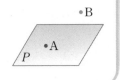

답 | ❶ A ❷ l

QUIZ

오른쪽 그림을 보고 다음 괄호 안의 알맞은 것에 ○표 하시오.

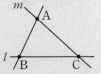

(1) 점 A는 직선 l 위에 (있다, 있지 않다).

(2) 점 C는 직선 l 위에 (있다, 있지 않다).

(3) 점 B는 직선 m 위에 (있다, 있지 않다).

정답 |

(1) 있지 않다 (2) 있다 (3) 있지 않다

개념 02 평면에서 두 직선의 위치 관계

(1) **두 직선의 평행** 한 평면 위의 두 직선 l, m이 만나지 않을 때, 두 직선 l, m은 ❶[ ]하다고 한다. ➡ $l /\!/ m$

(2) 평면에서 두 직선의 위치 관계

한 점에서 만난다.	평행하다.	일치한다.
l m	l m	l, m
교점이 1개이다.	교점이 없다.	교점이 무수히 많다.

답 | ❶ 평행

QUIZ

아래 그림을 보고 다음을 구하시오.

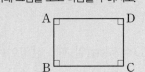

(1) 변 CD와 평행한 변

(2) 변 AB와 한 점에서 만나는 변

정답 |

(1) 변 AB (2) 변 AD, 변 BC

개념 03 공간에서 두 직선의 위치 관계

(1) **꼬인 위치** 공간에서 두 직선이 만나지도 않고 ❶[ ]하지도 않을 때, 두 직선은 꼬인 위치에 있다고 한다.

(2) 공간에서 두 직선의 위치 관계

한 점에서 만난다.	평행하다.	일치한다.	꼬인 위치에 있다.
l m	l m	l, m	l m
한 평면 위에 있다.			한 평면 위에 있지 않다.

답 | ❶ 평행

QUIZ

오른쪽 그림을 보고 다음 두 선분의 위치 관계를 말하시오.

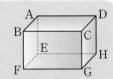

(1) $\overline{AB}$와 $\overline{BF}$

(2) $\overline{BC}$와 $\overline{EH}$

(3) $\overline{EF}$와 $\overline{DH}$

정답 |

(1) 한 점에서 만난다.

(2) 평행하다.

(3) 꼬인 위치에 있다.

개념 04 공간에서 직선과 평면의 위치 관계

(1) 공간에서 직선과 평면의 위치 관계

한 점에서 만난다.	평행하다.	직선이 평면에 포함된다.
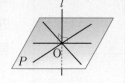		

(2) **직선과 평면의 수직** 직선 l이 평면 P와 한 점 O에서 만나고 점 O를 지나는 평면 P 위의 모든 직선과 서로 수직일 때, 직선 l과 평면 P는 서로 ❶[ ]이라 한다. ➡ $l \perp P$ 이때 직선 l을 평면 P의 ❷[ ]이라 한다.

참고 평면 P의 수선인 직선 l과 평면 P가 만나는 점 O를 수선의 발이라 한다.

답 | ❶ 수직 ❷ 수선

QUIZ

다음 그림과 같은 정육면체에서 색칠한 직선과 평면의 위치 관계를 말하시오.

(1)   (2)

정답 |
(1) 직선이 평면에 포함된다. (2) 평행하다.

개념 05 공간에서 두 평면의 위치 관계

(1) **두 평면의 평행** 공간에서 두 평면 P, Q가 만나지 않을 때, 두 평면 P, Q는 ❶[ ]하다고 한다. ➡ $P /\!/ Q$

(2) 공간에서 두 평면의 위치 관계

한 직선에서 만난다.	평행하다.	일치한다.
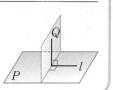		

참고 두 평면 P, Q가 만나고 평면 P가 평면 Q에 수직인 직선 l을 포함할 때, 두 평면 P, Q는 서로 수직이라 한다. ➡ $P \perp Q$

답 | ❶ 평행

QUIZ

다음 그림과 같은 정육면체에서 색칠한 두 평면의 위치 관계를 말하시오.

(1)   (2)

정답 |
(1) 한 직선에서 만난다. (2) 평행하다.

+Plus 개념 세 직선의 위치 관계

공간에서 세 직선의 위치 관계를 알아볼 때에는 다음과 같이 직육면체를 이용하여 생각하면 편리하다.

예 공간에 있는 서로 다른 세 직선 l, m, n에 대하여

$l /\!/ m$, $l /\!/ n$이면	$l /\!/ m$, $l \perp n$이면		$l \perp m$, $l \perp n$이면		
$m /\!/ n$	$m \perp n$	m, n은 꼬인 위치	$m /\!/ n$	m, n은 꼬인 위치	m, n은 만난다.

교과서 개념 확인 테스트

01 평면에서 두 직선의 위치 관계 개념 02

1-1
오른쪽 그림과 같은 사다리꼴 ABCD에서 다음을 구하시오.
(1) 변 AD와 평행한 변
(2) 변 CD와 만나는 변

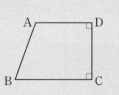

1-2
오른쪽 그림과 같은 평행사변형 ABCD에 대하여 다음 물음에 답하시오.
(1) $\overline{AB}$와 한 점에서 만나는 선분을 구하시오.
(2) $\overline{AD}$와 평행한 선분을 찾아 기호 $/\!/$를 사용하여 나타내시오.

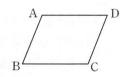

02 공간에서 두 직선의 위치 관계 개념 03

2-1
오른쪽 그림과 같은 직육면체에서 다음을 구하시오.
(1) 모서리 AB와 한 점에서 만나는 모서리
(2) 모서리 CG와 평행한 모서리
(3) 모서리 EF와 꼬인 위치에 있는 모서리

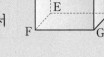

2-2
오른쪽 그림과 같은 삼각기둥에서 다음을 구하시오.
(1) 모서리 AB와 한 점에서 만나는 모서리
(2) 모서리 CF와 평행한 모서리
(3) 모서리 EF와 꼬인 위치에 있는 모서리

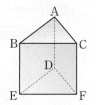

03 공간에서 직선과 평면, 평면과 평면의 위치 관계 개념 04 개념 05

3-1
오른쪽 그림과 같은 직육면체에서 다음을 구하시오.
(1) 모서리 AB를 포함하는 면
(2) 모서리 EF와 평행한 면
(3) 모서리 BC와 한 점에서 만나는 면
(4) 면 BFGC와 평행한 면

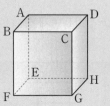

3-2
오른쪽 그림과 같은 삼각기둥에서 다음을 구하시오.
(1) 모서리 CF를 교선으로 하는 두 면
(2) 면 ABC와 평행한 면
(3) 모서리 BE와 수직인 면

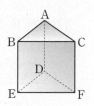

정답과 해설 7쪽

유형 **01** 평면에서 두 직선의 위치 관계

10종 교과서 공통

1-1

오른쪽 그림과 같은 정육각형에서 각 변을 연장한 직선을 그을 때, 다음을 구하시오.

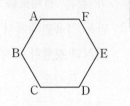

(1) 직선 AB와 한 점에서 만나는 직선

(2) 직선 CD와 평행한 직선

1-2

오른쪽 그림과 같은 정팔각형에서 각 변을 연장한 직선 중 직선 BC와 평행한 직선의 개수를 a, 직선 AH와 한 점에서 만나는 직선의 개수를 b라 할 때, $b-a$의 값을 구하시오.

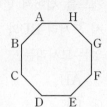

유형 **02** 공간에서 두 직선의 위치 관계

10종 교과서 공통

2-1

오른쪽 그림과 같이 밑면이 정사각형인 사각뿔에서 다음 두 모서리의 위치 관계를 말하시오.

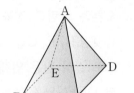

(1) 모서리 AB와 모서리 AC

(2) 모서리 AD와 모서리 BE

(3) 모서리 BC와 모서리 ED

2-2

오른쪽 그림과 같은 삼각기둥에서 다음을 구하시오.

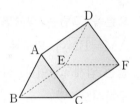

(1) 모서리 AB와 만나는 모서리

(2) 모서리 BE와 평행한 모서리

(3) 모서리 BC와 꼬인 위치에 있는 모서리

유형 **03** 공간에서 직선과 평면, 평면과 평면의 위치 관계

천재(류), 동아(박), 미래엔 유사

3-1

오른쪽 그림과 같은 오각기둥에서 다음을 구하시오.

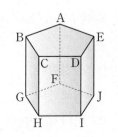

(1) 면 CHID에 포함된 모서리

(2) 면 ABCDE와 평행한 면

3-2

오른쪽 그림과 같은 육각기둥에서 다음을 구하시오.

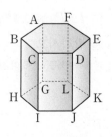

(1) 면 BHIC와 평행한 모서리

(2) 면 ABCDEF와 수직인 면의 개수

유형 04 전개도에서 위치 관계

10종 교과서 공통

4-1

다음 중 오른쪽 그림과 같은 전개도를 접어서 만든 삼각뿔에서 모서리 BD와 꼬인 위치에 있는 모서리는?

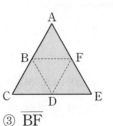

① $\overline{AB}$ ② $\overline{AF}$ ③ $\overline{BF}$

④ $\overline{DE}$ ⑤ $\overline{DF}$

∨ 전개도가 주어지면 겨냥도를 그려 생각한다.

4-2

다음 보기 중 오른쪽 그림과 같은 전개도를 접어서 만든 정육면체에서 모서리 MN과 평행한 모서리를 모두 고르시오.

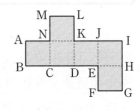

┤ 보기 ├

ㄱ $\overline{AN}$ ㄴ $\overline{JK}$ ㄷ $\overline{BC}$

ㄹ $\overline{ED}$ ㅁ $\overline{LK}$ ㅂ $\overline{HI}$

유형 05 잘린 입체도형에서 위치 관계

10종 교과서 공통

5-1

오른쪽 그림은 직육면체를 $\overline{AM}=\overline{BN}$이 되도록 잘라 만든 입체도형이다. 다음을 구하시오.

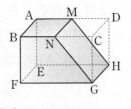

(1) 모서리 NG와 평행한 모서리

(2) 면 BFGN과 평행한 모서리

5-2

오른쪽 그림은 정육면체를 세 꼭짓점 B, F, C를 지나는 평면으로 잘라 만든 입체도형이다. 면 DEFG와 평행한 모서리의 개수를 a, 모서리 AB와 꼬인 위치에 있는 모서리의 개수를 b라 할 때, $a+b$의 값을 구하시오.

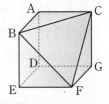

유형 06 세 직선, 세 평면의 위치 관계

천재(류), 비상, 미래엔, 동아(강), 동아(박) 유사

6-1

공간에서 평면 P와 서로 다른 두 직선 l, m에 대하여 $l \perp P$, $m \perp P$일 때, 두 직선 l, m의 위치 관계를 말하시오.

∨ 직육면체를 이용하여 위치 관계를 나타내 본다.

6-2

한 평면 위에 있는 서로 다른 세 직선 l, m, n에 대하여 $l /\!/ m$, $m \perp n$일 때, 두 직선 l, n의 위치 관계는?

① 일치한다.   ② 평행하다.

③ 직교한다.   ④ 꼬인 위치에 있다.

⑤ 만나지 않는다.

종하
01 ⟫⟫⟫ 출제 예상 90%

오른쪽 그림과 같은 사각뿔에서 모서리 AB와 한 점에서 만나는 모서리의 개수를 a, 꼬인 위치에 있는 모서리의 개수를 b라 할 때, $a+b$의 값을 구하시오.

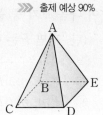

종
02 ⟫⟫⟫ 출제 예상 85%

다음 중 두 직선의 위치 관계에 대한 설명으로 옳은 것을 모두 고르면? (정답 2개)

① 평행한 두 직선은 한 평면 위에 있다.
② 한 직선에 평행한 두 직선은 평행하다.
③ 한 평면 위의 두 직선은 항상 한 점에서 만난다.
④ 만나지 않는 두 직선은 평행하다.
⑤ 서로 다른 두 직선을 포함하는 평면은 항상 존재한다.

종
03 ⟫⟫⟫ 출제 예상 90%

오른쪽 그림은 직육면체를 잘라 만든 사각기둥이다. 모서리 CG와 수직인 면의 개수를 a, 면 CGHD와 평행한 모서리의 개수를 b라 할 때, $a+b$의 값을 구하시오.

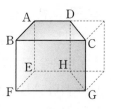

종
04 ⟫⟫⟫ 출제 예상 85%

오른쪽 그림과 같이 밑면이 사다리꼴인 각기둥이 있다. 다음 보기 중 옳은 것을 모두 고르시오.

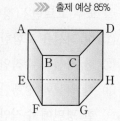

┤ 보기 ├
㉠ 면 ABCD와 면 EFGH는 평행하다.
㉡ 면 AEFB와 면 BFGC의 교선은 모서리 BF이다.
㉢ 면 ABCD에 수직인 모서리는 4개이다.
㉣ 모서리 AE와 꼬인 위치에 있는 모서리는 5개이다.

종하
05 ⟫⟫⟫ 출제 예상 95%

다음 중 오른쪽 정육면체에 대한 설명으로 옳지 않은 것은?

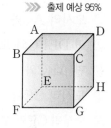

① $\overline{AB} /\!/ \overline{EF}$
② $\overline{AB}$와 $\overline{GH}$는 꼬인 위치에 있다.
③ 면 ABCD에 포함된 모서리는 4개이다.
④ 면 ABCD에 수직인 모서리는 4개이다.
⑤ 면 BFGC에 평행한 모서리는 4개이다.

종하
06 ⟫⟫⟫ 출제 예상 90%

오른쪽 그림과 같은 오각기둥에서 모서리 EJ와 수직인 면의 개수를 a, 모서리 BG와 꼬인 위치에 있는 모서리의 개수를 b, 면 ABCDE와 평행한 모서리의 개수를 c라 할 때, $a+b+c$의 값을 구하시오.

충
07
>>> 출제 예상 85%

다음 중 공간에서 서로 다른 두 평면이 평행한 경우를 모두 고르면? (정답 2개)

① 한 직선을 포함한 두 평면
② 한 직선에 수직인 두 평면
③ 한 직선에 평행한 두 평면
④ 한 평면에 수직인 두 평면
⑤ 한 평면에 평행한 두 평면

충
08
>>> 출제 예상 95%

오른쪽 그림은 직육면체를 세 꼭짓점 B, F, C를 지나는 평면으로 잘라 만든 입체도형이다. 다음 중 옳지 <u>않은</u> 것은?

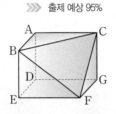

① 모서리 AC와 모서리 EF는 평행하다.
② 면 DEFG와 모서리 BC는 평행하다.
③ 면 ABC와 수직인 모서리는 3개이다.
④ 모서리 BE와 모서리 BF는 한 점에서 만난다.
⑤ 모서리 CF와 꼬인 위치에 있는 모서리는 4개이다.

상충
09
까다로운 문제
>>> 출제 예상 85%

오른쪽 그림과 같은 직육면체에서 다음 조건을 모두 만족시키는 모서리는?

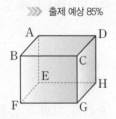

㉮ $\overline{AE}$와 꼬인 위치에 있는 모서리
㉯ 면 BFGC와 수직인 모서리
㉰ 면 ABCD와 평행한 모서리

① $\overline{AB}$
② $\overline{GH}$
③ $\overline{EF}$
④ $\overline{CD}$
⑤ $\overline{FG}$

상충
10
까다로운 문제
>>> 출제 예상 85%

공간에서 서로 다른 두 직선 l, m과 평면 P에 대하여 다음 보기 중 옳은 것을 모두 고르시오.

(단, 평면 P는 두 직선 l, m을 포함하지 않는다.)

┤ 보기 ├

㉠ $l /\!/ m$, $m \perp P$이면 $l \perp P$이다.
㉡ $l /\!/ m$, $m /\!/ P$이면 $l /\!/ P$이다.
㉢ $l /\!/ P$, $m /\!/ P$이면 $l /\!/ m$이다.
㉣ $l \perp m$, $m \perp P$이면 $l /\!/ P$이다.

● **과정을 평가하는 서술형입니다.**

충
11
>>> 출제 예상 85%

오른쪽 그림과 같은 직육면체에서 직선 DG와 수직으로 만나는 모서리의 개수를 a, 직선 DG와 꼬인 위치에 있는 모서리의 개수를 b라 할 때, $b-a$의 값을 구하시오.

충
12
>>> 출제 예상 90%

오른쪽 그림과 같은 전개도로 만든 삼각기둥에 대하여 다음을 구하시오.

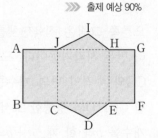

(1) 모서리 AB와 평행한 모서리
(2) 모서리 GF와 평행한 면

1

다음은 어느 지역 지하철 노선도의 일부이다. 지하철 노선을 각각 직선 l, m, p, q라 하고, 역을 점이라고 생각할 때, 다음 중 옳은 것에는 ○표, 옳지 않은 것에는 ×표를 하시오.

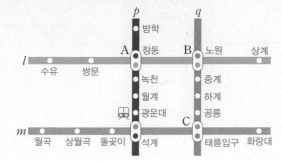

(1) 점 A는 두 직선 l, m 위에 있다. (　　)

(2) 점 B는 직선 l 위에 있다. (　　)

(3) 두 점 B, C는 직선 p 위에 있다. (　　)

(4) 두 직선 m, q는 점 C를 지난다. (　　)

2

다음은 어느 백화점 시설 안내도의 일부분이다. 세 직선 l, m, n에 대하여 다음 물음에 답하시오.

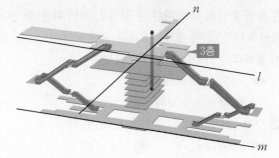

(1) 직선 l과 한 점에서 만나는 직선을 구하시오.

(2) 두 직선 l, m의 위치 관계를 말하시오.

(3) 두 직선 m, n의 위치 관계를 말하시오.

(4) 3층 바닥과 평행한 직선을 구하시오.

04 평행선의 성질

개념 01 동위각과 엇각

한 평면 위에서 서로 다른 두 직선 l, m이 다른 한
직선 n과 만날 때 생기는 8개의 교각 중에서

(1) **동위각** 서로 같은 위치에 있는 두 각
   ➡ $\angle a$와 $\angle e$, $\angle b$와 ❶
   $\angle c$와 $\angle g$, $\angle d$와 $\angle h$

(2) **엇각** 서로 엇갈린 위치에 있는 두 각
   ➡ $\angle b$와 $\angle h$, ❷ 와 $\angle e$

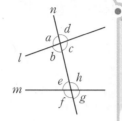

답 | ❶ $\angle f$ ❷ $\angle c$

QUIZ

오른쪽 그림에서 $\angle a$의
동위각과 엇각을 각각 표
시하시오.

정답 |

동위각 엇각

개념 02 평행선의 성질

서로 다른 두 직선 l, m이 다른 한 직선 n과 만날
때

(1) 두 직선이 평행하면 동위각의 크기는 서로 같
   다. ➡ $l /\!/ m$이면 $\angle a =$ ❶

(2) 두 직선이 평행하면 엇각의 크기는 서로 같다.
   ➡ $l /\!/ m$이면 $\angle b =$ ❷

참고 다음 그림에서 $l /\!/ m$이면 $\angle x + \angle y = 180°$

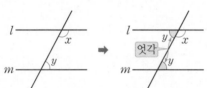

엇각

답 | ❶ $\angle b$ ❷ $\angle c$

QUIZ

다음 그림에서 $l /\!/ m$일 때, $\angle a$의 크기를 구하
시오.

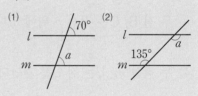

정답 |
(1) 70° (2) 135°

개념 03 두 직선이 평행하기 위한 조건

서로 다른 두 직선 l, m이 다른 한 직선 n과 만날
때

(1) 동위각의 크기가 같으면 두 직선은 서로 평행
   하다. ➡ $\angle a = \angle b$이면 ❶

(2) 엇각의 크기가 같으면 두 직선은 서로 ❷
   하다. ➡ $\angle b = \angle c$이면 $l /\!/ m$

참고 오른쪽 그림에서 $\angle x + \angle y = 180°$이면 $l /\!/ m$

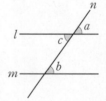

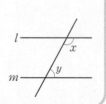

답 | ❶ $l /\!/ m$ ❷ 평행

QUIZ

다음 그림에서 두 직선 l, m이 서로 평행한 것
을 고르시오.

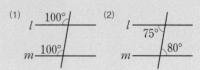

정답 |
(1)

STEP 1 교과서 개념 확인 테스트

01 동위각과 엇각 _{개념01}

1-1

오른쪽 그림에서 다음 각의
크기를 구하시오.

(1) ∠a의 동위각

(2) ∠b의 엇각

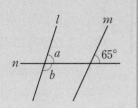

1-2

오른쪽 그림에서 다음 각의
크기를 구하시오.

(1) ∠EPA의 동위각

(2) ∠APQ의 엇각

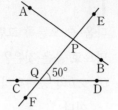

02 평행선의 성질 _{개념02}

2-1

다음 그림에서 $l /\!/ m$일 때, ∠a, ∠b의 크기를 각
각 구하시오.

(1)
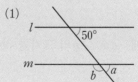

(2)
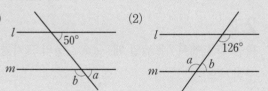

2-2

오른쪽 그림에서 $l /\!/ m$일
때, ∠a, ∠b의 크기를 각
각 구하시오.

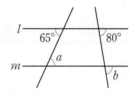

03 두 직선이 평행하기 위한 조건 _{개념03}

3-1

오른쪽 그림에서 평행한
두 직선을 찾아 기호 $/\!/$
를 사용하여 나타내시오.

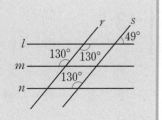

3-2

오른쪽 그림에서 평행한 두
직선을 모두 찾아 기호 $/\!/$
를 사용하여 나타내시오.

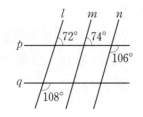

유형 01　동위각과 엇각

〈 10종 교과서 공통 〉

1-1
다음 중 오른쪽 그림에 대한 설명으로 옳은 것은?

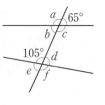

① $\angle b$의 동위각의 크기는 $65°$이다.

② $\angle b$의 크기와 $\angle e$의 크기는 같다.

③ $\angle d$의 크기는 $65°$이다.

④ $\angle c$의 크기와 $\angle f$의 크기는 같다.

⑤ $\angle c$의 엇각의 크기는 $105°$이다.

1-2
다음 중 오른쪽 그림에 대한 설명으로 옳은 것을 모두 고르면? (정답 2개)

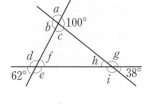

① $\angle d$의 크기는 $62°$이다.

② $\angle g$의 크기는 $100°$이다.

③ $\angle b$의 엇각의 크기는 $62°$이다.

④ $\angle c$의 엇각은 $\angle d$, $\angle g$이다.

⑤ $\angle d$와 $\angle g$는 동위각이다.

유형 02　평행선에서 동위각과 엇각

〈 10종 교과서 공통 〉

2-1
다음 그림에서 $l /\!/ m$일 때, $\angle a$, $\angle b$의 크기를 각각 구하시오.

(1) 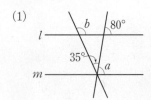　　(2)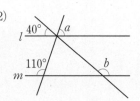

2-2
다음 그림에서 $l /\!/ m$일 때, $\angle x$, $\angle y$의 크기를 각각 구하시오.

(1) 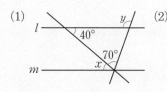　　(2)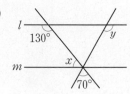

유형 03　두 직선이 평행하기 위한 조건

〈 10종 교과서 공통 〉

3-1
오른쪽 그림에서 평행한 두 직선을 찾고, $\angle x$의 크기를 구하시오.

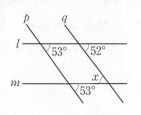

3-2
오른쪽 그림에서 서로 평행한 두 직선을 모두 찾아 기호 $/\!/$를 사용하여 나타내시오.

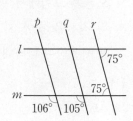

유형 04 평행선에서 각의 크기 구하기 – 1개의 보조선

10종 교과서 공통

4-1
오른쪽 그림에서 $l /\!/ m$일 때,
$\angle x$의 크기를 구하시오.

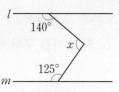

∨ 꺾인 점을 지나고 두 직선 l, m에 평행한 직선을 긋는다.

4-2
오른쪽 그림에서 $l /\!/ m$일 때,
$\angle x$의 크기를 구하시오.

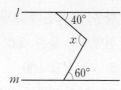

유형 05 평행선에서 각의 크기 구하기 – 2개의 보조선

10종 교과서 공통

5-1
오른쪽 그림에서 $l /\!/ m$일 때,
$\angle x$의 크기를 구하시오.

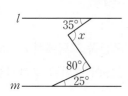

5-2
오른쪽 그림에서 $l /\!/ m$일 때,
$\angle x$의 크기를 구하시오.

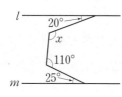

유형 06 직사각형 모양의 종이접기

10종 교과서 공통

6-1
아래 그림과 같이 직사각형 모양의 종이를 $\overline{BC}$를 접는 선으로 하여 접었다. $\angle BCD=58°$일 때, 다음 물음에 답하시오.

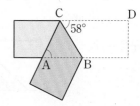

(1) $\angle BCD$와 크기가 같은 각을 모두 찾으시오.
(2) $\angle CAB$의 크기를 구하시오.

6-2
다음 그림과 같이 폭이 일정한 종이테이프를 $\overline{QR}$를 접는 선으로 하여 접었다. $\angle PRQ=35°$일 때, $\angle x$의 크기를 구하시오.

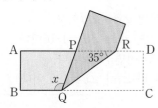

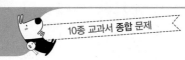
중하
01
>>> 출제 예상 85%

다음 중 오른쪽 그림에 대한 설명으로 옳은 것을 모두 고르면? (정답 2개)

① ∠b의 엇각의 크기는 130°이다.

② ∠c와 ∠e는 동위각이다.

③ ∠d와 ∠i는 엇각이다.

④ ∠e의 엇각의 크기는 50°이다.

⑤ ∠g의 동위각은 ∠c, ∠e이다.

중하
02
>>> 출제 예상 90%

오른쪽 그림에서 $l \parallel m$일 때, ∠a, ∠b의 크기를 각각 구하시오.

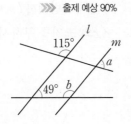

중
03
>>> 출제 예상 80%

오른쪽 그림과 같이 두 직선 l, m과 다른 한 직선 n이 만날 때, 다음 보기 중 옳은 것을 모두 고르시오.

┤ 보기 ├
⊙ $l \parallel m$이면 ∠a=∠d이다.
ⓒ $l \parallel m$이면 ∠c+∠d=180°이다.
ⓒ ∠b=∠d이면 $l \parallel m$이다.
ⓔ $l \parallel m$이면 ∠b+∠e=180°이다.

중하
04
>>> 출제 예상 95%

오른쪽 그림에서 $l \parallel m$일 때, ∠x의 크기를 구하시오.

중
05
>>> 출제 예상 95%

오른쪽 그림에서 $l \parallel m$일 때, ∠x의 크기를 구하시오.

✓ 삼각형의 세 각의 크기의 합은 180°임을 이용한다.

중
06
>>> 출제 예상 95%

오른쪽 그림에서 $l \parallel m$일 때, ∠x의 크기를 구하시오.

중
07
오른쪽 그림에서 $l /\!/ m$일 때, $\angle x$의 크기를 구하시오.

≫ 출제 예상 95%

중하
08
≫ 출제 예상 90%

다음 중 두 직선 l, m이 평행하지 <u>않은</u> 것은?

① l 50° m 50°

② l 110° m 110°

③ l 120° m 120°

④ l 45° m 125°

⑤ l 135° m 45°

중하
09
≫ 출제 예상 85%

오른쪽 그림을 보고 다음 물음에 답하시오.
(1) 평행선을 모두 찾아 기호 $/\!/$를 사용하여 나타내시오.
(2) $\angle a$의 크기를 구하시오.

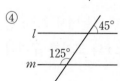

중
10
오른쪽 그림에서 $l /\!/ m$일 때, $\angle x$의 크기를 구하시오.

≫ 출제 예상 95%

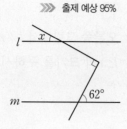

중
11
≫ 출제 예상 90%

오른쪽 그림에서 $l /\!/ m$일 때, $\angle x$, $\angle y$의 크기를 각각 구하시오.

l 50° 110° m x y

상중
12
까다로운 문제

≫ 출제 예상 85%

오른쪽 그림에서 $l /\!/ m$일 때, $\angle x$, $\angle y$의 크기를 각각 구하시오.

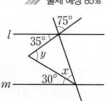

STEP 3 교과서 기본 테스트

13 ❰중❱

>>> 출제 예상 90%

오른쪽 그림에서 $l /\!/ m$일 때, $\angle x$의 크기를 구하시오.

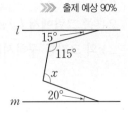

16 ❰중❱

>>> 출제 예상 95%

오른쪽 그림에서 $l /\!/ m$일 때, $\angle x$의 크기를 구하시오.

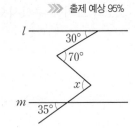

14 ❰중❱

>>> 출제 예상 85%

오른쪽 그림에서 $l /\!/ m$일 때, $\angle x$의 크기를 구하시오.

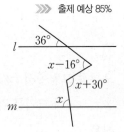

17 ❰중❱

>>> 출제 예상 85%

오른쪽 그림에서 $l /\!/ m$일 때, $\angle x$의 크기를 구하시오.

15 ❰중❱

>>> 출제 예상 85%

다음 그림과 같이 직사각형 모양의 종이를 점 D가 $\overline{BC}$ 위의 점 R에 오도록 $\overline{PQ}$를 접는 선으로 하여 접었다. $\angle PRB = 62°$일 때, $\angle x$의 크기를 구하시오.

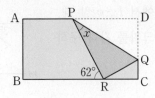

18 ❰중❱

>>> 출제 예상 90%

다음 그림과 같이 폭이 일정한 종이테이프를 접었을 때, $\angle x$의 크기를 구하시오.

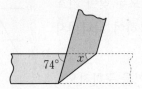

1

프랑스의 수학자 데카르트는 최초로 빛의 굴절 속에 숨어 있는 규칙성과 무지개의 색에 따라 달라지는 빛의 굴절 각도를 증명하였다. 그 결과 다음 그림과 같이 공기 중의 물방울이 햇빛을 42°로 반사하면 무지개의 빨간색 부분이, 40°로 반사하면 무지개의 보라색 부분이 보인다는 사실을 알게 되었다. 햇빛은 평행하게 들어올 때, $\angle x$의 크기를 구하시오.

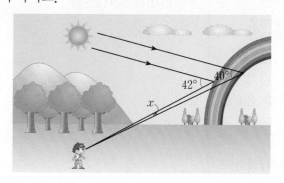

2

빛은 거울에 들어갈 때와 나갈 때 같은 각도로 반사된다고 한다. 다음 그림과 같이 두 개의 거울을 서로 평행하게 놓고 빛을 한 거울에 비추었을 때, $\angle x$의 크기를 구하시오.

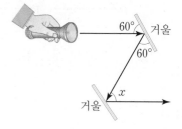

3

아래 그림과 같이 회전하지 않는 공이 당구대의 벽에 부딪혀 튕겨 나올 때, $\angle x$의 크기와 $\angle y$의 크기가 같다.

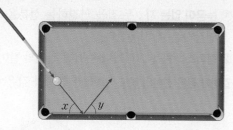

다음 그림과 같이 $\angle a = 52°$가 되도록 공을 회전하지 않고 당구대의 벽에 부딪히게 할 때, $\angle b$, $\angle c$, $\angle d$의 크기를 각각 구하시오.

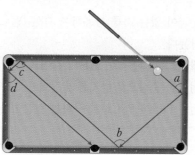

05 삼각형의 작도

개념 01 길이가 같은 선분의 작도

(1) **작도** 눈금이 없는 자와 ❶⬚만을 사용하여 도형을 그리는 것
  ① **눈금이 없는 자** : 두 점을 연결하는 선분을 그리거나 주어진 선분을 연장하는 데 사용한다.
  ② **컴퍼스** : 원을 그리거나 주어진 선분의 길이를 옮기는 데 사용한다.

(2) **길이가 같은 선분의 작도** $\overline{AB}$와 길이가 같은 $\overline{CD}$의 작도

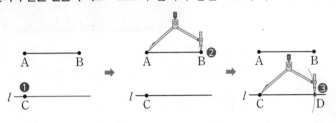

❶ 눈금이 없는 자를 사용하여 직선 l을 그리고, 그 위에 한 점 C를 잡는다.
❷ 컴퍼스를 사용하여 $\overline{AB}$의 길이를 잰다.
❸ 점 C를 중심으로 반지름의 길이가 $\overline{AB}$인 원을 그려 직선 l과의 교점을 D라 하면 $\overline{CD}$가 구하는 선분이다. ➡ $\overline{AB}=$ ❷⬚

답 | ❶ 컴퍼스 ❷ $\overline{CD}$

개념 02 크기가 같은 각의 작도

크기가 같은 각의 작도 ∠XOY와 크기가 같은 각의 작도

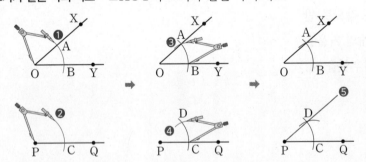

❶ 점 O를 중심으로 하는 원을 그려 $\overrightarrow{OX}$, $\overrightarrow{OY}$와의 교점을 각각 A, B라 한다.
❷ 점 P를 중심으로 반지름의 길이가 $\overline{OA}$인 원을 그려 $\overrightarrow{PQ}$와의 교점을 C라 한다.
❸ 컴퍼스를 사용하여 $\overline{AB}$의 길이를 잰다.
❹ 점 C를 중심으로 반지름의 길이가 $\overline{AB}$인 원을 그려 ❷에서 그린 원과의 교점을 D라 한다.
❺ 두 점 P와 D를 지나는 $\overrightarrow{PD}$를 그리면 ∠DPC가 구하는 각이다.
  ➡ ∠DPC= ❶⬚

답 | ❶ ∠XOY

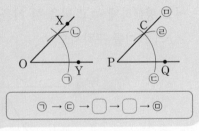

개념 03 삼각형

(1) **삼각형의 대변과 대각** 삼각형 ABC를 기호로 △ABC와 같이 나타낸다.
  ① **대변** : 한 각과 마주 보는 변
    예 ∠A의 대변 : $\overline{BC}$, ∠B의 대변 : $\overline{AC}$,
      ∠C의 대변 : $\overline{AB}$
  ② **대각** : 한 변과 마주 보는 **❶**
    예 $\overline{BC}$의 대각 : ∠A, $\overline{AC}$의 대각 : ∠B, $\overline{AB}$의 대각 : ∠C
(2) **삼각형의 세 변의 길이 사이의 관계**
  삼각형의 한 변의 길이는 나머지 두 변의 길이의 합보다 **❷** .

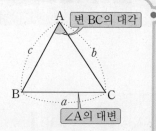
 변 BC의 대각

∠A의 대변

QUIZ

오른쪽 그림과 같은 △ABC에서 다음을 구하시오.
(1) ∠C의 대변의 길이
(2) $\overline{BC}$의 대각의 크기

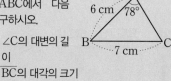

정답 |
(1) 6 cm (2) 78°

답 | ❶ 각 ❷ 작다

개념 04 삼각형의 작도

다음의 세 가지 경우에 삼각형을 하나로 작도할 수 있다.

(1) **세 변의 길이가 주어질 때**

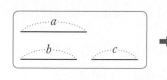 ➡ **❶** 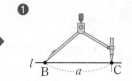 **❷** 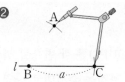 **❸**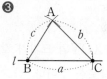

❶ 길이가 a인 $\overline{BC}$를 작도한다.
❷ 두 점 B, C를 중심으로 반지름의 길이가 각각 c, b인 원을 그려 그 교점을 A라 한다.
❸ 두 점 A와 B, 두 점 A와 C를 이어서 만든 △ABC가 구하는 삼각형이다.

(2) **두 변의 길이와 그 끼인각의 크기가 주어질 때**

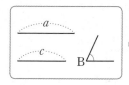 ➡ **❶** 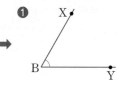 **❷** 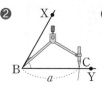 **❸** 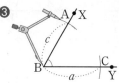 **❹**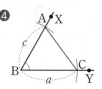

❶ ∠B와 크기가 같은 ∠XBY를 작도한다.
❷ 점 B를 중심으로 반지름의 길이가 a인 원을 그려 $\overrightarrow{BY}$와의 교점을 C라 한다.
❸ 점 B를 중심으로 반지름의 길이가 c인 원을 그려 $\overrightarrow{BX}$와의 교점을 A라 한다.
❹ 두 점 A, C를 이어서 만든 △ABC가 구하는 삼각형이다.

(3) **한 변의 길이와 그 양 끝 각의 크기가 주어질 때**

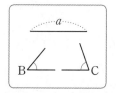 ➡ **❶** 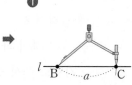 **❷** 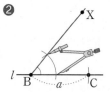 **❸** 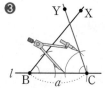 **❹**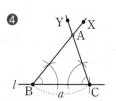

❶ 길이가 a인 $\overline{BC}$를 작도한다.
❷ ∠B와 크기가 같은 ∠XBC를 작도한다.
❸ ∠C와 크기가 같은 ∠YCB를 작도한다.
❹ $\overrightarrow{BX}$와 $\overrightarrow{CY}$의 교점을 A라 하면 △ABC가 구하는 삼각형이다.

STEP 1 교과서 개념 확인 테스트

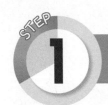

01 작도 (1) 개념 01

1-1

다음 중 작도에 대한 설명으로 옳은 것에는 ○표, 옳지 않은 것에는 ×표를 ( ) 안에 써넣으시오.

(1) 두 선분의 길이를 비교할 때, 자를 사용한다. ( )

(2) 선분의 길이를 옮길 때, 컴퍼스를 사용한다. ( )

(3) 선분의 연장선을 그을 때, 눈금이 없는 자를 사용한다. ( )

1-2

오른쪽 그림에서 $\overline{AB}$의 연장선 위에 $2\overline{AB}=\overline{AC}$인 점 C를 작도하는 데 사용되는 것을 모두 고르면? (정답 2개)

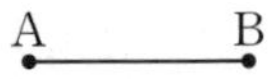

① 컴퍼스 ② 눈금이 없는 자

③ 삼각자 ④ 눈금이 있는 자

⑤ 각도기

02 작도 (2) 개념 01 개념 02

2-1

다음은 $\angle XOY$와 크기가 같고 $\overrightarrow{PQ}$를 한 변으로 하는 각을 작도한 것이다. 작도 과정을 순서대로 나열하시오.

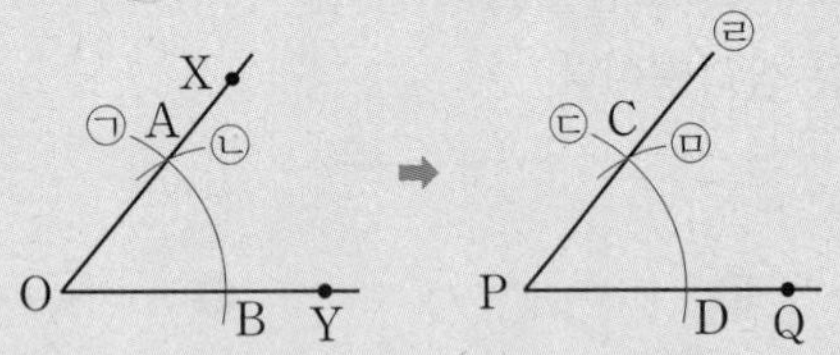

2-2

다음은 $\overline{AB}$와 길이가 같은 $\overline{CD}$를 작도하는 과정이다. 작도 과정을 순서대로 나열하시오.

> ㉠ 점 C를 중심으로 $\overline{AB}$를 반지름으로 하는 원을 그려 직선 l과의 교점을 D라 한다.
> ㉡ 컴퍼스로 $\overline{AB}$의 길이를 잰다.
> ㉢ 눈금이 없는 자를 사용하여 점 C를 지나는 직선 l을 그린다.

03 평행선의 작도 개념 02

3-1

오른쪽 그림은 점 P를 지나고 직선 l에 평행한 직선 m을 작도한 것이다. □ 안에 알맞은 것을 써넣으시오.

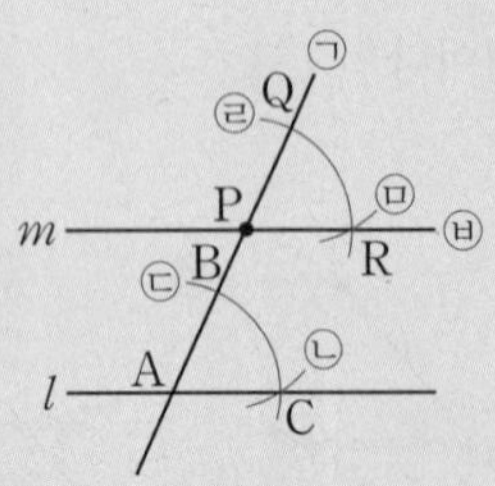

(1) 작도 순서는 ㉠ → ㉢ → □ → □ → □ → ㉥ 이다.

(2) □의 크기가 같으므로 두 직선 l, m은 평행하다.

3-2

오른쪽 그림은 점 P를 지나고 직선 l에 평행한 직선 m을 작도한 것이다. 다음 물음에 답하시오.

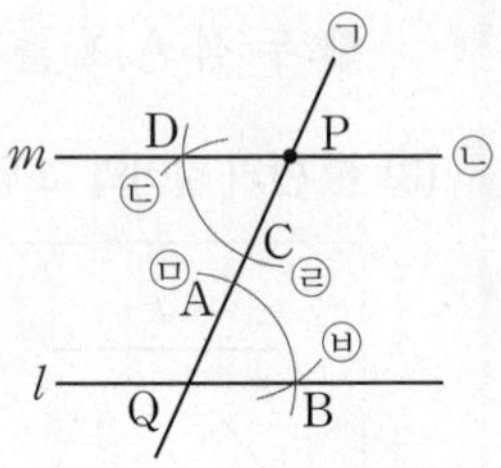

(1) 네 번째로 작도해야 하는 것을 기호로 쓰시오.

(2) 두 직선 l, m이 평행한 이유를 말하시오.

✓ 동위각 또는 엇각의 크기가 같음을 이용하면 평행선을 작도할 수 있다.

04 삼각형의 세 변의 길이 개념 03

4-1

다음 보기와 같이 표를 완성하고, 주어진 세 변의 길이로 삼각형을 작도할 수 있는 것을 모두 고르시오.

	세 변의 길이	가장 긴 변의 길이	등호 / 부등호	나머지 두 변의 길이의 합
보기	1, 2, 3	3	=	1+2=3
(1)	3, 4, 6			
(2)	2, 4, 7			
(3)	5, 5, 5			
(4)	6, 6, 12			

4-2

다음 중 삼각형을 작도할 수 있는 것을 모두 고르면? (정답 2개)

① 1 cm, 4 cm, 5 cm

② 4 cm, 7 cm, 12 cm

③ 5 cm, 6 cm, 11 cm

④ 3 cm, 3 cm, 3 cm

⑤ 2 cm, 5 cm, 6 cm

05 삼각형의 작도 (1) 개념 04

5-1

다음은 길이가 a, c인 두 선분을 두 변으로 하고 ∠B를 끼인각으로 하는 △ABC를 작도한 것이다. 작도 과정을 순서대로 나열할 때, □ 안에 알맞은 것을 써넣으시오.

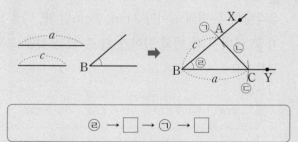

$$ ㉣ → \boxed{} → ㉠ → \boxed{} $$

5-2

두 변의 길이와 그 끼인각의 크기가 오른쪽 그림과 같은 삼각형을 작도하려고 한다. 다음 중 작도하는 순서로 옳은 것은?

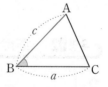

① ∠A → $\overline{AB}$ → $\overline{BC}$ → $\overline{AC}$

② ∠B → $\overline{AB}$ → $\overline{AC}$ → $\overline{BC}$

③ ∠B → $\overline{AB}$ → $\overline{BC}$ → $\overline{AC}$

④ $\overline{BC}$ → ∠B → $\overline{AC}$ → $\overline{AB}$

⑤ $\overline{AB}$ → $\overline{BC}$ → ∠B → $\overline{AC}$

06 삼각형의 작도 (2) 개념 04

6-1

다음은 세 변의 길이 a, b, c가 주어졌을 때, △ABC를 작도한 것이다. 작도 과정을 순서대로 나열하시오.

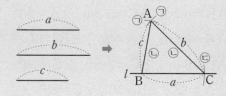

6-2

한 변의 길이와 그 양 끝 각의 크기가 오른쪽 그림과 같은 삼각형을 작도하려고 한다. 다음 중 작도 순서로 옳지 않은 것은?

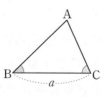

① ∠B → $\overline{BC}$ → ∠C ② ∠C → $\overline{BC}$ → ∠B

③ $\overline{BC}$ → ∠B → ∠C ④ $\overline{BC}$ → ∠C → ∠B

⑤ ∠B → ∠C → $\overline{BC}$

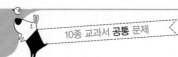
 유형 **01**   크기가 같은 각의 작도

1-1

아래 그림은 ∠XOY와 크기가 같고 $\overrightarrow{PQ}$를 한 변으로 하는 각을 작도한 것이다. 다음 중 옳지 <u>않은</u> 것은?

① $\overline{OA}=\overline{OB}$ ② $\overline{AB}=\overline{CD}$
③ $\overline{OA}=\overline{AB}$ ④ $\overline{OB}=\overline{PD}$
⑤ ∠XOY=∠CPD

1-2

아래 그림은 ∠XOY와 크기가 같은 각을 $\overrightarrow{PQ}$를 한 변으로 하여 작도한 것이다. 다음 물음에 답하시오.

(1) 세 번째로 작도해야 하는 것을 기호로 쓰시오.
(2) $\overline{PC}$와 길이가 같은 선분을 모두 고르시오.
(3) $\overline{AB}$와 길이가 같은 선분을 고르시오.

 유형 **02**   삼각형의 세 변의 길이 사이의 관계

2-1

삼각형의 세 변의 길이가 7 cm, 10 cm, x cm일 때, 다음 중 x의 값이 될 수 있는 것을 모두 고르시오.

| 3 | 4 | 8 | 11 | 15 | 20 |

2-2

삼각형의 두 변의 길이가 3 cm, 7 cm일 때, 다음 보기 중 나머지 한 변의 길이가 될 수 있는 것을 모두 고르시오.

▌ 보기 ▐
㉠ 2 cm   ㉡ 4 cm   ㉢ 6 cm   ㉣ 8 cm

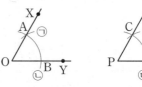 유형 **03**   삼각형이 정해질 조건

3-1

다음 보기 중 $\overline{AB}=7$ cm, $\overline{AC}=5$ cm일 때, △ABC가 하나로 정해지기 위해 필요한 나머지 한 조건을 모두 고르시오.

▌ 보기 ▐
㉠ ∠A=130°   ㉡ $\overline{BC}=2$ cm
㉢ ∠B=35°   ㉣ $\overline{BC}=9$ cm

3-2

다음 중 삼각형이 하나로 정해지지 <u>않는</u> 것을 모두 고르면? (정답 2개)

① $\overline{AB}=6$ cm, $\overline{AC}=5$ cm, ∠A=55°
② $\overline{AB}=8$ cm, ∠A=30°, ∠B=45°
③ $\overline{AB}=6$ cm, $\overline{BC}=7$ cm, ∠C=50°
④ ∠A=35°, ∠B=60°, ∠C=85°
⑤ $\overline{AB}=12$ cm, $\overline{BC}=9$ cm, $\overline{CA}=5$ cm

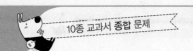
01 (하)
≫ 출제 예상 85%

다음 보기 중 작도에 대한 설명으로 옳지 <u>않은</u> 것을 모두 고르시오.

┤ 보기 ├

㉠ 눈금이 없는 자와 컴퍼스만을 사용하여 도형을 그리는 것을 작도라 한다.

㉡ 선분의 길이를 잴 때에는 자를 사용한다.

㉢ 두 점을 지나는 직선을 그릴 때에는 컴퍼스를 사용한다.

㉣ 원을 그릴 때에는 컴퍼스를 사용한다.

㉤ 선분의 길이를 다른 직선 위에 옮길 때에는 컴퍼스를 사용한다.

02 (중)(하)
≫ 출제 예상 90%

오른쪽 그림은 점 P를 지나고 직선 l에 평행한 직선을 작도한 것이다. 다음 중 옳지 않은 것은?

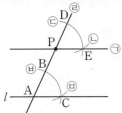

① $\overline{AB}=\overline{AC}$

② $\overline{AC}=\overline{PE}$

③ $\overline{BC}=\overline{DE}$

④ $\angle BAC=\angle DPE$

⑤ 작도 순서는 ㉢ → ㉮ → ㉠ → ㉡ → ㉤ → ㉣ 이다.

03 (중)(하)
≫ 출제 예상 90%

오른쪽 그림은 점 Q를 지나고 직선 l에 평행한 직선을 작도한 것이다. 다음 중 옳은 것을 모두 고르면? (정답 2개)

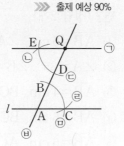

① $\overline{AB}=\overline{DE}$

② $\overline{BC}=\overline{QE}$

③ 작도 순서는 ㉮ → ㉤ → ㉣ → ㉢ → ㉡ → ㉠ 이다.

④ 크기가 같은 각의 작도를 이용하였다.

⑤ 엇각의 크기가 같으면 두 직선은 평행하다는 성질을 이용하였다.

04 (중)(하)
≫ 출제 예상 85%

다음 보기 중 삼각형을 작도할 수 있는 것을 모두 고르시오.

┤ 보기 ├

㉠ 5 cm, 5 cm, 8 cm

㉡ 5 cm, 6 cm, 6 cm

㉢ 3 cm, 5 cm, 8 cm

㉣ 4 cm, 5 cm, 10 cm

05 (중) 까다로운 문제
≫ 출제 예상 85%

길이가 2 cm, 3 cm, 4 cm, 5 cm인 4개의 선분이 있다. 이 중 3개를 선택하여 삼각형을 작도할 때, 작도할 수 있는 서로 다른 삼각형의 개수를 구하시오.

중하
06
>>> 출제 예상 90%

다음 중 △ABC가 하나로 정해지는 것을 모두 고르면? (정답 2개)

① $\overline{AB}=6$ cm, $\angle A=60°$, $\angle B=50°$

② $\angle A=35°$, $\angle B=65°$, $\angle C=80°$

③ $\overline{AB}=4$ cm, $\overline{BC}=5$ cm, $\angle B=105°$

④ $\overline{AB}=6$ cm, $\overline{BC}=7$ cm, $\overline{AC}=13$ cm

⑤ $\overline{AB}=6$ cm, $\overline{AC}=8$ cm, $\angle C=40°$

✓ 조건이 충족되지 않을 때는 삼각형을 만들 수 없거나 모양이나 크기가 다른 삼각형을 여러 개 만들 수 있다.

중
07
>>> 출제 예상 90%

$\overline{AB}$의 길이와 $\angle B$의 크기를 알 때, 한 가지 조건을 더 추가하여 △ABC를 하나로 작도하려고 한다. 다음 보기 중 추가할 수 있는 조건을 모두 고르시오.

┤ 보기 ├
ㄱ $\angle A$ ㄴ $\overline{BC}$ ㄷ $\overline{AC}$

중
08
>>> 출제 예상 95%

$\angle A$의 크기가 주어졌을 때, 다음 보기 중 △ABC가 하나로 정해지기 위하여 필요한 조건을 모두 고르시오.

┤ 보기 ├
ㄱ $\overline{AB}$, $\overline{BC}$ ㄴ $\overline{AB}$, $\overline{AC}$
ㄷ $\overline{BC}$, $\overline{AC}$ ㄹ $\overline{AC}$, $\angle C$
ㅁ $\angle B$, $\angle C$ ㅂ $\overline{AB}$, $\angle B$

중하
09
>>> 출제 예상 90%

다음은 길이가 c인 $\overline{AB}$를 한 변으로 하고 $\angle A$, $\angle B$를 그 양 끝 각으로 하는 △ABC를 작도하는 과정이다. 작도 과정을 순서대로 나열하시오.

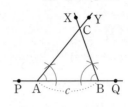

┌─────────────────────────────────┐
│ ㉠ $\overrightarrow{AY}$와 $\overrightarrow{BX}$의 교점을 C라고 하면 △ABC가 작도된다.
│ ㉡ $\angle B$와 크기가 같은 $\angle ABX$를 작도한다.
│ ㉢ 한 직선 PQ를 긋고 그 위에 길이가 c인 $\overline{AB}$를 작도한다.
│ ㉣ $\angle A$와 크기가 같은 $\angle BAY$를 작도한다.
└─────────────────────────────────┘

● 과정을 평가하는 서술형입니다.

중
10
>>> 출제 예상 90%

오른쪽 그림과 같이 한 변의 길이가 8 cm이고 $\angle A=70°$, $\angle B=45°$인 △ABC를 작도하려고 한다. 이때 모두 몇 개의 삼각형을 작도할 수 있는지 말하시오.

1

북극성을 이용하여 밤에 방위를 알아볼 수 있다. 그러나 북극성을 맨눈으로 찾기는 어려우므로 밝기가 밝은 북두칠성을 이용하여 북극성의 위치를 찾는다. 다음을 이용하여 북극성의 위치를 표시하시오.

$\overline{AB}$를 점 B의 방향으로 연장하여 점 B로부터 $\overline{AB}$의 5배만큼 떨어진 자리에 북극성이 있다.

2

다음 그림에서 점 P를 지나는 도로를 만들려고 한다. 새로 만들어지는 도로는 해법로와 평행이 되도록 만든다고 할 때, 점 P를 지나는 도로를 작도하시오.

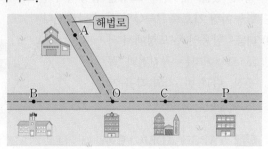

3

다음 그림과 같이 길이가 20 cm인 빨대를 접어서 삼각형을 만들려고 한다. 각 변의 길이가 모두 5 cm보다 큰 자연수가 되도록 할 때, 만들 수 있는 삼각형은 모두 몇 개인지 구하시오.

06 삼각형의 합동 조건

개념 01 도형의 합동

(1) **합동** 한 도형을 모양과 크기를 바꾸지 않고 다른 도형에 완전히 포갤 수 있을 때, 이 두 도형을 합동이라 한다. 이때 두 도형 P, Q가 합동이면 기호로 P≡Q와 같이 나타낸다.

(2) **대응** 합동인 두 도형에서 서로 포개어지는 꼭짓점과 꼭짓점, 변과 변, 각과 각을 서로 대응한다고 한다.

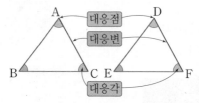

> **참고** △ABC와 △DEF가 합동일 때, 기호로 △ABC≡△DEF와 같이 나타낸다. 이때 두 도형의 꼭짓점을 대응하는 순서대로 쓴다.

(3) **합동인 도형의 성질** 두 도형이 서로 합동이면
  ① 대응변의 길이는 서로 ❶ .
  ② 대응각의 크기는 서로 ❷ .

답 | ❶ 같다 ❷ 같다

QUIZ

아래 그림에서 △ABC와 △DEF가 서로 합동일 때, 다음 □ 안에 알맞은 것을 써넣으시오.

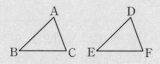

(1) 점 C의 대응점은 점 □ 이다.
(2) $\overline{AB}$의 대응변은 □ 이다.
(3) ∠A의 대응각은 □ 이다.
(4) △ABC와 △DEF가 합동임을 기호로 나타내면 △ABC □ △DEF이다.

정답 |
(1) F (2) $\overline{DE}$ (3) ∠D (4) ≡

개념 02 삼각형의 합동 조건

다음의 각 경우에 두 삼각형은 서로 합동이다.

(1) 대응하는 세 변의 길이가 각각 같을 때(SSS 합동)

(2) 대응하는 두 변의 길이가 각각 같고, 그 ❶ 의 크기가 같을 때 (SAS 합동)

(3) 대응하는 한 변의 길이가 같고, 그 양 끝 각의 크기가 각각 같을 때(ASA 합동)

> **참고** 삼각형의 합동 조건에서 S는 Side(변), A는 Angle(각)의 첫 글자이다.

> **예** 합동인 삼각형을 찾을 때, 두 각의 크기가 주어지면 삼각형의 세 각의 크기의 합이 180°임을 이용하여 나머지 한 각의 크기를 구할 수 있다.

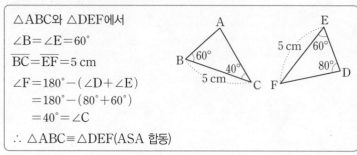

△ABC와 △DEF에서
∠B=∠E=60°
$\overline{BC}=\overline{EF}=5$ cm
∠F=180°−(∠D+∠E)
=180°−(80°+60°)
=40°=∠C
∴ △ABC≡△DEF(ASA 합동)

답 | ❶ 끼인각

QUIZ

다음 각각의 삼각형이 서로 합동일 때, □ 안에 알맞은 것을 써넣으시오.

(1)
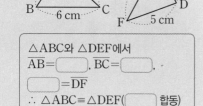

△ABC와 △DEF에서
$\overline{AB}$= □ , $\overline{BC}$= □ ,
□ =$\overline{DF}$
∴ △ABC≡△DEF(□ 합동)

(2)
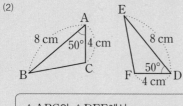

△ABC와 △DEF에서
$\overline{AB}$= □ , ∠A= □ ,
□ =$\overline{DF}$
∴ △ABC≡△DEF(□ 합동)

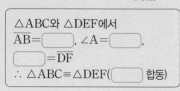

정답 |
(1) $\overline{DE}$, $\overline{EF}$, $\overline{AC}$, SSS
(2) $\overline{DE}$, ∠D, $\overline{AC}$, SAS

정답과 해설 15쪽

01 합동인 도형의 성질 개념01

1-1

다음 그림에서 △ABC≡△DEF일 때, $\overline{\text{AB}}$의 길이와 ∠E의 크기를 각각 구하시오.

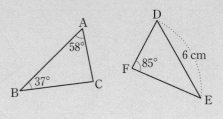

1-2

다음 그림에서 △ABC≡△DEF일 때, $\overline{\text{DE}}$의 길이와 ∠C의 크기를 각각 구하시오.

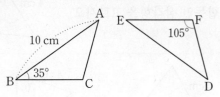

02 삼각형의 합동 조건 (1) 개념02

2-1

다음 두 삼각형이 서로 합동일 때, 이를 기호 ≡를 사용하여 나타내고, 그때의 합동 조건을 말하시오.

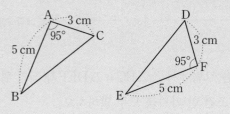

2-2

다음 두 삼각형이 서로 합동일 때, 이를 기호 ≡를 사용하여 나타내고, 그때의 합동 조건을 말하시오.

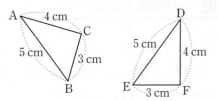

03 삼각형의 합동 조건 (2) 개념02

3-1

다음 두 삼각형이 서로 합동인지 알아보고, 합동이면 삼각형의 합동 조건을 말하시오.

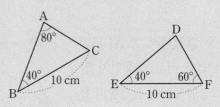

3-2

다음 두 삼각형이 서로 합동인지 알아보고, 합동이면 삼각형의 합동 조건을 말하시오.

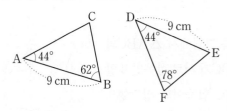

유형 **01** 합동인 삼각형 찾기

1-1

다음 보기 중 오른쪽 그림의 삼각형과 합동인 삼각형을 고르시오.

┤ 보기 ├

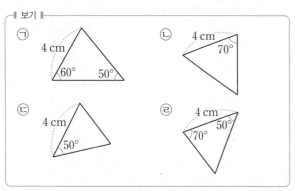

✓ 주어진 삼각형의 나머지 한 각의 크기를 구한다.

10종 교과서 공통

1-2

다음 보기 중 합동인 삼각형끼리 짝 지으시오.

┤ 보기 ├

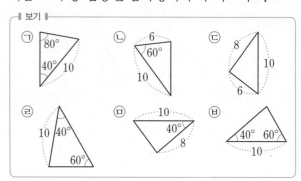

유형 **02** 삼각형의 합동 조건 (1)

2-1

다음 그림에서 △ABC≡△DEF가 되기 위해 필요한 조건 한 가지를 모두 말하시오.

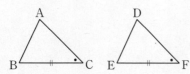

10종 교과서 공통

2-2

다음 그림에서 △ABC≡△DEF가 되기 위해 필요한 조건 한 가지를 모두 말하시오.

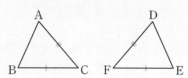

유형 **03** 삼각형의 합동 조건 (2)

3-1

오른쪽 그림에서 △ABC와 △ADC가 서로 합동인지 알아보고, 합동이면 삼각형의 합동 조건을 말하시오.

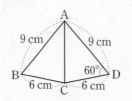

10종 교과서 공통

3-2

오른쪽 그림에서 △ABD와 △CDB가 서로 합동인지 알아보고, 합동이면 삼각형의 합동 조건을 말하시오.

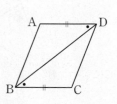

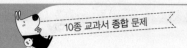
01 ●─하
>>> 출제 예상 90%

다음 그림에서 △ABC≡△DEF일 때, $a+b+c$의 값을 구하시오.

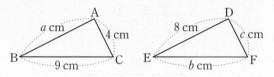

02 ●─하
>>> 출제 예상 95%

오른쪽 그림의 두 삼각형이 서로 합동일 때, 다음 중 옳지 않은 것은?

① ∠A의 대응각은 ∠F이다.

② $\overline{BC}$의 대응변은 $\overline{ED}$이다.

③ ∠E=72°이다.

④ △ABC≡△FED이다.

⑤ 두 삼각형은 SAS 합동이다.

03 ●─하
>>> 출제 예상 95%

다음 중 오른쪽 그림의 삼각형과 합동인 삼각형은?

①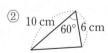

② 10 cm 60° 6 cm

③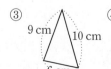

④

⑤

04 ●─중하
>>> 출제 예상 90%

다음 중 △ABC≡△DEF라 할 수 없는 것은?

① $\overline{AB}=\overline{DE}$, $\overline{BC}=\overline{EF}$, $\overline{CA}=\overline{FD}$

② $\overline{BC}=\overline{EF}$, ∠B=∠E, ∠C=∠F

③ $\overline{AB}=\overline{DE}$, $\overline{BC}=\overline{EF}$, ∠B=∠E

④ $\overline{BC}=\overline{EF}$, $\overline{CA}=\overline{FD}$, ∠A=∠D

⑤ $\overline{AB}=\overline{DE}$, ∠A=∠D, ∠B=∠E

05 ●─중하
>>> 출제 예상 90%

아래 그림에서 △ABC≡△DEF가 되기 위하여 필요한 조건 한 가지를 다음 보기에서 모두 고르시오.

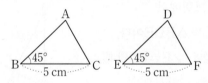

┤ 보기 ├

㉠ $\overline{AC}=\overline{DF}=6$ cm　　㉡ $\overline{AB}=\overline{DE}=7$ cm

㉢ ∠A=∠D=70°　　㉣ ∠C=∠F=60°

06 ●─중하
>>> 출제 예상 90%

다음 보기 중 옳은 것을 모두 고른 것은?

┤ 보기 ├

㉠ 넓이가 같은 두 직각삼각형은 합동이다.

㉡ 넓이가 같은 두 원은 합동이다.

㉢ 한 변의 길이가 같은 두 정삼각형은 서로 합동이다.

㉣ 합동인 두 도형의 넓이는 서로 같다.

① ㉠　　　　② ㉢　　　　③ ㉡, ㉢

④ ㉡, ㉢, ㉣　　⑤ ㉠, ㉡, ㉢, ㉣

07

>>> 출제 예상 90%

오른쪽 그림에서 $\overline{AD}$와 $\overline{BC}$의 교점을 O라 할 때, $\overline{OC}$의 길이를 구하시오.

∨ 맞꼭지각의 크기가 같음을 이용한다.

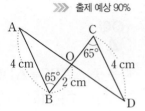

08

>>> 출제 예상 85%

오른쪽 그림에서 △ABC≡△BDE이다. ∠A=28°, ∠E=62°일 때, ∠x의 크기를 구하시오.

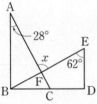

09

>>> 출제 예상 85%

오른쪽 그림에서 △ABC는 정삼각형이고 $\overline{AD}=\overline{BE}=\overline{CF}$일 때, ∠$x$의 크기를 구하시오.

● 과정을 평가하는 서술형입니다.

10

>>> 출제 예상 85%

다음 그림에서 두 사각형 ABCD와 ECFG가 정사각형일 때, $\overline{DF}$의 길이를 구하시오.

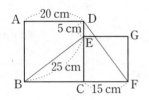

11

>>> 출제 예상 85%

오른쪽 그림과 같이 한 변의 길이가 8 cm인 두 정사각형이 있다. 한 정사각형의 두 대각선의 교점 O에 다른 정사각형의 꼭짓점이 놓여 있을 때, 사각형 OHCI의 넓이를 구하시오.

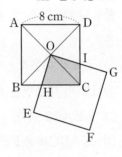

12 까다로운 문제

>>> 출제 예상 85%

다음 그림에서 △ABC와 △DCE는 정삼각형이고, 세 점 B, C, E는 한 직선 위에 있다. $\overline{BD}$와 $\overline{AE}$의 교점을 F라 할 때, ∠BFE의 크기를 구하시오.

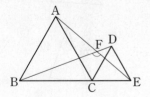

1

진희가 강의 폭 $\overline{AB}$의 길이를 알아보려고 아래와 같은 방법으로 측정하였다. 다음 물음에 답하시오.

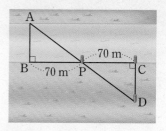

(가) $\overline{AB}$와 수직인 방향으로 70 m를 걸어가 지점 P에 말뚝을 놓고 다시 같은 방향으로 70 m를 걸어가 지점 C에 말뚝을 놓는다.
(나) 지점 C에서 $\overline{BC}$에 수직이 되도록 방향을 바꾸어 세 점 A, P, D가 한 직선 위에 있도록 하는 지점 D에 말뚝을 놓는다.
(다) 지점 C에서 지점 D까지의 거리를 측정한다.

(1) △ABP와 △DCP가 합동인지 알아보고, 합동이면 삼각형의 합동 조건을 말하시오.

(2) 위의 방법을 이용하여 진희가 강의 폭 $\overline{AB}$의 길이를 어떻게 알아냈는지 설명하시오.

2

다음 그림은 호수의 폭 $\overline{AB}$의 길이를 알아보려고 측정한 값을 나타낸 것이다. 호수의 폭 $\overline{AB}$의 길이를 구하시오.

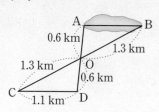

3

다음 그림은 지점 D에서 바다에 있는 배까지의 거리를 알아보려고 측정한 값을 나타낸 것이다. 지점 D에서 배까지의 거리를 구하시오.

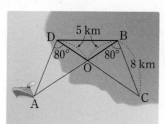

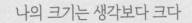

나의 크기는 생각보다 크다

NO one knows what he can do until he tries.
- Publilius Syrus

노력하기 전까지는 누구도 그가
무엇을 할 수 있을지 모른다.
- 푸블릴리우스 시루스

도형의 성질

07 다각형의 성질 ·· **52**

08 다각형의 내각과 외각 ······················· **60**

09 원과 부채꼴 ··· **68**

10 다면체와 회전체 ································· **78**

11 기둥의 겉넓이와 부피 ······················· **88**

12 뿔과 구의 겉넓이와 부피 ··················· **94**

07 다각형의 성질

개념 01 다각형과 정다각형

(1) **다각형** 여러 개의 선분으로 둘러싸인 평면도형
  ➡ 선분의 개수가 3개, 4개, 5개, …, n개인 다각형을 각각 삼각형, 사각형, 오각형, …, ❶□□각형이라 한다.
(2) **정다각형** 모든 변의 길이가 같고, 모든 각의 크기가 같은 다각형
  ➡ 변의 개수에 따라 정삼각형, 정사각형, …, 정n각형이라 한다.

답 | ❶ n

QUIZ

다음 보기 중 다각형인 것을 고르시오.

┤ 보기 ├
ⓐ 삼각기둥   ⓑ 직사각형
ⓒ 원   ⓓ 직육면체

정답 |
ⓑ

개념 02 다각형의 대각선

(1) **대각선** 다각형에서 이웃하지 않는 두 꼭짓점을 이은 선분
(2) **대각선의 개수** n각형의 대각선의 총 개수는 $\dfrac{n(n-3)}{2}$

  설명 ① n각형의 한 꼭짓점에서 그을 수 있는 대각선의 개수 ➡ ❶□□
  ② n개의 꼭짓점에서 그을 수 있는 대각선의 개수 ➡ $n(n-3)$
  ③ 한 대각선은 두 꼭짓점을 연결한 것이므로 $n(n-3)$은 한 대각선을 두 번씩 센 것이다.
  따라서 n각형의 대각선의 총 개수는 $n(n-3)$을 ❷□□로 나눈 $\dfrac{n(n-3)}{2}$이다.

  예

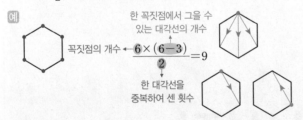

  꼭짓점의 개수 ← $\dfrac{6 \times (6-3)}{2} = 9$ → 한 꼭짓점에서 그을 수 있는 대각선의 개수
  한 대각선을 중복하여 센 횟수

답 | ❶ $n-3$ ❷ 2

QUIZ

다음 중 옳은 것에는 ○표, 옳지 않은 것에는 ×표를 하시오.

(1) 모든 다각형은 대각선을 그을 수 있다.
( )
(2) 한 꼭짓점에서 그을 수 있는 대각선의 개수가 8인 다각형은 십일각형이다. ( )
(3) 삼각형은 대각선을 3개 그을 수 있다.
( )
(4) 오각형의 한 꼭짓점에서 그을 수 있는 대각선의 개수는 2이다. ( )

정답 |
(1) × (2) ○ (3) × (4) ○

개념 03 다각형의 내각과 외각

(1) **내각** 다각형의 이웃하는 두 변으로 이루어진 내부의 각
(2) **외각** 다각형의 각 꼭짓점에서 한 변과 그 변에 이웃한 변의 연장선으로 이루어진 각

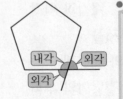

  참고 다각형의 내각과 외각
  ① 다각형에서 한 내각에 대한 외각은 2개가 있으나 맞꼭지각으로 그 크기가 서로 같기 때문에 둘 중 하나만 생각한다.
  ② 한 꼭짓점에서 내각과 외각의 크기의 합은 ❶□□이다.

답 | ❶ $180°$

QUIZ

오른쪽 그림에서 ∠A의 외각의 크기를 구하시오.

정답 |
$60°$

개념 04   **삼각형의 내각**

삼각형의 세 내각의 크기의 합은 ❶ ⬚ 이다.

설명 오른쪽 그림과 같이 △ABC에서 변 BC의 연장
선 위에 점 D를 잡고, 점 C를 지나면서 변 AB에
평행한 반직선 CE를 그으면 $\overline{AB} /\!/ \overline{CE}$이므로
∠A=∠ACE(엇각),
∠B=∠ECD(동위각),
따라서 △ABC의 세 내각의 크기의 합은
∠A+∠B+∠C=∠ACE+∠ECD+∠C
　　　　　　　=∠BCD=180° → 평각의 크기는 180°

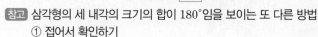

참고 삼각형의 세 내각의 크기의 합이 180°임을 보이는 또 다른 방법
① 접어서 확인하기

② 찢어 붙여서 확인하기

예 오른쪽 그림과 같은 △ABC에서
∠A+∠B+∠C=180°이므로
65°+40°+∠C=180°
∴ ∠C=180°-(65°+40°)
　　　=75°

QUIZ

다음 그림에서 ∠x의 크기를 구하시오.

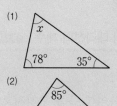

(1)

(2)

정답 |
(1) 67°   (2) 55°

답 | ❶ 180°

개념 05   **삼각형의 내각과 외각 사이의 관계**

삼각형의 한 외각의 크기는 그와 이웃하지 않는 두 ❶ ⬚ 의 크기의
합과 같다.

설명 오른쪽 그림과 같은 △ABC에서 변 BC의
연장선 위에 점 D를 잡으면
∠A+∠B+∠ACB=180°,
∠ACD+∠ACB=180°
∴ ∠ACD=∠A+∠B

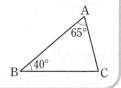

예 오른쪽 그림과 같은 △ABC에서
∠ACD=∠A+∠B이므로
∠ACD=65°+45°=110°

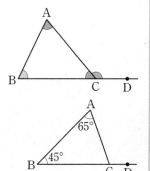

QUIZ

오른쪽 그림에서 ∠x의
크기를 구하시오.

정답 |
105°

답 | ❶ 내각

정답과 해설 18쪽

01 다각형의 대각선의 개수 개념 02

1-1

칠각형에 대하여 다음을 구하시오.

(1) 꼭짓점의 개수

(2) 한 꼭짓점에서 그을 수 있는 대각선의 개수

1-2

다음 다각형의 대각선의 총 개수를 구하시오.

(1) 팔각형

(2) 십삼각형

02 다각형의 내각과 외각 개념 03

2-1

오른쪽 그림과 같은 사각형 ABCD에 대하여 다음 물음에 답하시오.

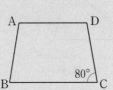

(1) 변 AB와 변 BC로 이루어진 내각을 기호로 나타내시오.

(2) ∠BCD의 외각의 크기를 구하시오.

2-2

다음은 ∠C의 외각의 크기를 구하는 과정이다. 잘못된 부분을 찾아 바르게 고치시오.

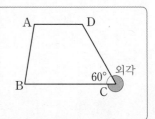

∠C의 외각은 오른쪽 그림의 표시한 부분과 같으므로
(∠C의 외각의 크기)
$=360°-60°=300°$

03 삼각형의 내각과 외각 개념 04 개념 05

3-1

다음 그림에서 ∠x의 크기를 구하시오.

(1)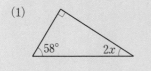

(2)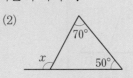

3-2

다음 그림에서 ∠x의 크기를 구하시오.

(1)　　　　　　　　　(2)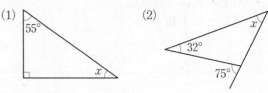

STEP 2 기출 기초 테스트

10종 교과서 **공통** 문제

유형 01 다각형의 대각선의 개수

10종 교과서 공통

1-1
한 꼭짓점에서 그을 수 있는 대각선이 8개인 다각형의 대각선의 총 개수를 구하시오.

1-2
한 꼭짓점에서 그을 수 있는 대각선이 6개인 다각형의 대각선의 총 개수를 구하시오.

유형 02 삼각형의 내각

미래엔 유사

2-1
삼각형의 세 내각의 크기의 비가 $1 : 2 : 3$일 때, 세 내각 중 가장 큰 각과 가장 작은 각의 크기를 각각 구하시오.

✓ $\triangle ABC$에서 $\angle A : \angle B : \angle C = a : b : c$이면
$\angle A = 180° \times \dfrac{a}{a+b+c}$, $\angle B = 180° \times \dfrac{b}{a+b+c}$, $\angle C = 180° \times \dfrac{c}{a+b+c}$

2-2
삼각형의 세 내각의 크기의 비가 $2 : 3 : 5$일 때, 세 내각 중 가장 큰 각의 크기를 구하시오.

유형 03 삼각형의 내각과 외각 (1)

10종 교과서 공통

3-1
오른쪽 그림과 같은 $\triangle ABC$에서 $\angle x$의 크기를 구하시오.

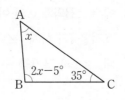

3-2
오른쪽 그림에서 $\angle x$의 크기를 구하시오.

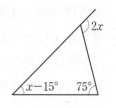

유형 **04** 삼각형의 내각과 외각 (2)

〔10종 교과서 공통〕

4-1
오른쪽 그림에서 ∠x의 크기를 구하시오.

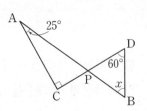

4-2
오른쪽 그림에서 ∠x, ∠y의 크기를 각각 구하시오.

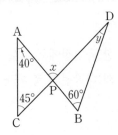

유형 **05** 삼각형의 내각과 외각 (3) – 이등변삼각형

〔미래엔, 비상 유사〕

5-1
다음 그림에서 $\overline{AB}=\overline{BC}=\overline{CD}=\overline{DE}$일 때, ∠$x$의 크기를 구하시오.

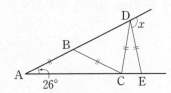

∨ 이등변삼각형의 두 밑각의 크기는 같다.

5-2
다음 그림에서 $\overline{AB}=\overline{AC}=\overline{CD}$일 때, ∠$x$의 크기를 구하시오.

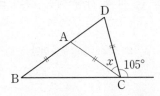

유형 **06** 삼각형의 내각과 외각 (4) – 각의 이등분

〔금성, 동아(강), 비상, 좋은책 유사〕

6-1
오른쪽 그림과 같은 △ABC에서 ∠B의 이등분선과 ∠C의 외각의 이등분선의 교점을 D라 하자. ∠A=50°일 때, ∠x의 크기를 구하시오.

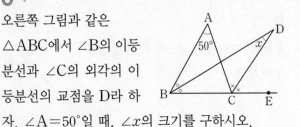

6-2
오른쪽 그림과 같은 △ABC에서 ∠B와 ∠C의 이등분선의 교점을 I라 하자. ∠A=50°일 때, ∠x의 크기를 구하시오.

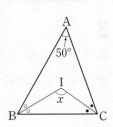

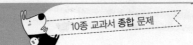
종하
01 >>> 출제 예상 95%

다음 보기 중 옳지 <u>않은</u> 것을 모두 고르시오.

┌ 보기 ┐
ㄱ 다각형에서 변의 개수와 꼭짓점의 개수는 항상 같다.
ㄴ 삼각형은 대각선을 그을 수 없다.
ㄷ 모든 내각의 크기가 같은 다각형은 정다각형이다.
ㄹ n각형의 대각선의 총 개수는 $n(n-3)$이다.
ㅁ 다각형의 이웃하지 않는 두 꼭짓점을 이은 선분을 대각선이라 한다.

하
02 >>> 출제 예상 95%

구각형의 한 꼭짓점에서 그을 수 있는 대각선의 개수를 a, 이때 생기는 삼각형의 개수를 b라 할 때, $a+b$의 값을 구하시오.

중
03 >>> 출제 예상 90%

한 꼭짓점에서 그은 대각선의 개수가 7일 때, 이 다각형의 꼭짓점의 개수를 a, 대각선의 총 개수를 b라 하자. 이때 $a+b$의 값은?

① 35   ② 40   ③ 45
④ 50   ⑤ 55

중하
04 >>> 출제 예상 90%

삼각형의 세 내각의 크기의 비가 $1:3:5$일 때, 가장 큰 내각의 크기는?

① $80°$ ② $90°$ ③ $100°$
④ $110°$ ⑤ $120°$

중하
05 >>> 출제 예상 85%

오른쪽 그림에서 $\angle x$의 크기를 구하시오.

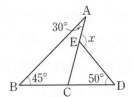

중하
06 >>> 출제 예상 90%

오른쪽 그림에서 $\angle x + \angle y$의 크기는?

① $120°$ ② $122°$
③ $124°$ ④ $126°$
⑤ $128°$

07

>>> 출제 예상 85%

오른쪽 그림과 같은 △ABC에서 $\overline{AD}=\overline{CD}=\overline{BC}$이고 ∠A=38°일 때, ∠$x$의 크기를 구하시오.

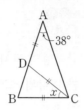

08

>>> 출제 예상 85%

오른쪽 그림과 같은 △ABC 에서 ∠B와 ∠C의 이등분선 의 교점을 I라 하자. ∠BIC=124°일 때, ∠x의 크 기를 구하시오.

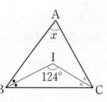

09

>>> 출제 예상 90%

오른쪽 그림에서 ∠x의 크 기를 구하시오.

✓ △APD에서 외각의 성질을 이용 한다.

과정을 평가하는 서술형입니다.

10

>>> 출제 예상 90%

한 꼭짓점에서 대각선을 그으면 6개의 삼각형으로 나누어지는 다각형이 있다. 이 다각형의 대각선의 총 개수를 구하시오.

11

>>> 출제 예상 80%

대각선의 총 개수가 35인 다각형의 이름을 말하시오.

12

>>> 출제 예상 95%

오른쪽 그림에서 ∠x의 크기 를 구하시오.

$2x+15°$

$45°$ $x+20°$

1

어느 국제회의에 참석한 12명의 대표가 원탁에 둘러앉아 있다. 모든 사람이 서로 한 번씩 악수를 한다고 할 때, 악수는 모두 몇 번을 하게 되는지 구하시오.

2

다음 그림에서 $\angle A + \angle B + \angle C + \angle D + \angle E$의 크기를 구하시오.

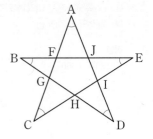

3

다음 그림과 같이 $\angle A = 70°$인 $\triangle ABC$가 그려진 색종이에서 두 선분 BC와 AB, 두 선분 CD와 AC가 각각 겹치도록 접을 때 생기는 두 선을 l, m이라 하자. 두 선 l, m의 교점을 E라 할 때, $\angle BEC$의 크기를 구하시오.

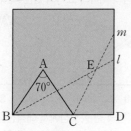

08 다각형의 내각과 외각

개념 01 다각형의 내각의 크기의 합

(n각형의 내각의 크기의 합)$=180° \times (n-2)$

설명 한 꼭짓점에서 그은 대각선은 사각형, 오각형, 육각형을 각각 2개, 3개, 4개의 삼각형으로 나눈다. 이때 삼각형의 내각의 크기의 합은 $180°$이므로 사각형, 오각형, 육각형의 내각의 크기의 합은 각각 다음과 같다.

$180° \times 2 = 360°$ $180° \times 3 = 540°$ $180° \times 4 = 720°$

따라서 n각형의 한 꼭짓점에서 대각선을 모두 그었을 때 생기는 삼각형의 개수는 (❶   )이므로 n각형의 내각의 크기의 합은 $180° \times (n-2)$이다.

답 | ❶ $n-2$

QUIZ

칠각형에 대하여 다음을 구하시오.

(1) 한 꼭짓점에서 대각선을 모두 그었을 때 생기는 삼각형의 개수
(2) 내각의 크기의 합

정답 |
(1) 5 (2) 900°

개념 02 다각형의 외각의 크기의 합

다각형의 외각의 크기의 합은 항상 ❶   이다.

설명 n각형에서 꼭짓점의 개수는 n이고, 각 꼭짓점에서 내각과 외각의 크기의 합은 $180°$이므로
(내각의 크기의 합) + (외각의 크기의 합) $= 180° \times n$
∴ (외각의 크기의 합) $= 180° \times n -$ (내각의 크기의 합)
$\qquad\qquad\qquad\quad = 180° \times n - 180° \times (n-2)$
$\qquad\qquad\qquad\quad = 360°$

답 | ❶ $360°$

QUIZ

오각형에 대하여 다음을 구하시오.

(1) 한 꼭짓점에서 내각과 외각의 크기의 합
(2) 외각의 크기의 합

정답 |
(1) 180° (2) 360°

개념 03 정다각형의 한 내각의 크기와 한 외각의 크기

(1) 정n각형의 한 내각의 크기
정다각형은 모든 내각의 크기가 같으므로
(정n각형의 한 내각의 크기)$= \dfrac{180° \times (n-2)}{❶}$

(2) 정n각형의 한 외각의 크기
정다각형은 모든 외각의 크기가 같으므로
(정n각형의 한 외각의 크기)$= \dfrac{360°}{n}$

답 | ❶ n

QUIZ

다음 □ 안에 알맞은 것을 써넣으시오.

(1) (정오각형의 한 내각의 크기)
$= \dfrac{180° \times □}{5} = □$

(2) (정팔각형의 한 외각의 크기)
$= \dfrac{360°}{□} = □$

정답 |
(1) 3, 108° (2) 8, 45°

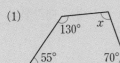 **01** 다각형의 내각의 크기의 합 _개념01_

1-1
다음 그림에서 $\angle x$의 크기를 구하시오.

(1)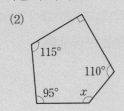
130° x
55° 70°

(2)
115°
110°
95° x

1-2
다음 다각형의 내각의 크기의 합을 구하시오.
(1) 십각형   (2) 십오각형

02 다각형의 외각의 크기의 합 _개념02_

2-1
다음 그림에서 $\angle x$의 크기를 구하시오.

(1)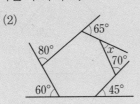
60°
x 100°

(2)
65°
80° x 70°
60° 45°

2-2
다음 다각형의 외각의 크기의 합을 구하시오.
(1) 칠각형   (2) 십각형

03 정다각형의 한 내각의 크기와 한 외각의 크기 _개념03_

3-1
다음 정다각형의 한 내각의 크기와 한 외각의 크기
를 각각 구하시오.
(1) 정구각형   (2) 정십이각형

3-2
한 외각의 크기가 36°인 정다각형의 한 내각의 크
기를 구하시오.

유형 01 다각형의 내각의 크기의 합 (1)

(10종 교과서 공통)

1-1
내각의 크기의 합이 720°인 다각형의 이름을 말하시오.

1-2
내각의 크기의 합이 1080°인 다각형의 대각선의 총 개수를 구하시오.

유형 02 다각형의 내각의 크기의 합 (2)

(10종 교과서 공통)

2-1
다음 그림에서 ∠x의 크기를 구하시오.

(1)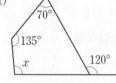

(2)

2-2
다음 그림에서 ∠x의 크기를 구하시오.

(1)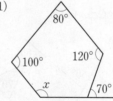

(2)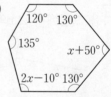

유형 03 다각형의 내각의 크기의 합 (3)

(천재(류), 동아(강) 유사)

3-1
오른쪽 그림에서 ∠x의 크기를 구하시오.

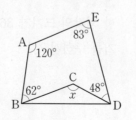

3-2
오른쪽 그림에서 ∠x의 크기를 구하시오.

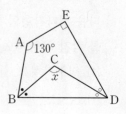

유형 **04**   다각형의 외각의 크기의 합

(10종 교과서 공통)

4-1
다음 그림에서 ∠x의 크기를 구하시오.

(1)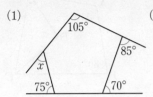

(2)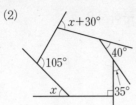

4-2
다음 그림에서 ∠x의 크기를 구하시오.

(1)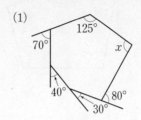

(2)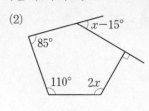

유형 **05**   다각형의 내각과 외각의 크기의 합

(동아(강), 미래엔 유사)

5-1
모든 내각의 크기와 외각의 크기의 합이 900°인 다각형의 이름을 말하시오.

5-2
모든 내각과 외각의 크기의 합이 1440°인 다각형의 이름을 말하시오.

유형 **06**   정다각형의 한 내각의 크기와 한 외각의 크기

(10종 교과서 공통)

6-1
한 외각의 크기가 60°인 정다각형의 이름을 말하시오.

6-2
한 내각의 크기가 108°인 정다각형의 이름을 말하시오.

유형 **07**   정다각형의 한 내각의 크기와 한 외각의 크기의 비

(10종 교과서 공통)

7-1
한 꼭짓점에서 내각의 크기와 외각의 크기의 비가 4 : 1인 정다각형의 이름을 말하시오.

∨ 다각형의 한 꼭짓점에서 내각의 크기와 외각의 크기의 합은 180°이다.

7-2
한 꼭짓점에서 내각의 크기와 외각의 크기의 비가 5 : 1인 정다각형의 이름을 말하시오.

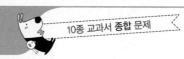

10종 교과서 종합 문제

01 ●─하

>>> 출제 예상 95%

오른쪽 그림에서 ∠x의 크기를 구하시오.

150°
95°
100°
x

02 ●─중하

>>> 출제 예상 95%

오른쪽 그림에서 ∠x의 크기를 구하시오.

130° x
120°
120°
110°
42°

03 ●─중하

>>> 출제 예상 90%

n각형의 내각의 크기의 합이 $1620°$일 때, n의 값은?

① 10   ② 11   ③ 12

④ 13   ⑤ 14

04 ●─중

>>> 출제 예상 90%

오른쪽 그림에서 ∠x의 크기를 구하시오.

A
110°
E
D
x
80°
B
C

05 ●─하

>>> 출제 예상 95%

오른쪽 그림에서 ∠x의 크기를 구하시오.

$x+20°$
72°
x
80°
68°

06 ●─중하

>>> 출제 예상 90%

오른쪽 그림에서 ∠x+∠y의 크기를 구하시오.

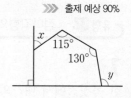

x
115°
130°
y

07 중하

≫ 출제 예상 95%

한 내각의 크기가 156°인 정다각형의 이름을 말하시오.

08 중

≫ 출제 예상 90%

다음 조건을 모두 만족하는 다각형에 대한 설명으로 옳지 않은 것은?

> (가) 변의 길이가 모두 같다.
> (나) 외각의 크기가 모두 같다.
> (다) 내각의 크기의 합이 1440°이다.

① 정십각형에 대한 설명이다.
② 한 내각의 크기는 144°이다.
③ 대각선의 총 개수는 40이다.
④ 한 외각의 크기는 36°이다.
⑤ 외각의 크기의 합은 360°이다.

09 중

≫ 출제 예상 90%

한 외각의 크기가 40°인 정다각형의 대각선의 총 개수를 구하시오.

10 중

≫ 출제 예상 90%

한 외각의 크기가 72°인 정다각형의 내각의 크기의 합을 구하시오.

11 중

≫ 출제 예상 90%

대각선의 총 개수가 9인 정다각형의 한 외각의 크기는?

① 45°   ② 60°   ③ 72°
④ 90°   ⑤ 120°

12 중

≫ 출제 예상 90%

한 꼭짓점에서 내각의 크기와 외각의 크기의 비가 3 : 1인 정다각형은?

① 정오각형   ② 정육각형   ③ 정칠각형
④ 정팔각형   ⑤ 정구각형

13 중

≫ 출제 예상 80%

정다각형의 내부의 한 점과 각각의 꼭짓점을 선분으로 연결하였더니 12개의 삼각형이 생겼다. 이 정다각형의 한 내각의 크기를 구하시오.

상중
14
>>> 출제 예상 85%

다음 그림과 같은 정오각형 ABCDE에서 $\angle x$의 크기를 구하시오.

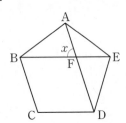

중
15
>>> 출제 예상 85%

다음 그림과 같이 정오각형 ABCDE의 두 변 AB와 CD의 연장선의 교점을 O라 할 때, $\angle y - \angle x$의 크기를 구하시오.

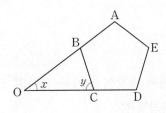

상중
16 까다로운 문제
>>> 출제 예상 80%

오른쪽 그림에서 $\angle x + \angle y$의 크기를 구하시오.

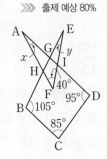

● 과정을 평가하는 서술형입니다.

중
17
>>> 출제 예상 80%

오른쪽 그림에서 색칠한 각의 크기의 합을 구하시오.

중
18
>>> 출제 예상 80%

한 꼭짓점에서 외각의 크기가 내각의 크기보다 120° 만큼 작은 정다각형의 내각의 크기의 합을 구하시오.

중
19
>>> 출제 예상 90%

다음은 어떤 다각형에 대한 설명이다. 물음에 답하시오.

> ㈎ 모든 변의 길이가 같고, 모든 내각의 크기가 같다.
> ㈏ 한 꼭짓점에서 내각의 크기와 외각의 크기의 비가 7 : 2이다.

(1) 이 다각형의 한 외각의 크기를 구하시오.

(2) 위의 조건을 모두 만족하는 다각형의 이름을 말하시오.

(3) 이 다각형의 내각의 크기의 합을 구하시오.

1

승찬이는 다음과 같은 규칙으로 움직이는 개미 로봇을 만들었다.

> (가) 6 cm만큼 앞으로 나아가며 선분을 긋는다.
> (나) ∠x의 크기만큼 왼쪽으로 회전한다.

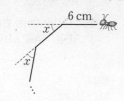

(가), (나)의 과정을 9번 반복하여 실행시켰을 때 개미 로봇이 처음 출발한 자리로 되돌아오게 하려면 (나)의 규칙에서 ∠x의 크기를 몇 도로 해야 하는지 구하시오.

2

다음은 칠각형을 7개의 삼각형으로 나누어 칠각형의 내각의 크기의 합을 구하는 과정이다. 물음에 답하시오.

> 오른쪽 그림과 같이 칠각형의 내부의 한 점과 각 꼭짓점을 잇는 선분을 모두 그으면 칠각형은 7개의 삼각형으로 나누어진다. 이때 삼각형의 내각의 크기의 합이 180°이므로 칠각형의 내각의 크기의 합은 $180° \times 7 = 1260°$
>
>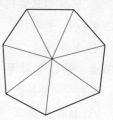

(1) 위의 과정에서 잘못된 부분을 찾아 바르게 고치시오.

(2) 위와 같은 방법으로 n각형의 내각의 크기의 합을 구하는 과정을 쓰시오.

09 원과 부채꼴

개념 01　호와 현

(1) **원**　평면 위의 한 점 O에서 일정한 거리에 있는 모든 점으로 이루어진 도형

(2) **반지름**　원의 ❶[　　　]에서 원 위의 한 점을 이은 선분

(3) **호**　원 O 위의 두 점 A, B를 잡을 때, 나뉘어지는 두 부분을 각각 호라 하고, 양 끝 점이 A, B인 호를 호 ❷[　　　]라고 한다. ➡ $\widehat{AB}$

참고 $\widehat{AB}$는 보통 작은 쪽의 호를 나타내고, 큰 쪽의 호를 나타낼 때에는 그 호 위에 한 점 C를 잡아 $\widehat{ACB}$와 같이 나타낸다.

(4) **할선**　원 위의 두 점을 지나는 직선

(5) **현**　원 위의 두 점을 잇는 선분

① 양 끝점이 D, E인 선분을 현 DE라 한다.
② 원의 중심을 지나는 현을 지름이라 한다.

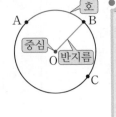

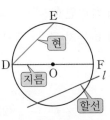

QUIZ

다음 설명 중 옳은 것에는 ○표, 옳지 않은 것에는 ×표를 하시오.

(1) 원의 중심을 지나는 현은 지름이다. (　)
(2) 호 AB를 기호로 $\overline{AB}$와 같이 나타낸다.
　　　　　　　　　　　　　　　　(　)

정답 |
(1) ○　(2) ×

답 | ❶ 중심 ❷ AB

개념 02　부채꼴과 활꼴

(1) **부채꼴 AOB**　원 O의 두 반지름 OA, OB와 호 ❶[　　　]로 이루어진 부채 모양의 도형

(2) **중심각**　원 O의 두 반지름 OA, OB가 이루는 각 ➡ ∠AOB

참고 $\widehat{AB}$에 대한 중심각은 부채꼴의 중심각이라고도 부른다.

(3) **활꼴**　원 O의 호 CD와 현 CD로 이루어진 활 모양의 도형

참고 중심각의 크기가 180°이면 부채꼴과 활꼴의 모양이 같아진다.

QUIZ

오른쪽 그림과 같은 원 O에서 다음을 기호로 나타내시오.

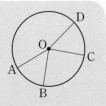

(1) $\widehat{AB}$에 대한 중심각
(2) 부채꼴 COD의 중심각

정답 |
(1) ∠AOB　(2) ∠COD

답 | ❶ AB

개념 03　중심각과 호, 넓이 사이의 관계

(1) 한 원에서 중심각의 크기가 같은 두 부채꼴의 호의 길이와 넓이는 각각 ❶[　　　].

(2) 한 원에서 부채꼴의 호의 길이와 넓이는 각각 중심각의 크기에 ❷[　　　]한다.

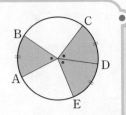

QUIZ

다음 그림에서 x, y의 값을 각각 구하시오.

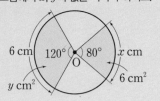

정답 |
x=4, y=9

답 | ❶ 같다 ❷ 정비례

개념 04 중심각과 현 사이의 관계

한 원에서

(1) 중심각의 크기가 같은 두 부채꼴의 현의 길이
   는 **❶** .

(2) 현의 길이가 같은 두 부채꼴의 중심각의 크기
   는 **❷** .

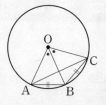

주의 한 원에서 현의 길이는 중심각의 크기에 정비례하지 않는다.

➡ $\angle AOC = 2\angle AOB$이지만 $\overline{AC} \neq 2\overline{AB}$

답 | ❶ 같다 ❷ 같다

QUIZ

다음 괄호 안의 알맞은 것에 ○표 하시오.

(1) 현의 길이는 중심각의 크기에 정비례(한
   다, 하지 않는다).

(2) 호의 길이는 중심각의 크기에 정비례(한
   다, 하지 않는다).

정답 |
(1) 하지 않는다 (2) 한다

개념 05 부채꼴의 호의 길이와 넓이

(1) **원의 둘레의 길이와 넓이**

반지름의 길이가 r인 원의 둘레의 길이를 l, 넓
이를 S라 하면

$l = 2\pi r$, $S =$ **❶**

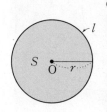

예 반지름의 길이가 3 cm인 원의 둘레의 길이 l과 넓이
   S는
   $l = 2\pi \times 3 = 6\pi$ (cm), $S = \pi \times 3^2 = 9\pi$ (cm²)

(2) **부채꼴의 호의 길이와 넓이**

반지름의 길이가 r이고 중심각의 크기가 $x°$인
부채꼴의 호의 길이를 l, 넓이를 S라 하면

$l = 2\pi r \times \dfrac{x}{360}$, $S = \pi r^2 \times \dfrac{x}{360}$

예 반지름의 길이가 3 cm이고 중심각의 크기가 120°
   인 부채꼴의 호의 길이 l과 넓이 S는
   $l = 2\pi \times 3 \times \dfrac{120}{360} = 2\pi$ (cm), $S = \pi \times 3^2 \times \dfrac{120}{360} = 3\pi$ (cm²)

답 | ❶ πr^2

QUIZ

다음 □ 안에 알맞은 것을 써넣으시오.

(1) 반지름의 길이가 r인 원의 둘레의 길이는
   □이고, 원의 넓이는 □이다.

(2) 반지름의 길이가 2 cm이고, 중심각의 크
   기가 60°인 부채꼴의 호의 길이는
   $2\pi \times 2 \times \dfrac{□}{360}$

(3) 반지름의 길이가 2 cm이고, 중심각의 크
   기가 60°인 부채꼴의 넓이는
   $\pi \times □^2 \times \dfrac{60}{360}$

정답 |
(1) $2\pi r$, πr^2 (2) 60 (3) 2

개념 06 부채꼴의 호의 길이와 넓이 사이의 관계

반지름의 길이가 r이고 호의 길이가 l인 부채꼴의 넓이를 S라 하면

$S = \dfrac{1}{2}rl$

설명 중심각의 크기가 $x°$인 부채꼴의 넓이 S는 반지름의
   길이 r와 호의 길이 l을 사용하여 나타낼 수도 있다.

$$S = \pi r^2 \times \frac{x}{360} = \frac{1}{2} \times r \times \left(2\pi r \times \frac{x}{360}\right)$$
$$= \frac{1}{2}rl$$

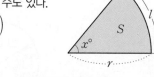

예 반지름의 길이가 4 cm이고 호의 길이가 π cm인 부채꼴의 넓이 S는

$$S = \frac{1}{2} \times 4 \times \pi = 2\pi \text{ (cm}^2\text{)}$$

QUIZ

다음 괄호 안의 알맞은 것에 ○표 하시오.

반지름과 호의 길이가 모두 1 cm인 부채
꼴의 넓이는 $\left(\dfrac{1}{2}, \dfrac{1}{2}\pi\right)$ cm²이다.

정답 |
$\dfrac{1}{2}$

01 호, 현, 부채꼴, 활꼴 개념01 개념02

1-1
다음 보기에서 용어에 알맞은 그림을 찾으시오.

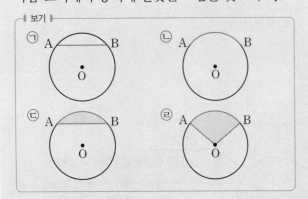

(1) 호 AB
(2) 현 AB
(3) 부채꼴 AOB
(4) 호 AB와 현 AB로 이루어진 활꼴

1-2
오른쪽 그림과 같은 원 O에
다음을 나타내시오.

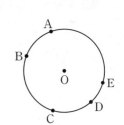

(1) 호 AB
(2) 현 CD
(3) 할선 AE
(4) 부채꼴 BOC
(5) 호 AE의 중심각
(6) 호 AE와 현 AE로 이루어진 활꼴

02 중심각과 호, 넓이 사이의 관계 개념03

2-1
다음 그림에서 x의 값을 구하시오.

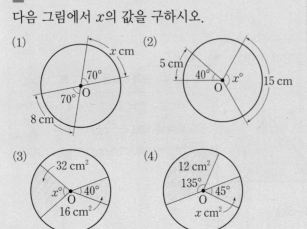

2-2
다음 그림에서 x의 값을 구하시오.

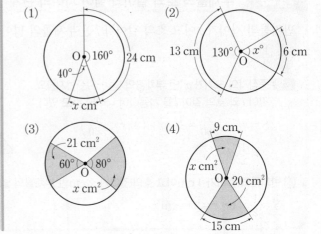

03 원의 둘레의 길이와 넓이 개념 05

3-1

다음 각 원의 둘레의 길이 l과 넓이 S를 각각 구하시오.

(1) 반지름의 길이가 5 cm인 원

(2) 지름의 길이가 12 cm인 원

3-2

다음 원의 둘레의 길이 l과 넓이 S를 각각 구하시오.

(1)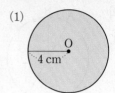

(2)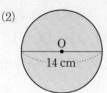

04 부채꼴의 호의 길이와 넓이 개념 05

4-1

다음 부채꼴의 호의 길이 l과 넓이 S를 각각 구하시오.

(1)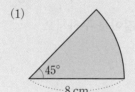

(2)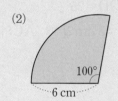

4-2

다음 부채꼴의 호의 길이 l과 넓이 S를 각각 구하시오.

(1)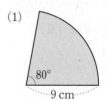

(2)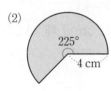

05 부채꼴의 호의 길이와 넓이 사이의 관계 개념 06

5-1

다음 부채꼴의 넓이를 구하시오.

(1)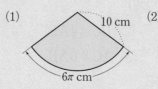

(2)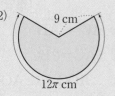

5-2

다음 부채꼴에서 x의 값을 구하시오.

(1)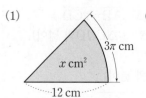

(2)

유형 01 중심각의 크기와 호의 길이의 비

10종 교과서 공통

1-1

오른쪽 그림에서 $\overline{AC}$는 원 O의 지름이다. $\widehat{AB}:\widehat{BC}=1:5$일 때, ∠BOC의 크기를 구하시오.

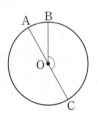

1-2

오른쪽 그림과 같은 반원 O 에서 $\widehat{AB}:\widehat{BC}=3:2$일 때, ∠BOC의 크기를 구하시오.

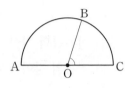

유형 02 중심각의 크기와 호의 길이

10종 교과서 공통

2-1

오른쪽 그림과 같은 반원 O에서 $\overline{AC} /\!/ \overline{OD}$이고, ∠BOD=45°, $\widehat{BD}=12$ cm일 때, $\widehat{AC}$의 길이를 구하시오.

✓ $\overline{AC} /\!/ \overline{OD}$이므로 ∠OAC=∠BOD(동위각)

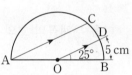

2-2

오른쪽 그림과 같은 반원 O에서 $\overline{AC} /\!/ \overline{OD}$이고, ∠BOD=25°, $\widehat{BD}=5$ cm일 때, $\widehat{AC}$의 길이를 구하시오.

유형 03 중심각의 크기와 호, 현의 길이, 부채꼴의 넓이 사이의 관계

10종 교과서 공통

3-1

오른쪽 그림과 같은 원 O에서 ∠AOB=2∠COD일 때, 다음 보기 중 옳은 것을 모두 고르시오.

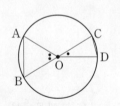

┤ 보기 ├
㉠ $\widehat{AB}=2\widehat{CD}$ ㉡ $\overline{AB}=2\overline{CD}$
㉢ (△AOB의 넓이)=2×(△COD의 넓이)
㉣ (부채꼴 AOB의 넓이)
   =2×(부채꼴 COD의 넓이)

3-2

오른쪽 그림과 같은 부채꼴 AOC에서 ∠AOB=15°, ∠BOC=75°일 때, 다음 중 옳은 것을 모두 고르면?

(정답 2개)

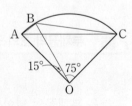

① $\widehat{AC}=5\widehat{AB}$ ② $\widehat{BC}=4\widehat{AB}$
③ $5\widehat{AC}=6\widehat{BC}$ ④ $\overline{AC}=6\overline{AB}$
⑤ ∠AOC=6∠AOB

유형 04 부채꼴의 호의 길이와 넓이

〔10종 교과서 공통〕

4-1

반지름의 길이가 4 cm이고 넓이가 12π cm^{2}인 부채꼴의 호의 길이를 구하시오.

4-2

호의 길이가 4π cm이고 반지름의 길이가 6 cm인 부채꼴의 넓이를 구하시오.

유형 05 색칠한 부분의 둘레의 길이와 넓이 (1)

〔10종 교과서 공통〕

5-1

오른쪽 그림에서 색칠한 부분의 둘레의 길이와 넓이를 각각 구하시오.

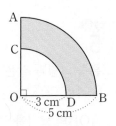

5-2

오른쪽 그림과 같이 중심이 O인 두 원에서 $\overline{OA}=\overline{AB}$이고, $\overline{OA}$를 반지름으로 하는 원 O의 넓이가 4π cm^{2}일 때, 색칠한 부분의 넓이를 구하시오.

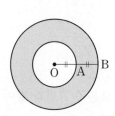

유형 06 색칠한 부분의 둘레의 길이와 넓이 (2)

〔10종 교과서 공통〕

6-1

다음 그림에서 색칠한 부분의 넓이를 구하시오.

(1)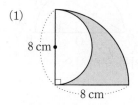

(2)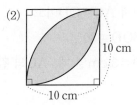

6-2

오른쪽 그림에서 색칠한 부분의 둘레의 길이와 넓이를 각각 구하시오.

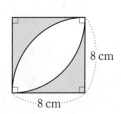

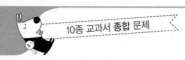
10종 교과서 종합 문제

하 01
>>> 출제 예상 95%

다음 설명 중 옳지 <u>않은</u> 것은?

① 원 위의 두 점을 이은 선분을 현이라 한다.

② 활꼴은 원의 두 반지름과 호로 둘러싸인 도형이다.

③ 원 위의 두 점에 의해서 나누어지는 원의 일부분을 호라 한다.

④ 원은 평면 위의 한 점으로부터 일정한 거리에 있는 모든 점으로 이루어진 도형이다.

⑤ 한 원에서 부채꼴과 활꼴이 같아질 때, 중심각의 크기는 180°이다.

하 02
>>> 출제 예상 85%

오른쪽 그림과 같이 원 O 위에 두 점 A, B가 있다. 현 AB의 길이가 원 O의 반지름의 길이와 같을 때, $\overarc{AB}$에 대한 중심각의 크기를 구하시오.

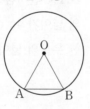

하 03
>>> 출제 예상 95%

다음 그림에서 x의 값을 구하시오.

(1)

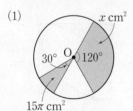

(2)

$4x° - 30°$
$x°$
18 cm
6 cm

중 04
>>> 출제 예상 85%

오른쪽 그림에서 $\overline{AD}$, $\overline{BE}$는 원 O의 지름이다. $\overarc{AB}=4$ cm이고, $\angle AOB=2a$, $\angle COD=3a+15°$일 때, $\overarc{AE}$의 길이를 구하시오.

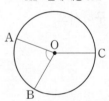

4 cm
2a
E
D
C
3a+15°

중하 05
>>> 출제 예상 85%

오른쪽 그림과 같은 원 O에서 $\overarc{AB} : \overarc{BC} : \overarc{CA} = 2 : 3 : 4$일 때, $\angle AOB$의 크기를 구하시오.

A
O
C
B

중 06
>>> 출제 예상 95%

오른쪽 그림과 같은 반원 O에서 $\overline{AC} /\!/ \overline{OD}$이고, $\angle BOD=30°$, $\overarc{BD}=3$ cm일 때, $\overarc{AC}$의 길이를 구하시오.

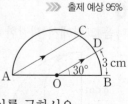

C
D
30°
3 cm
A
O
B

07
중하

⟫ 출제 예상 90%

오른쪽 그림과 같은 반원
O에서 $\overline{AB} /\!/ \overline{CD}$이고,
$\angle AOB = 120°$,
$\widehat{BD} = 4$ cm일 때, $\widehat{AB}$의 길이를 구하시오.

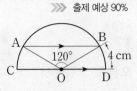

08
중

⟫ 출제 예상 85%

오른쪽 그림에서 원 O의 넓이
는 24π cm²이고 부채꼴
AOB의 넓이는 4π cm²일 때,
△OPQ에서 $\angle x + \angle y$의 크
기를 구하시오.

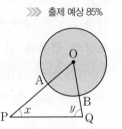

09
중하

⟫ 출제 예상 90%

반지름의 길이가 4 cm이고 넓이가 10π cm²인 부채
꼴의 호의 길이를 구하시오.

10
중하

⟫ 출제 예상 90%

반지름의 길이가 12 cm이고 호의 길이가 7π cm인
부채꼴의 중심각의 크기를 구하시오.

11
중하

⟫ 출제 예상 95%

다음 그림에서 색칠한 부분의 넓이를 구하시오.

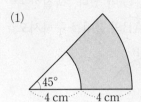

(1)   (2)

12
중

⟫ 출제 예상 85%

오른쪽 그림은 반원 O를 점
A를 중심으로 시계 반대 방
향으로 30°만큼 회전시킨 것
이다. 이때 색칠한 부분의
둘레의 길이를 구하시오.

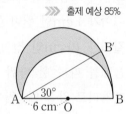

13
중

⟫ 출제 예상 90%

오른쪽 그림에서 색칠한 부분
의 넓이를 구하시오.

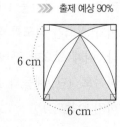

상 중

14 　　　　　　　　　　　　》》 출제 예상 80%

다음 그림과 같이 두 반원 O, O'이 있다. 색칠한 두 부분의 넓이가 서로 같을 때, $\widehat{AB}$의 길이를 구하시오.

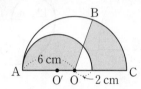

상 중

15 까다로운 문제　　　　　　》》 출제 예상 80%

오른쪽 그림과 같이 반지름의 길이가 1 cm인 원이 한 변의 길이가 10 cm인 정삼각형의 둘레를 따라 한 바퀴 돌아서 제자리로 왔을 때, 원이 지나간 자리의 넓이를 구하시오.

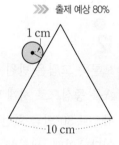

✓ 원이 지나간 자리는 곡선 부분(부채꼴)과 직선 부분으로 나타난다.

중

16 　　　　　　　　　　　　》》 출제 예상 80%

오른쪽 그림과 같이 지름의 길이가 8 cm인 원기둥 4개를 끈의 길이가 최소가 되도록 묶으려고 한다. 이때 필요한 끈의 길이를 구하시오. (단, 매듭의 길이는 생각하지 않는다.)

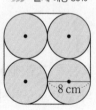

● 과정을 평가하는 서술형입니다.

중

17 　　　　　　　　　　　　》》 출제 예상 85%

오른쪽 그림에서 $\overline{DC}=\overline{DO}$, $\widehat{AD}=8$ cm일 때, $\widehat{BE}$의 길이를 구하시오.

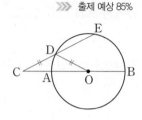

상 중

18 　　　　　　　　　　　　》》 출제 예상 80%

다음 그림과 같이 한 변의 길이가 3 cm인 정삼각형 모양의 블록에 한 변의 연장선 방향으로 길이가 9 cm인 실이 연결되어 있다. 시곗바늘이 도는 반대 방향으로 실을 팽팽하게 당겨 돌렸을 때, 실 끝이 지나간 부분의 길이 l과 실 전체가 지나간 부분의 넓이 S를 각각 구하시오.

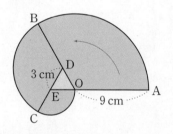

중

19 　　　　　　　　　　　　》》 출제 예상 80%

오른쪽 그림과 같이 한 변의 길이가 6 cm인 정육각형에 대하여 다음 물음에 답하시오.

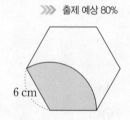

(1) 색칠한 부채꼴의 중심각의 크기를 구하시오.

(2) 색칠한 부채꼴의 둘레의 길이를 구하시오.

(3) 색칠한 부채꼴의 넓이를 구하시오.

1

오른쪽 그림과 같이 점 O에 매달린 추는 A 지점과 D 지점 사이를 움직인다. ∠AOD=100°이고, $\overarc{AB}$: $\overarc{BC}$=13 : 8, $\overarc{BC}$: $\overarc{CD}$=2 : 1일 때, ∠BOC의 크기를 구하시오. (단, 추의 크기는 생각하지 않는다.)

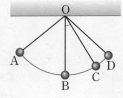

2

연희와 진호는 요리 실습 시간에 각각 반지름의 길이가 16 cm, 18 cm인 원 모양의 피자를 만든 후 다음 그림과 같이 부채꼴 모양으로 조각내었다. 누구의 조각 피자의 양이 더 많은지 말하시오.

(단, 피자의 두께는 무시한다.)

3

기원전 3세기 수학자 에라토스테네스는 고대 이집트의 수도 알렉산드리아와 신전이 있는 시에네와 관련된 다음 정보를 이용하여 지구의 둘레의 길이를 계산했다.

⑺ 시에네와 알렉산드리아 사이의 거리는 약 800 km이다.
⑻ 하짓날 태양이 정남 쪽에 있을 때, 시에네에서는 똑바로 세운 막대의 그림자가 생기지 않지만, 알렉산드리아에서는 그림자가 생기고 다음 그림과 같이 막대와 햇빛이 이루는 각의 크기는 7.2°이다.

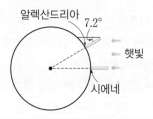

이를 이용하여 지구의 둘레의 길이를 구하시오.
(단, 지구는 완전한 구로 생각한다.)

10 다면체와 회전체

다면체

(1) **다면체** 삼각기둥, 사각뿔과 같이 다각형인 면으로만 둘러싸인 입체도형
① 다면체를 둘러싸고 있는 다각형을 다면체의 면, 다각형의 변을 다면체의 모서리, 다각형의 꼭짓점을 다면체의 [❶____]이라 한다.
② 다면체는 둘러싸인 면의 개수에 따라 사면체, 오면체, 육면체, …라 한다.
예 위의 사각기둥은 면이 6개이므로 [❷____]이고, 꼭짓점은 8개, 모서리는 12개이다.

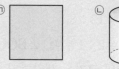

(2) **여러 가지 다면체**
① 각기둥 ➡ 두 밑면이 서로 평행하면서 합동인 다각형이고, 옆면이 모두 직사각형인 입체도형
② 각뿔 ➡ 밑면이 다각형이고, 옆면이 모두 삼각형인 입체도형
참고 각기둥, 각뿔의 이름은 밑면의 모양에 따라 정해진다.

답 | ❶ 꼭짓점 ❷ 육면체

QUIZ

1. 다음 중 다면체인 것을 모두 고르시오.

2. 위의 도형 중 ㉡, ㉢, ㉣의 이름을 말하시오.

정답 |
1. ㉢, ㉣
2. ㉡ 원기둥 ㉢ 삼각기둥 ㉣ 사각뿔

각뿔대

각뿔을 밑면에 평행한 평면으로 자를 때 생기는 두 다면체 중에서 각뿔이 아닌 쪽의 다면체를 각뿔대라 한다.

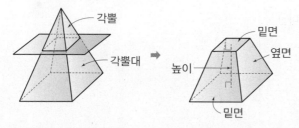

① 각뿔대에서 서로 평행한 두 면을 밑면, 밑면이 아닌 면을 옆면이라 하고, 각뿔대의 두 밑면에 수직인 선분의 길이를 높이라 한다. 각뿔대의 옆면은 한 쌍의 대변이 평행한 사각형이므로 모두 사다리꼴이다.
② 각뿔대는 밑면의 모양에 따라 삼각뿔대, 사각뿔대, 오각뿔대, …라 한다.
예 위의 각뿔대는 [❶____]이고 육면체이다. 또, 꼭짓점은 8개, 모서리는 12개이다.
참고 사면체, 오면체, 육면체, …는 다면체를 면의 개수에 따라 분류한 것이고, 각기둥, 각뿔, 각뿔대는 다면체를 그 모양에 따라 분류한 것이다.

답 | ❶ 사각뿔대

QUIZ

오른쪽 그림은 삼각뿔을 밑면에 평행한 평면으로 자를 때 생기는 다면체이다. 이 다면체에 대하여 다음 괄호 안의 알맞은 것에 ○표 하시오.

(1) 다면체의 이름은 (삼각기둥, 삼각뿔대)이고 (삼면체, 오면체)이다.
(2) 두 밑면은 서로 평행(하고, 하지 않고), 서로 합동(이다, 이 아니다).
(3) 옆면은 (사다리꼴, 직사각형)이다.

정답 |
(1) 삼각뿔대, 오면체
(2) 하고, 이 아니다
(3) 사다리꼴

(1) 다음 두 조건을 모두 만족시키는 다면체를 정다면체라 한다.
　① 각 면이 모두 합동인 ❶ [　　　]이다.
　② 각 꼭짓점에 모인 ❷ [　　] 의 개수가 모두 같다.
(2) **정다면체의 종류** 정사면체, 정육면체, 정팔면체, 정십이면체, 정이십면체의 5가지뿐이다.

	정사면체	정육면체	정팔면체
겨냥도	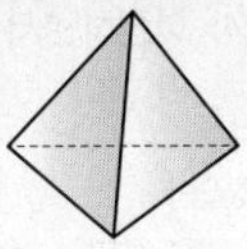	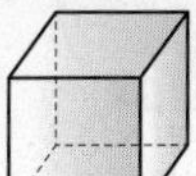	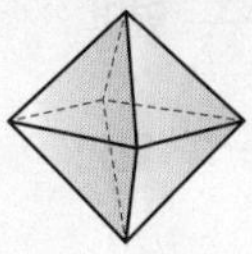
전개도	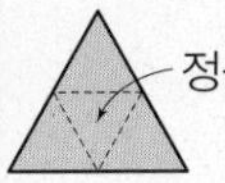 정삼각형	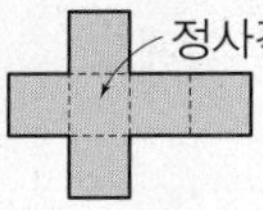 정사각형	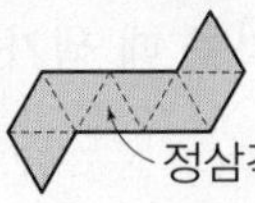 정삼각형
면의 개수	4	6	8
모서리의 개수	6	12	12
꼭짓점의 개수	4	8	6
한 꼭짓점에 모인 면의 개수	3	3	4

	정십이면체	정이십면체
겨냥도	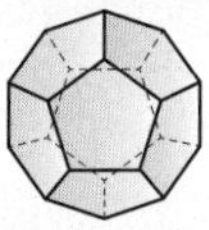	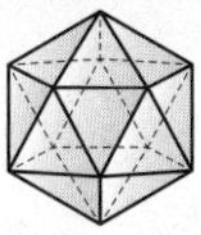
전개도	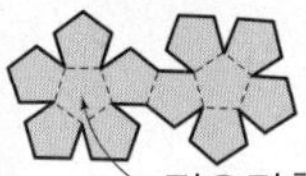 정오각형	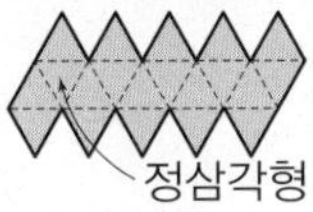 정삼각형
면의 개수	12	20
모서리의 개수	30	30
꼭짓점의 개수	20	12
한 꼭짓점에 모인 면의 개수	3	5

답 | ❶ 정다각형 ❷ 면

QUIZ
다음 중 옳은 것에는 ○표, 옳지 않은 것에는 ×표를 하시오.
(1) 각 면이 정사각형인 정다면체는 정사면체이다. (　　)
(2) 정다면체는 5가지 이상이다. (　　)
(3) 각 면이 정사각형인 정다면체는 1가지뿐이다. (　　)
(4) 각 면이 정삼각형인 정다면체는 정사면체, 정팔면체, 정이십면체의 3가지이다.(　　)
(5) 한 꼭짓점에 모인 면이 3개인 정다면체는 정사면체, 정육면체 2가지이다. (　　)
(6) 한 꼭짓점에 모인 면이 4개인 정다면체는 정팔면체이다. (　　)

정답 |
(1) × (2) × (3) ○ (4) ○ (5) × (6) ○

+ Plus 개념 정다면체는 왜 5가지뿐일까?

정다면체는 입체도형이므로 한 꼭짓점에서 3개 이상의 면이 만나야 하고, 한 꼭짓점에 모인 각의 크기의 합은 $360°$보다 작아야 한다.

➡ 정다면체의 면이 될 수 있는 다각형은 정삼각형, 정사각형, 정오각형뿐이고, 이 도형으로 만들 수 있는 정다면체는 다음과 같이 5가지뿐이다.

정삼각형 3개	정삼각형 4개	정삼각형 5개	정사각형 3개	정오각형 3개
60° 60° 60°	60° 60° 60° 60°	60° 60° 60° 60° 60°	90° 90° 90°	108° 108° 108°
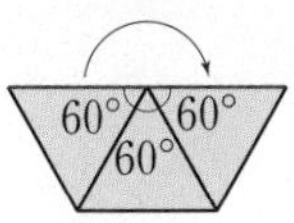 정사면체	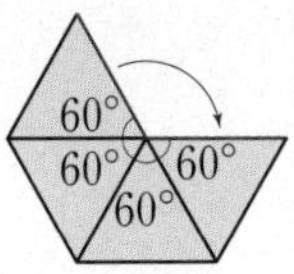 정팔면체	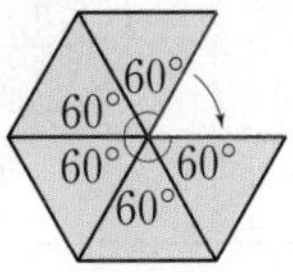 정이십면체	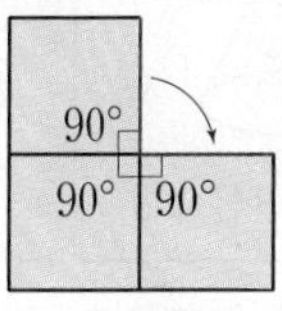 정육면체	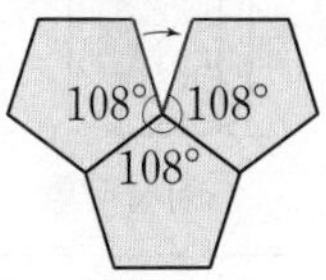 정십이면체

(1) **회전체**　평면도형을 한 직선을 축으로 하여 1회전 시킬 때 생기는
입체도형

　　① [① ☐]　: 회전시킬 때 축이 되는 직선

　　② [② ☐]　: 회전하면서 옆면을 만드는 선분

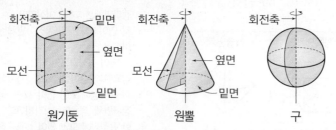

(2) **원뿔대**　원뿔을 밑면에 평행한 평면으로 자를 때 생기는 두 입체도
형 중에서 원뿔이 아닌 쪽의 입체도형

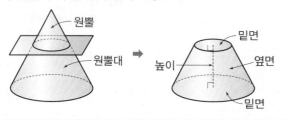

답 | ❶ 회전축 ❷ 모선

(1) 회전체를 회전축에 수직인 평면으로 자를 때 생기는 단면은 항상
　[① ☐]이다.

원기둥	원뿔	원뿔대	구

[참고] 단면 : 입체도형을 평면으로 자를 때 생기는 면

(2) 회전체를 회전축을 포함하는 평면으로 자를 때 생기는 단면은 모두
합동이고, [② ☐]을 대칭축으로 하는 선대칭도형이다.

원기둥	원뿔	원뿔대	구
직사각형	이등변삼각형	사다리꼴	원

답 | ❶ 원 ❷ 회전축

01 다면체와 각뿔대

1-1
다음 다면체는 몇 면체인지 말하고, 모서리의 개수와 꼭짓점의 개수를 각각 구하시오.

(1)

(2)

1-2
다음 표를 완성하시오.

다면체	면의 개수	모서리의 개수	꼭짓점의 개수
오각기둥	①	15	②
육각뿔	7	③	7
삼각뿔대	5	④	⑤

02 정다면체 개념03

2-1
다음 그림은 모든 면이 정다각형인 입체도형이다. 아래 조건을 모두 만족하는 도형을 찾으시오.

㈎ 각 면이 모두 합동이다.
㈏ 각 꼭짓점에 모인 면의 개수가 같다.

㉠

㉡

㉢

2-2
오른쪽 도형은 합동인 정삼각형 6개로 이루어진 육면체이다. 이 도형이 정다면체가 아닌 까닭을 말하시오.

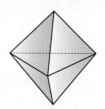

03 정다면체의 종류 개념03

3-1
다음 표를 완성하시오.

	면의 개수	면의 모양	한 꼭짓점에 모인 면의 개수
정사면체	4		
정육면체	6	정사각형	
정팔면체			
정십이면체			
정이십면체			

3-2
다음 물음에 답하시오.
(1) 각 면의 모양이 삼각형인 정다면체를 모두 쓰시오.
(2) 한 꼭짓점에 모인 면의 개수가 3인 정다면체를 모두 쓰시오.

04 회전체 개념 04

4-1
다음 평면도형을 직선 l을 축으로 하여 1회전 시킬 때 생기는 회전체를 그리시오.

(1)

(2)

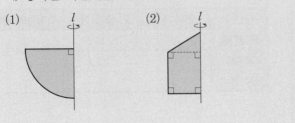

4-2
다음 보기 중 회전체를 모두 고르시오.

┤ 보기 ├
ㄱ 구 ㄴ 원뿔대 ㄷ 삼각뿔대
ㄹ 원기둥 ㅁ 정육면체 ㅂ 오각기둥

05 회전체의 단면 (1) 개념 05

5-1
다음 중 회전체와 그 회전체를 회전축을 포함하는 평면으로 자를 때 생기는 단면의 모양을 짝 지은 것으로 옳지 않은 것은?

① 구 − 원
② 반구 − 반원
③ 원기둥 − 직사각형
④ 원뿔 − 직각삼각형
⑤ 원뿔대 − 사다리꼴

5-2
다음 중 회전축에 수직인 평면으로 자를 때 생기는 단면의 모양이 항상 합동이 되는 것은?

① 구 ② 반구 ③ 원기둥
④ 원뿔 ⑤ 원뿔대

06 회전체의 단면 (2) 개념 05

6-1
오른쪽 그림과 같은 회전체를 회전축을 포함하는 평면으로 자를 때 생기는 단면의 모양은?

①
②
③
④
⑤

6-2
오른쪽 그림의 회전체를 보고 다음을 그리시오.

(1) 회전축에 수직인 평면으로 자를 때 생기는 단면의 모양
(2) 회전축을 포함하는 평면으로 자를 때 생기는 단면의 모양

유형 **01** 다면체의 뜻

(10종 교과서 공통)

1-1

다음 보기의 입체도형 중 육면체인 것을 모두 고르시오.

┤ 보기 ├
ㄱ. 오각뿔   ㄴ. 사각뿔대
ㄷ. 오각기둥   ㄹ. 삼각뿔대

1-2

다음 중 다면체와 그 옆면의 모양을 짝 지은 것으로 옳지 않은 것은?

① 삼각기둥 – 직사각형
② 사각뿔 – 삼각형
③ 삼각뿔대 – 이등변삼각형
④ 육각기둥 – 직사각형
⑤ 오각뿔대 – 사다리꼴

유형 **02** 다면체의 면, 모서리, 꼭짓점

(동아(강) 유사)

2-1

다음 물음에 답하시오.

(1) 다음 표를 완성하시오.

	삼각뿔대	사각뿔대	오각뿔대	육각뿔대
모서리의 개수				

(2) n각뿔대의 모서리의 개수를 구하시오.

2-2

모서리의 개수가 18인 각뿔대의 면의 개수와 꼭짓점의 개수를 각각 구하시오.

✓ n각뿔대에 대하여
꼭짓점의 개수 : $2n$, 모서리의 개수 : $3n$, 면의 개수 : $n+2$

유형 **03** 조건을 만족시키는 정다면체

(10종 교과서 공통)

3-1

다음 조건을 모두 만족하는 다면체를 말하시오.

(개) 각 면이 모두 합동인 정삼각형이다.
(내) 각 꼭짓점에 모인 면의 개수가 3이다.

3-2

다음 조건을 모두 만족하는 다면체를 말하시오.

(개) 각 면이 모두 합동인 정다각형이다.
(내) 각 꼭짓점에 모인 면의 개수가 5이다.

유형 **04**   회전체

(10종 교과서 공통)

4-1
다음 중 직선 l을 축으로 하여 1회전 시킬 때 생기는 회전체가 오른쪽 그림과 같은 것은?

①   ②   ③

④   ⑤

4-2
다음 중 오른쪽 그림과 같은 평면도형을 직선 l을 축으로 하여 1회전 시킬 때 생기는 회전체는?

①   ②

③   ④   ⑤

유형 **05**   회전체의 단면의 모양

(천재(류), 동아(박) 유사)

5-1
다음 보기 중 회전체를 회전축을 포함하는 평면으로 자를 때 나타날 수 있는 단면의 모양을 모두 고르시오.

┤ 보기 ├
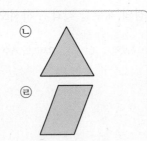
ㄱ   ㄴ
ㄷ   ㄹ

5-2
오른쪽 그림과 같은 원뿔대를 잘라서 다음과 같은 단면이 나오도록 하려고 한다. 어느 방향으로 잘라야 하는지 말하시오.

(1)   (2)

유형 **06**   회전체의 단면의 넓이

(천재(류), 동아(박), 지학사 유사)

6-1
오른쪽 그림과 같은 직사각형을 직선 l을 축으로 하여 1회전 시킬 때 생기는 회전체를 회전축에 수직인 평면으로 자른 단면의 넓이를 구하시오.

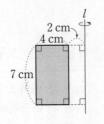
2 cm
4 cm
7 cm

6-2
오른쪽 그림과 같은 직각삼각형을 직선 l을 축으로 하여 1회전 시킬 때 생기는 회전체를 회전축을 포함하는 평면으로 자른 단면의 넓이를 구하시오.

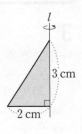
3 cm
2 cm

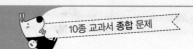

10종 교과서 종합 문제 | 정답과 해설 30쪽

01 〔하〕 ▶▶▶ 출제 예상 95%

다음 입체도형 중 다면체가 <u>아닌</u> 것은?

① ② ③

④ ⑤

02 〔하〕 ▶▶▶ 출제 예상 90%

다음 중 면의 개수가 같은 것끼리 나열한 것은?

① 사각뿔, 사각기둥　　② 삼각뿔대, 사각뿔
③ 오각뿔, 오각기둥　　④ 삼각뿔, 사각뿔
⑤ 정팔면체, 팔각뿔대

03 〔하〕 ▶▶▶ 출제 예상 95%

다음 중 다면체와 그 옆면을 이루는 다각형이 바르게 짝 지어진 것은?

① 오각기둥 – 오각형
② 사면체 – 사각형
③ 육각기둥 – 육각형
④ 사각뿔 – 삼각형
⑤ 삼각뿔대 – 직사각형

04 〔중하〕 ▶▶▶ 출제 예상 90%

다음 중 다면체에 대한 설명으로 옳은 것은?

① 사각뿔의 면의 개수는 4이다.
② 오각뿔대의 옆면은 사다리꼴이다.
③ 삼각기둥은 모든 면이 삼각형이다.
④ 정십이면체는 모든 면이 정삼각형이다.
⑤ 사각뿔대의 모서리의 개수는 8이다.

05 〔중하〕 ▶▶▶ 출제 예상 90%

꼭짓점의 개수가 14인 각기둥의 모서리의 개수를 x, 면의 개수를 y라 할 때, $x-y$의 값은?

① 11　　　② 12　　　③ 13
④ 14　　　⑤ 15

06 〔중하〕 ▶▶▶ 출제 예상 90%

모서리가 12개인 각뿔의 면의 개수가 x, 꼭짓점의 개수가 y일 때, $x+y$의 값을 구하시오.

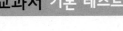
중하
07   >>> 출제 예상 95%

다음 조건을 모두 만족하는 다면체를 말하시오.

> (개) 두 밑면은 서로 평행하다.
> (내) 칠면체이다.
> (대) 옆면의 모양은 사다리꼴이다.

중하
08   >>> 출제 예상 95%

다음 중 정다면체에 대한 설명으로 옳은 것은?
① 정다면체는 모두 6가지이다.
② 정팔면체의 모서리의 개수는 8이다.
③ 정육면체의 한 꼭짓점에 모인 면의 개수는 3이다.
④ 면의 모양이 정오각형인 정다면체는 정이십면체
   이다.
⑤ 면의 모양이 정삼각형인 정다면체는 정사면체,
   정팔면체, 정십이면체이다.

중하
09   >>> 출제 예상 85%

다음 그림은 어느 정다면체의 전개도이다. 이 입체도
형의 꼭짓점의 개수와 모서리의 개수의 합은?

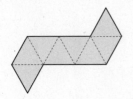

① 8   ② 12   ③ 14
④ 16   ⑤ 18

중하
10   >>> 출제 예상 95%

다음 조건을 모두 만족하는 정다면체는?

> (개) 모서리의 개수는 12이다.
> (내) 한 꼭짓점에 모인 면의 개수는 3이다.

① 정사면체   ② 정육면체   ③ 정팔면체
④ 정십이면체   ⑤ 정이십면체

하
11   >>> 출제 예상 95%

다음 중 회전체와 그 회전체를 회전축을 포함하는 평
면으로 자를 때 생기는 단면의 모양을 짝 지은 것으
로 옳지 않은 것은?
① 원뿔대 − 평행사변형
② 원뿔 − 이등변삼각형
③ 구 − 원
④ 반구 − 반원
⑤ 원기둥 − 직사각형

중하
12   >>> 출제 예상 95%

다음 중 회전체에 대한 설명으로 옳지 않은 것은?
① 원기둥, 원뿔, 구는 모두 회전체이다.
② 회전축을 포함하는 평면으로 잘라서 생긴 단면
   은 회전축을 대칭축으로 하는 선대칭도형이다.
③ 구의 회전축은 여러 개이다.
④ 회전축에 수직인 평면으로 잘라서 생긴 단면은
   모두 합동이다.
⑤ 구는 지름을 지나는 평면으로 잘랐을 때 생기는
   원의 넓이가 가장 크다.

중

13

>>> 출제 예상 95%

다음 중 오른쪽 그림과 같은 삼각형을 직선 l을 축으로 하여 1회전 시킬 때 생기는 회전체는?

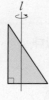

①
②
③
④
⑤

중하

14

>>> 출제 예상 90%

오른쪽 그림과 같은 평면도형을 어느 한 변을 회전축으로 하여 1회전 시켜서 원뿔대를 만들려고 한다. 어느 변을 회전축으로 하여야 하는지 말하시오.

상중

15 까다로운 문제

>>> 출제 예상 80%

오른쪽 그림과 같은 원기둥을 회전축에 수직인 평면으로 자를 때 생기는 단면의 넓이와 회전축을 포함하는 평면으로 자를 때 생기는 단면의 넓이가 같다. 이 원기둥의 높이를 구하시오.

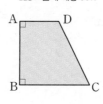

● 과정을 평가하는 서술형입니다.

중

16

>>> 출제 예상 85%

다음 조건을 모두 만족하는 다면체를 말하시오.

> ㈎ 밑면의 개수는 1이다.
> ㈏ 칠면체이다.
> ㈐ 옆면의 모양은 삼각형이다.

상중

17

>>> 출제 예상 80%

어떤 각뿔대의 면의 개수, 꼭짓점의 개수, 모서리의 개수를 모두 합하면 44라 한다. 이 각뿔대를 말하시오.

중

18

>>> 출제 예상 90%

오른쪽 그림의 직사각형을 직선 l을 축으로 하여 1회전 시킬 때 생기는 회전체에서 다음을 구하시오.

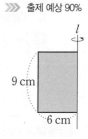

(1) 회전축에 수직인 평면으로 자를 때 생기는 단면의 넓이
(2) 회전축을 포함하는 평면으로 자를 때 생기는 생기는 단면의 넓이

11 기둥의 겉넓이와 부피

기둥의 겉넓이

기둥의 겉넓이는 전개도를 이용하여 다음과 같이 구할 수 있다.

(기둥의 겉넓이)=(밑넓이)×2+(옆넓이)

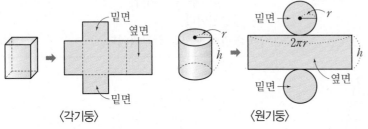

⟨각기둥⟩　　⟨원기둥⟩

참고 밑면의 반지름의 길이가 r이고 높이가 h인 원기둥의 겉넓이 S는
$$S=(밑넓이)×2+(옆넓이)=2\pi r^2+2\pi rh$$

예

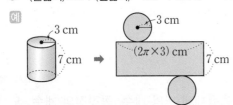

$$(밑넓이)=\pi×3^2=9\pi\,(\mathrm{cm}^2)$$
$$(옆넓이)=(2\pi×3)×7=42\pi\,(\mathrm{cm}^2)$$
$$(겉넓이)=(밑넓이)×2+(옆넓이)=9\pi×2+42\pi=60\pi\,(\mathrm{cm}^2)$$

QUIZ

다음 삼각기둥의 전개도의 ☐ 안에 알맞은 수를 써넣고, 겉넓이를 구하시오.

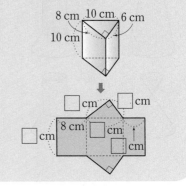

정답|

8 cm
6 cm
10 cm
8 cm
10 cm
6 cm

겉넓이 : 288 cm²

기둥의 부피

(기둥의 부피)=(밑넓이)×(높이)

참고 밑면의 반지름의 길이가 r이고 높이가 h인 원기둥의 부피 V는
$$V=(밑넓이)×(높이)=\pi r^2 h$$

예

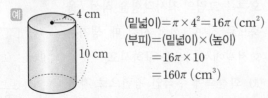

$$(밑넓이)=\pi×4^2=16\pi\,(\mathrm{cm}^2)$$
$$(부피)=(밑넓이)×(높이)$$
$$=16\pi×10$$
$$=160\pi\,(\mathrm{cm}^3)$$

참고 여러 가지 평면도형의 넓이를 구하는 공식

삼각형	직각삼각형	사다리꼴	평행사변형	원
$S=\frac{1}{2}ah$	$S=\frac{1}{2}ah$	$S=\frac{1}{2}(a+b)h$	$S=ah$	$S=\pi r^2$

QUIZ

다음은 아래 그림과 같은 삼각기둥의 부피 V를 구하는 과정이다. ☐ 안에 알맞은 수를 써넣으시오.

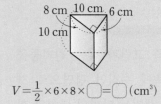

$$V=\frac{1}{2}×6×8×\boxed{}=\boxed{}\,(\mathrm{cm}^3)$$

정답|
10, 240

01 각기둥의 겉넓이 개념 01

1-1
오른쪽 그림과 같은 각기둥에 대하여 다음을 구하시오.
(1) 밑넓이
(2) 옆넓이
(3) 겉넓이

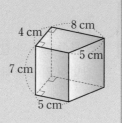

1-2
다음 그림과 같은 각기둥의 겉넓이를 구하시오.

(1) 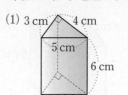　(2)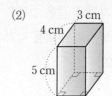

02 원기둥의 겉넓이 개념 01

2-1
오른쪽 그림과 같은 원기둥에 대하여 다음을 구하시오.
(1) 밑넓이
(2) 옆넓이
(3) 겉넓이

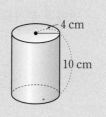

2-2
다음 그림과 같은 원기둥의 겉넓이를 구하시오.

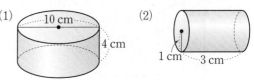

03 기둥의 부피 개념 02

3-1
오른쪽 그림과 같은 각기둥에 대하여 다음을 구하시오.
(1) 밑넓이
(2) 부피

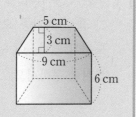

3-2
다음 그림과 같은 기둥의 부피를 구하시오.

(1) 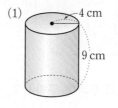　(2)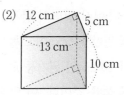

유형 01　기둥의 겉넓이와 부피

〔 10종 교과서 공통 〕

1-1
오른쪽 그림과 같은 입체도형의 겉넓이와 부피를 각각 구하시오.

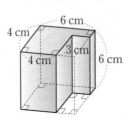

1-2
오른쪽 그림과 같은 입체도형의 겉넓이를 구하시오.

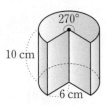

유형 02　전개도로 주어진 기둥의 겉넓이와 부피

〔 10종 교과서 공통 〕

2-1
다음 그림과 같은 전개도로 만들어지는 각기둥의 겉넓이와 부피를 각각 구하시오.

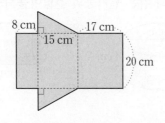

2-2
다음 그림과 같은 전개도로 만들어지는 원기둥의 겉넓이와 부피를 각각 구하시오.

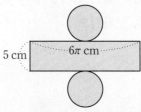

∨ 원기둥에서 밑면인 원의 원주는 옆면인 직사각형의 가로의 길이와 같다.

유형 03　구멍이 뚫린 기둥의 부피

〔 천재(류), 지학사 유사 〕

3-1
오른쪽 그림은 한 모서리의 길이가 10 cm인 정육면체에서 밑면의 반지름의 길이가 2 cm이고 높이가 10 cm인 원기둥 모양을 뚫은 것이다. 이 입체도형의 부피를 구하시오.

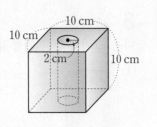

3-2
오른쪽 그림과 같이 가운데가 뚫린 원기둥 모양의 입체도형이 있다. 이 입체도형의 부피를 구하시오.

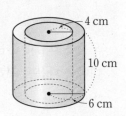

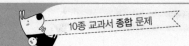
01 _하 ≫ 출제 예상 90%

한 변의 길이가 6 cm인 정사각형을 밑면으로 하는 직육면체의 겉넓이가 192 cm²일 때, 이 직육면체의 옆넓이를 구하시오.

02 _하 ≫ 출제 예상 95%

오른쪽 그림과 같은 사각기둥의 겉넓이를 구하시오.

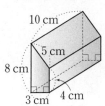

03 _{중하} ≫ 출제 예상 90%

오른쪽 그림과 같은 사각기둥의 부피를 구하시오.

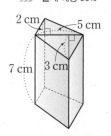

04 _{중하} ≫ 출제 예상 95%

오른쪽 그림과 같은 입체도형의 겉넓이와 부피를 각각 구하시오.

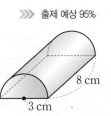

05 _{중하} ≫ 출제 예상 90%

오른쪽 그림과 같은 오각기둥의 부피를 구하시오.

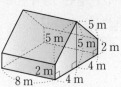

06 _{중하} ≫ 출제 예상 85%

오른쪽 각기둥의 부피가 42 cm³일 때, 이 각기둥의 높이를 구하시오.

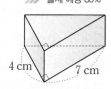

07 _{중하} ≫ 출제 예상 95%

다음 그림과 같은 전개도로 만들어지는 입체도형의 부피를 구하시오.

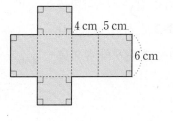

08 오른쪽 그림의 직육면체와 겉넓이가 같은 정육면체의 한 면의 넓이를 구하시오.

≫≫ 출제 예상 85%

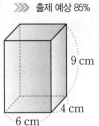

09 오른쪽 그림은 한 모서리의 길이가 10 cm인 정육면체에서 직육면체를 잘라낸 입체도형이다. 이 입체도형의 부피를 구하시오.

≫≫ 출제 예상 90%

10 오른쪽 그림과 같은 직사각형을 직선 l을 축으로 하여 1회전 시킬 때 생기는 회전체의 부피를 구하시오.

≫≫ 출제 예상 90%

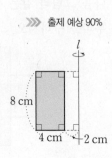

● 과정을 평가하는 서술형입니다.

11 오른쪽 그림과 같은 입체도형의 겉넓이를 구하시오.

≫≫ 출제 예상 95%

12 오른쪽 그림과 같은 전개도로 만들어지는 원기둥의 겉넓이와 부피를 각각 구하시오.

≫≫ 출제 예상 95%

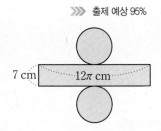

13 다음 그림과 같은 두 원기둥 A, B의 부피가 같을 때, h의 값을 구하시오.

≫≫ 출제 예상 85%

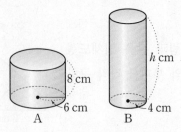

창의력·융합형·서술형·코딩

1

아래 그림과 같이 아랫부분이 원기둥 모양인 병이 있다. 이 병에 물의 높이가 10 cm가 되도록 물을 넣은 다음 병을 뒤집었을 때, 물이 없는 부분의 높이는 5 cm가 되었다. 병의 부피를 구하려고 할 때, 다음 물음에 답하시오.

(단, 병의 두께는 생각하지 않는다.)

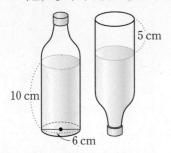

(1) 병에 들어 있는 물의 부피를 구하시오.

(2) 비어 있는 부분의 부피를 구하시오.

(3) 병의 부피를 구하시오.

2

다음 그림과 같이 직육면체 모양의 어항에 칸막이가 설치되어 있다. 칸막이를 치울 때, 물의 높이를 구하시오. (단, 칸막이의 두께는 생각하지 않는다.)

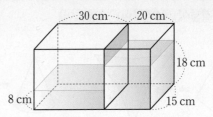

3

어떤 수조의 단면의 모양이 오른쪽 그림과 같이 일정하다. 이 수조에 물이 분속 10 m의 속력으로 흐를 때, 10분 동안 흐른 물의 양을 구하시오.

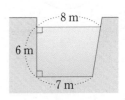

뿔과 구의 겉넓이와 부피

개념 01 뿔의 겉넓이

뿔의 겉넓이는 전개도를 이용하여 다음과 같이 구할 수 있다.

(뿔의 겉넓이)=(밑넓이)+(옆넓이)

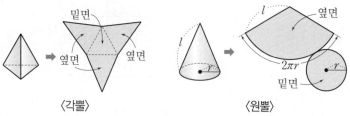

〈각뿔〉 　　　　〈원뿔〉

[참고] 밑면의 반지름의 길이가 r이고 모선의 길이가 l인 원뿔의 겉넓이 S는
$S=$(밑넓이)+(옆넓이)$=\pi r^2+\pi r l$

[예]

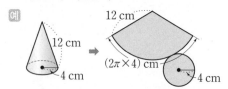

$(2\pi \times 4)$ cm

(밑넓이)$=\pi \times 4^2=16\pi$ (cm^2)

(옆넓이)$=\dfrac{1}{2}\times 12\times (2\pi \times 4)=\pi \times 4\times 12=48\pi$ (cm^2)

(겉넓이)$=$(밑넓이)+(옆넓이)$=16\pi+48\pi=64\pi$ (cm^2)

[참고] 부채꼴의 넓이 구하기

 $\Rightarrow S=\pi r^2\times \dfrac{x}{360}$　　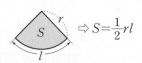 $\Rightarrow S=\dfrac{1}{2}rl$

QUIZ

다음은 사각뿔의 겉넓이를 구하기 위하여 전개도를 그린 것이다. □ 안에 알맞은 수를 써넣고 겉넓이를 구하시오.

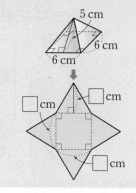

정답 |

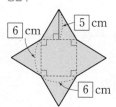

겉넓이 : 96 cm^2

개념 02 뿔의 부피

(뿔의 부피)$=\dfrac{1}{3}\times$(기둥의 부피)$=\dfrac{1}{3}\times$(밑넓이)$\times$(높이)

[예]

(원뿔의 부피)$=\dfrac{1}{3}\times (\pi \times 6^2)\times 12=144\pi$ (cm^3)

[참고] 뿔 모양의 그릇에 가득 찬 물을 밑면이 합동인 기둥 모양의 그릇에 부으면 기둥 높이의 $\dfrac{1}{3}$이 된다. 즉 뿔의 부피는 기둥의 부피의 $\dfrac{1}{3}$이다.

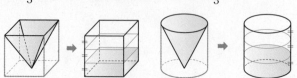

QUIZ

1. 다음 □ 안에 알맞은 수를 써넣으시오.

  (1) 원뿔의 부피는 원뿔과 밑넓이와 높이가 각각 같은 원기둥의 부피의 □ 배이다.
  (2) 각기둥의 부피는 각기둥과 밑넓이와 높이가 각각 같은 각뿔의 부피의 □ 배이다.

2. 오른쪽 그림과 같은 원뿔의 부피를 구하시오.

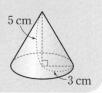

정답 |

1. (1) $\dfrac{1}{3}$ (2) 3　2. 15π cm^3

개념 03 구의 겉넓이와 부피

(1) 반지름의 길이가 r인 구의 겉넓이는

(구의 겉넓이)$=4\pi r^2$

(2) 반지름의 길이가 r인 구의 부피는

(구의 부피)$=\dfrac{4}{3}\pi r^3$

예 오른쪽 그림과 같이 반지름의 길이가 3 cm인 구의 겉넓이와 부피는

(겉넓이)$=4\pi \times 3^2=36\pi \ (\text{cm}^2)$

(부피)$=\dfrac{4}{3}\pi \times 3^3=36\pi \ (\text{cm}^3)$

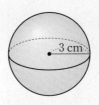

참고 구의 부피

오른쪽 그림과 같이 구를 한없이 많은 각뿔 모양으로 나누어 생각하면 구의 부피는 각뿔 모양의 부피의 합과 같으며, 구의 겉넓이는 각뿔 모양의 밑넓이의 합과 같다. 이때 구의 반지름의 길이는 각뿔 모양의 높이로 볼 수 있으므로 구의 부피는

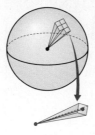

$\dfrac{1}{3} \times$ (구의 겉넓이)$\times$(구의 반지름의 길이)

$=\dfrac{1}{3} \times 4\pi r^2 \times r=\dfrac{4}{3}\pi r^3$

QUIZ

다음 중 옳은 것에는 ○표, 옳지 않은 것에는 ×표를 하시오.

(1) 구의 겉넓이는 구와 반지름의 길이가 같은 원의 넓이의 4배이다.　　　　（　）

(2) 반지름의 길이가 r인 구의 부피는 $\dfrac{1}{3}\pi r^3$이다.　　　　　　　　　（　）

(3) 구의 겉넓이도 전개도를 그려서 구한다.　　　　　　　　　（　）

정답 |
(1) ○　(2) ×　(3) ×

⁺Plus 개념 뿔대의 겉넓이와 부피

(1) 뿔대의 겉넓이

(뿔대의 겉넓이)＝(옆넓이)＋(작은 밑면의 넓이)＋(큰 밑면의 넓이)

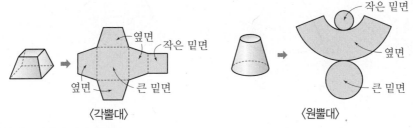

〈각뿔대〉　　　　　〈원뿔대〉

참고 원뿔대에서 옆넓이는 다음과 같이 구한다.

(원뿔의 옆넓이)＝(큰 부채꼴의 넓이)－(작은 부채꼴의 넓이)

예
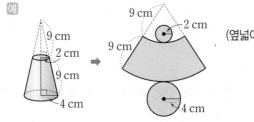

(옆넓이)＝(큰 부채꼴의 넓이)－(작은 부채꼴의 넓이)

$=\pi \times 4 \times 18 - \pi \times 2 \times 9$

$=72\pi - 18\pi$

$=54\pi \ (\text{cm}^2)$

(2) 뿔대의 부피

(뿔대의 부피)＝(큰 뿔의 부피)－(작은 뿔의 부피)

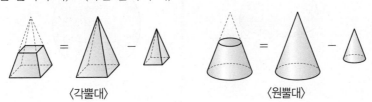

〈각뿔대〉　　　　　　　〈원뿔대〉

01 뿔의 겉넓이 개념 01

1-1
다음 그림과 같은 뿔의 겉넓이를 구하시오.

(1)
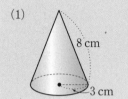

(2)
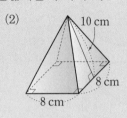

1-2
다음 그림과 같은 뿔의 겉넓이를 구하시오.

(1)
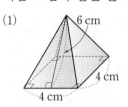

(2)
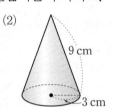

02 뿔의 부피 개념 02

2-1
다음 그림과 같은 뿔의 부피를 구하시오.

(1)
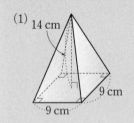

(2)
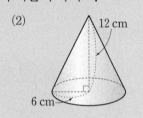

2-2
다음 그림과 같은 뿔의 부피를 구하시오.

(1)
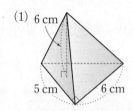

(2)
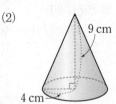

03 구의 겉넓이와 부피 개념 03

3-1
다음 그림과 같은 입체도형의 겉넓이와 부피를 각각 구하시오.

(1)
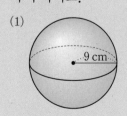

(2)
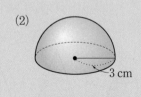

3-2
다음 그림과 같은 입체도형의 겉넓이와 부피를 각각 구하시오.

(1)
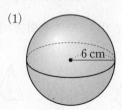

(2)
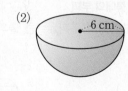

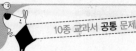

유형 01 뿔의 겉넓이와 부피

(10종 교과서 공통)

1-1
오른쪽 그림과 같은 원뿔의 겉넓이와 부피를 각각 구하시오.

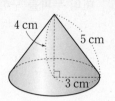

1-2
오른쪽 그림과 같은 사각뿔의 겉넓이와 부피를 각각 구하시오.

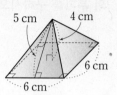

유형 02 전개도로 주어진 원뿔의 겉넓이

(천재, 동아(강) 유사)

2-1
오른쪽 그림과 같은 전개도로 만들어지는 원뿔의 겉넓이를 구하시오.

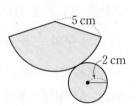

2-2
오른쪽 그림과 같은 전개도로 만들어지는 원뿔의 겉넓이를 구하시오.

✓ 원뿔에서 밑면인 원의 원주는 옆면인 부채꼴의 호의 길이와 같다.

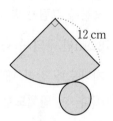

유형 03 뿔대의 겉넓이

(10종 교과서 공통)

3-1
오른쪽 그림과 같은 원뿔대의 겉넓이를 구하시오.

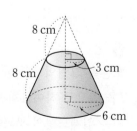

3-2
오른쪽 그림과 같은 사각뿔대의 겉넓이를 구하시오.

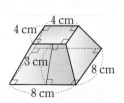

유형 04 뽈대의 부피

천재(이), 동아(박), 미래엔, 비상, 좋은책 유사

4-1
오른쪽 그림과 같은 원뽈대의 부피를 구하시오.

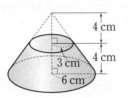

4-2
오른쪽 그림과 같은 각뽈대의 부피를 구하시오.

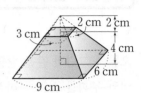

유형 05 구의 겉넓이와 부피

10종 교과서 공통

5-1
오른쪽 그림은 반지름의 길이가 8 cm인 구의 $\frac{1}{4}$을 구의 중심을 지나도록 잘라 내고 남은 부분이다. 이 입체도형의 부피를 구하시오.

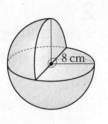

5-2
오른쪽 그림은 반지름의 길이가 4 cm인 구의 $\frac{1}{8}$을 구의 중심을 지나도록 잘라 내고 남은 부분이다. 이 입체도형의 겉넓이를 구하시오.

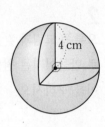

유형 06 회전체의 겉넓이와 부피

10종 교과서 공통

6-1
오른쪽 그림과 같은 평면도형을 직선 l을 축으로 하여 1회전 시킬 때 생기는 입체도형의 겉넓이를 구하시오.

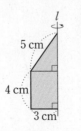

6-2
오른쪽 그림의 색칠한 부분을 직선 l을 축으로 하여 1회전 시킬 때 생기는 입체도형의 부피를 구하시오.

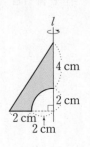

01 ▶▶▶ 출제 예상 95%

오른쪽 그림과 같은 원뿔의 겉
넓이를 구하시오.

10 cm

6 cm

02 ▶▶▶ 출제 예상 95%

오른쪽 그림과 같은 사각뿔의
겉넓이를 구하시오.

6 cm

4 cm

4 cm

03 ▶▶▶ 출제 예상 85%

오른쪽 그림은 밑면의 반지름
의 길이가 5 cm인 원뿔의 전개
도이다. 이 원뿔의 겉넓이가
65π cm²일 때, x의 값을 구하
시오.

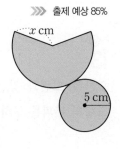

x cm

5 cm

04 ▶▶▶ 출제 예상 80%

오른쪽 그림과 같은 원뿔의 전개
도를 그렸을 때, 옆면인 부채꼴의
중심각의 크기를 구하시오.

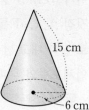

15 cm

6 cm

05 ▶▶▶ 출제 예상 80%

오른쪽 그림과 같이 밑면인
원의 반지름의 길이가 4 cm
인 원뿔을 꼭짓점 O를 중심
으로 굴렸더니 2바퀴 돌고 원
래의 자리로 돌아왔다. 이 원
뿔의 겉넓이를 구하시오.

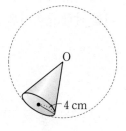

O

4 cm

06 ▶▶▶ 출제 예상 85%

오른쪽 그림과 같은 정사각뿔
의 부피가 400 cm³일 때, 이
정사각뿔의 높이를 구하시오.

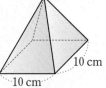

10 cm

10 cm

07 >>> 출제 예상 90%

오른쪽 그림은 한 모서리의 길이가 6 cm인 정육면체를 세 꼭 짓점 A, C, F를 지나는 평면으로 잘라 내고 남은 부분이다. 이 입체도형의 부피를 구하시오.

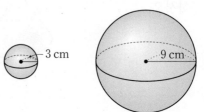

✓ 잘라 낸 입체도형은 삼각뿔이다.

08 >>> 출제 예상 95%

오른쪽 그림과 같은 사다리꼴을 직선 l을 축으로 하여 1회전 시킬 때 생기는 회전체의 겉넓이와 부피를 각각 구하시오.

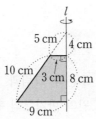

09 >>> 출제 예상 90%

다음 그림과 같이 밑면이 한 변의 길이가 9 cm인 정사각형이고 높이가 x cm인 사각뿔 모양의 그릇에 물을 가득 담은 후 이 사각뿔과 밑면이 합동인 사각기둥 모양의 그릇에 물을 부었더니 높이가 5 cm만큼 채워졌다. 이때 x의 값을 구하시오.

(단, 그릇의 두께는 생각하지 않는다.)

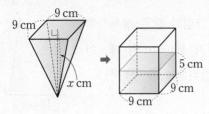

10 >>> 출제 예상 85%

다음 그림과 같이 반지름의 길이가 각각 3 cm, 9 cm인 두 구의 부피의 비를 가장 간단한 자연수의 비로 나타내시오.

11 >>> 출제 예상 85%

겉넓이가 324π cm^{2}인 구의 반지름의 길이와 부피를 각각 구하시오.

12 >>> 출제 예상 90%

오른쪽 그림과 같은 입체도형의 부피를 구하시오.

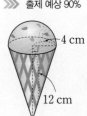

13 >>> 출제 예상 85%

오른쪽 그림과 같은 입체도형의 부피를 구하시오.

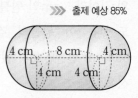

중하

14

>>> 출제 예상 95%

오른쪽 그림은 지름의 길이가 20 cm인 구의 $\frac{3}{4}$을 구의 중심을 지나도록 잘라 내고 남은 부분이다. 이 입체도형의 겉넓이를 구하시오.

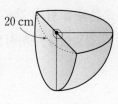

20 cm

중

15

>>> 출제 예상 90%

오른쪽 그림과 같이 반지름의 길이가 3 cm인 공 3개가 원기둥 모양의 통에 꼭 맞게 들어 있다. 이 통 속의 빈 공간의 부피를 구하시오. (단, 통의 두께는 생각하지 않는다.)

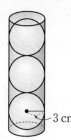

3 cm

중

16

>>> 출제 예상 90%

다음 그림과 같이 밑면의 반지름의 길이가 12 cm인 원기둥 모양의 그릇에 물의 높이가 15 cm가 되도록 물을 부었다. 이 그릇에 반지름의 길이가 6 cm인 구 모양의 쇠공을 넣었을 때, 더 올라간 물의 높이를 구하시오. (단, 그릇의 두께는 생각하지 않는다.)

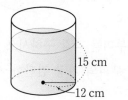

15 cm
12 cm

6 cm

상중

17

까다로운 문제

>>> 출제 예상 90%

반지름의 길이가 6 cm인 구 모양의 쇠공 한 개를 녹여 반지름의 길이가 3 cm인 구 모양의 쇠공 여러 개를 만들려고 한다. 쇠공을 몇 개까지 만들 수 있는지 구하시오.

하

18

>>> 출제 예상 90%

오른쪽 그림과 같은 사각뿔대의 겉넓이를 구하시오.

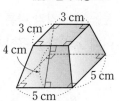

3 cm
3 cm
4 cm
5 cm
5 cm

중하

19

>>> 출제 예상 90%

오른쪽 그림과 같은 원뿔대의 부피를 구하시오.

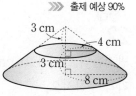

3 cm
4 cm
3 cm
8 cm

● 과정을 평가하는 서술형입니다.

중
20

오른쪽 그림과 같은 사각뿔의 겉넓이가 132 cm²일 때, x의 값을 구하시오.

>>> 출제 예상 90%

중
21

>>> 출제 예상 90%

다음 그림은 두 직육면체 모양의 그릇에 같은 양의 물을 담아 각각 다른 방향으로 그릇을 기울인 것이다. 이때 x의 값을 구하시오.

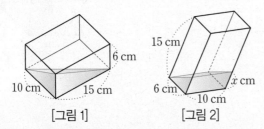

[그림 1]   [그림 2]

✓ 두 그릇에 담긴 물의 부피는 같다.

중하
22

>>> 출제 예상 95%

반지름의 길이가 10 cm인 반구의 겉넓이와 부피를 각각 구하시오.

중
23

오른쪽 그림과 같은 입체도형의 겉넓이를 구하시오.

>>> 출제 예상 85%

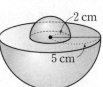

중
24

>>> 출제 예상 80%

지름의 길이가 10 cm인 소프트볼 공은 다음 그림과 같이 똑같이 생긴 두 개의 조각으로 이루어져 있다. 이때 한 조각의 넓이를 구하시오.

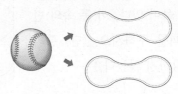

상중
25

>>> 출제 예상 85%

오른쪽 그림은 밑면의 반지름의 길이가 3 cm이고 높이가 6 cm인 원기둥에 꼭 맞는 구와 원뿔을 나타낸 것이다. 다음 물음에 답하시오.

(1) 원기둥, 구, 원뿔의 부피를 각각 구하시오.

(2) 원기둥, 구, 원뿔의 부피의 가장 간단한 자연수의 비로 나타내시오.

창의력·융합형·서술형·코딩

1

아래 그림은 반지름의 길이가 20 cm인 구 모양의 행성 모형을 자른 것이다. 모형의 중심에서부터 11 cm까지 있는 층인 핵을 제외한 나머지 부분을 맨틀이라 할 때, 다음 물음에 답하시오.

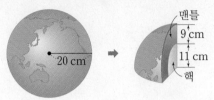

(1) 구 모양의 행성 모형의 부피를 구하시오.

(2) 구 모양의 행성 모형에서 핵의 부피를 구하시오.

(3) 구 모양의 행성 모형에서 맨틀의 부피를 구하시오.

2

오른쪽 그림과 같은 우주선은 지구로 다시 돌아올 때, 아랫부분에 있는 원기둥 모양의 추진체를 버리고 윗부분에 있는 원뿔대 모양의 비행체만 착륙하게 된다. 이때 원뿔대 모양의 비행체의 부피를 구하시오.

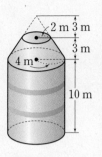

3

다음 그림과 같이 반지름의 길이가 3 cm인 반구 모양의 그릇에 물을 가득 채워 비어 있는 원기둥 모양의 그릇에 10회 옮겨 담았다. 이때 원기둥 모양의 그릇에 담겨 있는 물의 높이를 구하시오.

(단, 그릇의 두께는 생각하지 않는다.)

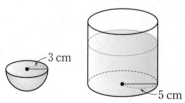

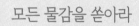

모든 물감을 쏟아라

Life is a great big canvas,
throw all the paint you can at it.
– Danny Kaye

인생은 하나의 커다란 캔버스와 같다.
가능한 한 모든 물감을 거기에다 쏟아 부어라.
– 대니 케이

통계

13 줄기와 잎 그림과 도수분포표 ·· **106**

14 히스토그램과 도수분포다각형 ·· **114**

15 상대도수 ·· **122**

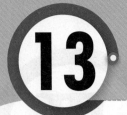

13 줄기와 잎 그림과 도수분포표

개념 01 줄기와 잎 그림

(1) **변량** 오른쪽 [그림 1]과 같이 자료를 수량으로 나타낸 것

이모티콘 사용 건수 (단위 : 건)

45	33	13	10	36
21	40	38	39	24
12	11	57	26	53
43	26	28	32	29

[그림 1]

(2) **줄기와 잎 그림** 줄기와 잎을 이용하여 자료를 나타낸 그림

(3) **줄기와 잎 그림 그리기**

① 변량을 줄기와 잎으로 구분한다.

② 세로선을 긋고, 세로선의 왼쪽에 줄기를 작은 값에서부터 차례대로 세로로 쓴다.

③ 세로선의 오른쪽에 각 줄기에 해당하는 잎을 가로로 쓴다. 이때 중복되는 잎이 있으면 모두 쓰고 간격을 일정하게 띄어 쓴다.

④ 그림의 오른쪽 위에 '줄기|잎'을 설명한다.

위의 순서로 [그림 1]의 이모티콘 사용 건수에 대한 자료를 줄기와 잎 그림으로 나타내면 오른쪽 [그림 2]와 같다.

이모티콘 사용 건수 (1|0은 10건)

줄기	잎
1	0 1 2 3
2	1 4 6 6 8 9
3	2 3 6 8 9
4	0 3 5
5	3 7

[그림 2]

참고 잎을 나열할 때, 크기순으로 나열하지 않아도 되지만 작은 값에서부터 차례대로 나열하면 자료를 분석할 때 편리하다.

예 위 [그림 2]의 줄기와 잎 그림에서 다음을 알 수 있다.

① 이모티콘 사용 건수가 가장 많은 것은 57건

② 이모티콘 사용 건수가 가장 적은 것은 10건

③ 전체 학생 수는 잎의 수와 같으므로
$4+6+5+3+2=20$(명)

④ 사용 건수가 20건 이상 30건 미만인 학생이 가장 많다.

(4) **줄기와 잎 그림의 특징**

① 자료의 전체적인 분포 상태를 파악할 수 있다.

② 각 자료의 값을 알 수 있다.

③ 잎을 크기순으로 정렬하면 좀 더 쉽게 자료를 파악할 수 있다.

④ 변량의 개수가 많거나 변량의 차이가 클 때에는 줄기와 잎 그림으로 나타내기 어렵다.

QUIZ

1. 다음은 학생 15명의 수학 점수이다. 줄기와 잎 그림을 완성하시오.

수학 점수 (단위 : 점)

73	91	70	82	86
74	87	95	67	81
94	87	82	74	68

수학 점수 (6|7은 67점)

줄기	잎
6	7 8
7	0 □ □ 4
□	1 2 2 6 □ □
□	1 4 5

2. 다음 중 옳은 것에는 ○표, 옳지 않은 것에는 ×표를 하시오.

(1) 줄기와 잎 그림에서 잎에는 중복되는 수를 한 번만 쓴다. ( )

(2) 전체 자료 수는 잎의 수와 같다. ( )

(3) 키, 점수, 나이 등과 같은 자료를 수량으로 나타낸 것을 변수라고 한다. ( )

정답 |

1.

수학 점수 (6|7은 67점)

줄기	잎
6	7 8
7	0 3 4 4
8	1 2 2 6 7 7
9	1 4 5

2. (1) × (2) ○ (3) ×

개념 02 도수분포표

(1) 도수분포표

① 계급 : 변량을 일정한 간격으로 나눈 구간

② 계급의 크기 : 변량을 나눈 구간의 폭

➡ (계급의 크기)=(계급의 양 끝 값의 차)

③ 도수 : 각 계급에 속하는 변량의 수

④ 도수분포표 : 전체 자료를 몇 개의 계급으로 나누고 각 계급의 도수를 구하여 나타낸 표

예 오른쪽과 같은 도수분포표에 대하여

① 계급

0분 이상 20분 미만,
20분 이상 40분 미만,
40분 이상 60분 미만,
60분 이상 80분 미만,
80분 이상 100분 미만
의 5개이다.

② 계급의 크기

$20-0=40-20=60-40$
$=80-60=100-80$
$=20$(분)

독서 시간(분)	학생 수(명)
0이상 ~ 20미만	4
20 ~ 40	7
40 ~ 60	12
60 ~ 80	5
80 ~ 100	2
합계	30

(2) 도수분포표 만들기

① 변량 중 가장 큰 값과 가장 작은 값을 찾는다.

② 변량을 일정한 간격으로 구분하여 구간을 정한다.

③ 각 구간에 해당하는 변량의 수를 세어 도수를 구한다.

예 아래 [그림 1]의 국어 성적에 대한 자료를 도수분포표로 나타내면 다음과 같다.

국어 성적 (단위 : 점)

63	59	88	73
85	90	79	66
75	82	98	80

가장 작은 변량 (59), 가장 큰 변량 (98)

[그림 1]

➡

국어 성적(점)	학생 수(명)	
50이상 ~ 60미만	/	1
60 ~ 70	//	2
70 ~ 80	///	3
80 ~ 90	////	4
90 ~ 100	//	❶
합계	❷	

참고 계급의 개수가 너무 많거나 적으면 자료의 전체적인 분포 상태를 알아보기 어렵다. 일반적으로 도수분포표를 만들 때 계급의 개수는 자료의 양에 따라 보통 5~15 정도로 한다.

(3) 도수분포표의 특징

① 자료의 전체적인 분포 상태를 파악할 수 있다.

② 어떤 자료가 전체에서 차지하는 위치를 파악하는 데 편리하다.

③ 자료 하나하나의 특성을 알기가 어렵다.

④ 계급의 개수가 너무 많거나 적으면 자료의 전체적인 분포 상태를 알아보기 어렵다.

답 | ❶ 2 ❷ 12

QUIZ

1. 다음은 어떤 인터넷 카페에 신규 회원으로 가입한 28명의 나이를 조사한 자료이다. 도수분포표를 완성하시오.

신규 회원 나이 (단위 : 세)

28	19	16	33	15	11	17
16	12	30	25	29	31	20
12	17	13	10	15	20	19
22	14	15	24	18	34	24

나이(세)	회원 수(명)	
10이상 ~ 15미만		
15 ~ 20		
20 ~ 25		
25 ~ 30		
30 ~ 35		
합계	28	

2. 다음 중 옳은 것에는 ○표, 옳지 않은 것에는 ×표를 하시오.

(1) 도수분포표에서 계급의 개수는 많을수록 좋다. ( )

(2) 도수분포표는 자료의 분포 상태를 알아보기 쉽다. ( )

(3) 도수분포표에서 개인의 변량을 알 수 있다. ( )

정답 |

1.

나이(세)	회원 수(명)	
10이상 ~ 15미만	卌 /	6
15 ~ 20	卌 卌	10
20 ~ 25	卌	5
25 ~ 30	///	3
30 ~ 35	////	4
합계	28	

2. (1) × (2) ○ (3) ×

01 줄기와 잎 그림 개념 01

1-1
아래 줄기와 잎 그림은 어느 동호회 회원의 나이를 조사하여 나타낸 것이다. 다음을 구하시오.

동호회 회원의 나이   (1|0은 10세)

줄기	잎
1	0 1 2 8
2	1 4 7 9
3	2 5 6 8 9 9
4	5 6

(1) 잎이 가장 많은 줄기

(2) 나이가 가장 많은 사람의 나이

(3) 총 회원의 수

(4) 나이가 적은 순서대로 나열할 때, 8번째인 나이

(5) 나이가 36세보다 많은 회원의 수

1-2
아래 줄기와 잎 그림은 수연이네 반 여학생들의 줄넘기 기록을 조사하여 나타낸 것이다. 다음을 구하시오.

줄넘기 기록   (0|2는 2회)

줄기	잎
0	2 7
1	0 3 4 7
2	1 2 5 9
3	0 0 2 3 6 7
4	0 1 2 5

(1) 잎이 가장 많은 줄기

(2) 수연이네 반 학생 수

(3) 기록이 5번째로 좋은 학생의 기록

(4) 가장 기록이 좋지 않은 학생의 기록

02 도수분포표 개념 02

2-1
아래는 어느 마라톤 대회에서 10 km 코스 부문에 참가한 40명의 완주 기록을 조사하여 나타낸 도수분포표이다. 다음 물음에 답하시오.

기록(분)	참가자 수(명)
40^{이상} ~ 43^{미만}	4
43 ~ 46	5
46 ~ 49	9
49 ~ 52	10
52 ~ 55	12
합계	40

(1) 계급의 크기를 구하시오.

(2) 참가자 수가 가장 많은 계급의 도수를 구하시오.

(3) 기록이 49분 이상인 참가자 수를 구하시오.

2-2
아래는 경수네 반 학생 20명의 수학 점수를 조사하여 나타낸 도수분포표이다. 다음 물음에 답하시오.

수학 점수(점)	학생 수(명)
50^{이상} ~ 60^{미만}	1
60 ~ 70	
70 ~ 80	8
	5
90 ~ 100	2
합계	20

(1) 도수분포표를 완성하시오.

(2) 수학 점수가 73점인 학생이 속하는 계급의 도수를 구하시오.

(3) 도수가 가장 큰 계급을 구하시오.

(4) 수학 점수가 80점 미만인 학생 수를 구하시오.

STEP 2 기출 기초 테스트

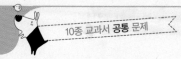

정답과 해설 39쪽

10종 교과서 공통 문제

유형01 줄기와 잎 그림의 해석

(10종 교과서 공통)

1-1

아래 줄기와 잎 그림은 수진이네 반 학생 25명의 1분 동안의 윗몸 일으키기 기록을 조사하여 나타낸 것이다. 다음 물음에 답하시오.

윗몸 일으키기 기록   (1|0은 10회)

줄기	잎
1	0 8 9
2	0 2 5 9
3	3 4 5 5 6
4	1 2 2 7 8 8 8
5	2 3 4 5 7 9

(1) 윗몸 일으키기 기록이 40회 이상인 학생 수를 구하시오.

(2) 윗몸 일으키기 기록이 30회 이상 40회 미만인 학생은 전체의 몇 %인지 구하시오.

1-2

아래 줄기와 잎 그림은 미선이네 반 학생 25명의 1학기 동안 학교 누리집 방문 횟수를 조사하여 나타낸 것이다. 다음 물음에 답하시오.

학교 누리집 방문 횟수   (0|2는 2회)

줄기	잎
0	2 5
1	4 4 8 9
2	3 3 6 7 9
3	0 4 5 8
4	0 1 2 2 3 4 8
5	3 5 9

(1) 잎이 가장 많은 줄기를 구하시오.

(2) 학교 누리집 방문 횟수가 35회 이상인 학생은 전체의 몇 %인지 구하시오.

유형02 잎이 2개인 줄기와 잎 그림

(10종 교과서 공통)

2-1

아래 줄기와 잎 그림은 어느 중학교의 배구부 학생 20명과 씨름부 학생 20명의 몸무게를 조사하여 나타낸 것이다. 다음 물음에 답하시오.

몸무게   (4|2는 42 kg)

잎(배구부)	줄기	잎(씨름부)
9 7 6	4	2 6 7
8 7 7 5 5 4 3	5	0 1 3 3
7 6 4 3 3 1	6	3 5 8
8 6 3 2	7	3 4 4 5 6 6
	8	1 1 3 7

(1) 배구부와 씨름부 각각 몸무게가 5번째로 무거운 학생의 몸무게의 차를 구하시오.

(2) 평균을 구하지 않고 어느 부의 몸무게의 평균이 더 클지 말하고, 그 까닭을 설명하시오.

2-2

아래 줄기와 잎 그림은 어느 반 여학생 15명과 남학생 15명이 한 해 동안 읽은 책의 수를 조사하여 나타낸 것이다. 다음 물음에 답하시오.

읽은 책의 수   (0|5는 5권)

잎(여학생)	줄기	잎(남학생)
9 9 7 5	0	6 8 8 9
9 8 5 5 4 3 2	1	0 2 5 6 8 9
9 8 7 5	2	0 1 2 5 7

(1) 여학생과 남학생 전체에서 책을 가장 많이 읽은 학생은 몇 권을 읽었는지 구하시오.

(2) 책을 가장 적게 읽은 학생은 여학생인지 남학생인지 말하시오.

유형 03 도수분포표의 해석

(10종 교과서 공통)

3-1

오른쪽은 민혜네 반 학생 25명의 한 달 용돈을 조사하여 나타낸 도수분포표이다. 다음 물음에 답하시오.

용돈(만 원)	학생 수(명)
0^{이상}~1^{미만}	2
1 ~2	3
2 ~3	10
3 ~4	7
4 ~5	3
합계	25

(1) 한 달 용돈이 15000원인 학생이 속하는 계급의 도수를 구하시오.

(2) 한 달 용돈이 5번째로 많은 학생이 속하는 계급을 구하시오.

3-2

다음은 진수네 반 학생 30명의 100 m 달리기 기록을 조사하여 나타낸 도수분포표이다. 달리기 기록이 18초 미만인 학생은 전체의 몇 %인지 구하시오.

기록(초)	학생 수(명)
12^{이상}~14^{미만}	2
14 ~16	6
16 ~18	10
18 ~20	8
20 ~22	4
합계	30

유형 04 모르는 도수가 2개 이상인 도수분포표

(10종 교과서 공통)

4-1

다음은 어느 편의점에 방문한 고객의 나이를 조사하여 나타낸 도수분포표이다. 30세 미만인 고객이 전체의 20 %일 때, A, B의 값을 각각 구하시오.

나이(세)	고객 수(명)
10^{이상}~20^{미만}	1
20 ~30	A
30 ~40	B
40 ~50	13
50 ~60	7
60 ~70	3
합계	40

✓ 각 계급의 도수의 합은 전체 자료의 수와 같다.

4-2

다음은 승찬이네 반 학생 28명의 하루 평균 운동 시간을 조사하여 나타낸 도수분포표이다. 운동 시간이 30분 이상 50분 미만인 학생 수를 구하시오.

운동 시간(분)	학생 수(명)
10^{이상}~20^{미만}	x
20 ~30	5
30 ~40	$3x$
40 ~50	4
50 ~60	3
합계	28

중하
01 ⟫⟫ 출제 예상 95%

아래 줄기와 잎 그림은 준서네 반 학생들의 몸무게를 조사하여 나타낸 것이다. 다음 중 옳지 <u>않은</u> 것은?

몸무게   (4|3은 43 kg)

줄기	잎
4	3 4 6 8
5	0 2 4 5 6
6	1 2 3 3 5 7 9
7	0 4 5 7

① 전체 학생 수는 20명이다.

② 잎이 가장 많은 줄기는 6이다.

③ 몸무게가 70 kg 이상인 학생은 4명이다.

④ 몸무게가 3번째로 적게 나가는 학생의 몸무게는 74 kg이다.

⑤ 몸무게가 가장 무거운 학생의 몸무게와 가장 가벼운 학생의 몸무게의 차는 34 kg이다.

[02~04] 아래는 민지네 반 학생 40명의 줄넘기 기록을 조사하여 나타낸 도수분포표이다. 다음 물음에 답하시오.

줄넘기 기록(회)	학생 수(명)
0이상 ~ 20미만	3
20 ~ 40	5
40 ~ 60	A
60 ~ 80	17
80 ~100	6
합계	40

하
02 ⟫⟫ 출제 예상 95%

A의 값을 구하시오.

하
03 ⟫⟫ 출제 예상 90%

기록이 35회인 학생이 속하는 계급의 도수를 구하시오.

중하
04 ⟫⟫ 출제 예상 95%

다음 중 옳지 않은 것은?

① 계급의 개수는 5이다.

② 계급의 크기는 20회이다.

③ 기록이 60회 미만인 학생 수는 17명이다.

④ 도수가 가장 큰 계급은 60회 이상 80회 미만이다.

⑤ 기록이 좋은 쪽에서 5번째인 학생이 속하는 계급은 20회 이상 40회 미만이다.

중
05 ⟫⟫ 출제 예상 90%

다음은 재희네 반 학생 36명의 통학 시간을 조사하여 나타낸 도수분포표이다. 통학 시간이 30분 이상인 학생은 전체의 몇 %인지 구하시오.

통학 시간(분)	학생 수(명)
0이상 ~ 10미만	5
10 ~ 20	8
20 ~ 30	14
30 ~ 40	5
40 ~ 50	4
합계	36

중 06

>>> 출제 예상 85%

아래 줄기와 잎 그림은 수지네 반과 서현이네 반에서 각각 20명의 학생을 대상으로 수학 경시대회 성적을 조사하여 나타낸 것이다. 다음 중 옳지 <u>않은</u> 것은?

수학 경시대회 성적   (6|1은 61점)

잎(수지네 반)	줄기	잎(서현이네 반)
9 4 3 1	6	2 2 5 7
8 7 7 6 6 5 2	7	0 6 7 8
5 4 3 2 1 1	8	0 1 1 3 5 6 7
8 7 6	9	3 5 6 9
	10	0

① 성적이 가장 높은 학생이 속해 있는 반은 서현이네 반이다.

② 성적이 93점 이상인 학생은 모두 3명이다.

③ 성적이 70점 이하인 학생은 수지네 반은 20 %, 서현이네 반은 25 %이다.

④ 수지네 반에서 4번째로 성적이 높은 학생은 서현이네 반에서 4번째로 성적이 높은 학생보다 성적이 낮다.

⑤ 서현이네 반 성적이 수지네 반 성적보다 높다.

상중 07 까다로운 문제

>>> 출제 예상 90%

오른쪽은 어느 지역의 수학 체험전에 참가한 학생 40명이 체험한 활동의 수를 조사하여 나타낸 도수분포표이다. 체험 활동의 수가 7개 이상 9개 미만인 학생

활동의 수(개)	학생 수(명)
$1^{이상}$ ~ $3^{미만}$	1
3 ~ 5	4
5 ~ 7	10
7 ~ 9	A
9 ~ 11	8
11 ~ 13	B
합계	40

이 전체의 35 %일 때, 다음 물음에 답하시오.

(1) A, B의 값을 각각 구하시오.

(2) 체험 활동의 수가 9개 이상인 학생은 전체의 몇 %인지 구하시오.

🔵 과정을 평가하는 서술형입니다.

중하 08

>>> 출제 예상 85%

아래는 민영이네 반 학생들의 50 m 달리기 기록을 조사하여 나타낸 도수분포표이다. 기록이 9초 이상인 학생들에게 재도전할 기회를 준다고 할 때, 다음 물음에 답하시오.

기록(초)	학생 수(명)
$6^{이상}$ ~ $7^{미만}$	4
7 ~ 8	10
	16
9 ~ 10	
10 ~ 11	4
합계	40

(1) 도수분포표를 완성하시오.

(2) 재도전 기회를 얻는 학생은 모두 몇 명인지 구하시오.

상중 09

>>> 출제 예상 80%

오른쪽은 어느 누리집의 일일 방문자 수를 조사하여 나타낸 도수분포표이다. 이 도수분포표가 다음 두 조건을 만족할 때, A, B, C의 값을 각각 구하시오.

방문자 수(명)	날수(일)
$50^{이상}$ ~ $65^{미만}$	1
65 ~ 80	4
80 ~ 95	A
95 ~ 110	5
110 ~ 125	B
125 ~ 140	4
합계	C

(가) 일일 방문자 수가 80명 이상 95명 미만인 날수는 95명 이상 110명 미만인 날수의 2배이다.

(나) 일일 방문자 수가 95명 이상인 날수는 전체의 50 %이다.

1

아래 그림은 어느 날 전국 21개 지역의 최고 기온을 조사하여 나타낸 것이다. 다음 물음에 답하시오.

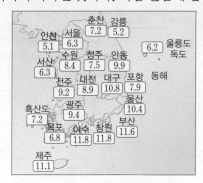

(1) 줄기와 잎 그림을 완성하시오.

최고 기온　　(5|1은 5.1 ℃)

줄기	잎
5	1　2
6	2

(2) 최고 기온이 3번째로 높은 지역을 말하시오.

2

지구에서 관측한 행성이나 별자리의 크기를 나타내는 단위는 msr이고, 보름달의 크기는 15 msr이다. 아래는 별자리 35개의 크기를 조사한 자료이다. 다음 물음에 답하시오.

별자리의 크기　　(단위 : msr)

289	50	111	41	102	35	56
166	61	147	220	157	38	199
115	143	200	21	151	245	76
34	134	121	330	43	89	24
231	271	152	181	90	194	142

(1) 도수분포표를 완성하시오.

크기(msr)	별자리 수(개)
0이상 ~ 50미만	
50 ~ 100	
100 ~ 150	
150 ~ 200	
200 ~ 250	
250 ~ 300	
300 ~ 350	
합계	

(2) 크기가 150 msr 미만인 별자리 수를 구하시오.

14 히스토그램과 도수분포다각형

개념 01 히스토그램

(1) 히스토그램 도수분포표의 각 계급의 끝 값을 가로축에, 도수를 세로축에 적고 각 계급에서 계급의 크기를 가로로, 그 계급의 도수를 세로로 하는 직사각형을 차례대로 나타낸 그래프

(2) 히스토그램 그리기
① 가로축에 각 계급의 양 끝 값을 차례대로 표시한다.
② 세로축에 도수를 차례대로 표시한다.
③ 각 계급의 크기를 가로로 하고, 도수를 세로로 하는 직사각형을 차례대로 그린다.

예 아래의 도수분포표를 히스토그램으로 나타내면 다음과 같다.

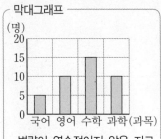

〈도수분포표〉

수학 성적(점)	학생 수(명)
$50^{이상}$ ~ $60^{미만}$	2
60 ~ 70	4
70 ~ 80	10
80 ~ 90	6
90 ~ 100	3
합계	25

계급의 크기를 가로로
도수를 세로로

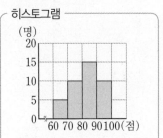

〈히스토그램〉

(3) 히스토그램의 특징
① 히스토그램은 각 계급에 속하는 자료의 수가 많고 적음을 한눈에 알 수 있다.
② 히스토그램의 각 직사각형에서 가로의 길이인 계급의 크기는 일정하므로 직사각형의 넓이는 각 계급의 도수에 정비례한다.

[참고] 히스토그램과 막대그래프

막대그래프

히스토그램

• 변량이 연속적이지 않은 자료에 사용한다.
예 과목, 운동, 혈액형 등
• 서로 떨어지게 그린다.

• 변량이 연속적인 자료에 사용한다.
예 점수, 키, 몸무게 등
• 서로 붙여서 그린다.

QUIZ

다음은 10년에서 15년 된 잣나무가 1년 동안 자란 키를 조사하여 나타낸 도수분포표이다. 이 도수분포표를 히스토그램으로 나타내시오.

자란 키(cm)	나무 수(그루)
$40^{이상}$ ~ $45^{미만}$	3
45 ~ 50	6
50 ~ 55	8
55 ~ 60	12
60 ~ 65	9
65 ~ 70	2
합계	40

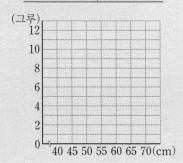

정답 |

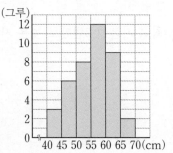

(1) 도수분포다각형 히스토그램에서 각 직사각형의 윗변의 중점과 양 끝에 도수가 0이고 크기가 같은 계급이 하나씩 더 있는 것으로 생각 하여 그 중점을 찍어 차례대로 선분으로 연결하여 그린 그래프

(2) 도수분포다각형 그리기

① 히스토그램의 각 직사각형의 윗변에 중점을 찍는다.

② 히스토그램의 양 끝에 도수가 0인 계급이 하나씩 더 있는 것으로 생각하여 중점을 찍는다.

③ ①, ②에서 찍은 점을 차례대로 선분으로 연결한다.

예 아래의 히스토그램을 도수분포다각형으로 나타내면 다음과 같다.

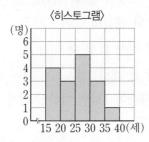 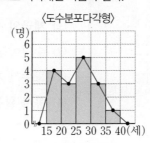

참고 도수분포다각형은 각 계급의 가운데 값과 그 계급의 도수를 이용하여 오른쪽 그림 과 같이 히스토그램을 그리지 않고 직접 그릴 수도 있다.

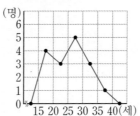

(3) 도수분포다각형의 특징

① 연속적인 자료의 분포 상태를 한눈에 알아볼 수 있다.

② 서로 다른 두 자료의 분포 상태를 비교할 때 편리하다.

③ 도수분포다각형과 가로축으로 둘러싸인 부분의 넓이는 히스토그 램의 각 직사각형의 넓이의 합과 같다.

➡ (도수분포다각형과 가로축으로 둘러싸인 부분의 넓이)

  ＝(히스토그램의 각 직사각형의 넓이의 합)

  ＝(계급의 크기)×(도수의 총합)

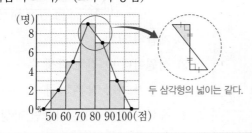

두 삼각형의 넓이는 같다.

1. 다음은 어느 농장에서 키운 소나무 40그루 가 1년 동안 자란 키를 조사하여 나타낸 히 스토그램이다. 이 히스토그램을 도수분포 다각형으로 나타내시오.

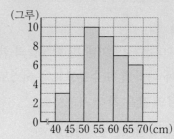

2. 다음은 어느 중학교 1학년 학생 25명의 봉 사 활동 시간을 조사하여 나타낸 도수분포 표이다. 이 도수분포표를 도수분포다각형 으로 나타내시오.

시간(시간)	학생 수(명)
0이상 ~ 4미만	2
4 ~ 8	5
8 ~12	6
12 ~16	8
16 ~20	4
합계	25

정답 |

1. (그루)

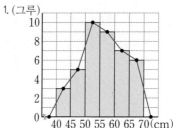

2. (명)

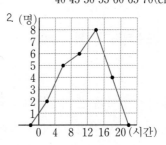

STEP 1 교과서 개념 확인 테스트

01 히스토그램 개념 01

1-1

다음은 정민이네 반 학생들의 한 달 용돈을 조사하여 나타낸 도수분포표와 히스토그램이다. A, B, C의 값을 각각 구하시오.

한 달 용돈(만 원)	학생 수(명)
$1^{이상} \sim 2^{미만}$	4
$2 \sim 3$	10
$3 \sim 4$	A
$4 \sim 5$	8
$5 \sim 6$	B
$6 \sim 7$	1
합계	C

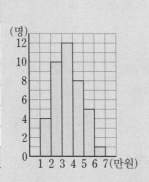

1-2

아래는 수진이네 반 학생들의 봉사 활동 시간을 조사하여 나타낸 히스토그램이다. 다음을 구하시오.

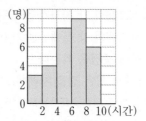

(1) 계급의 개수와 계급의 크기

(2) 수진이네 반 전체 학생 수

(3) 도수가 가장 큰 계급

(4) 봉사 활동 시간이 4시간 이하인 학생 수

02 도수분포다각형 개념 02

2-1

다음은 상현이네 반 학생들의 수학 수행 평가 점수를 조사하여 나타낸 도수분포표와 도수분포다각형이다. A, B, C의 값을 각각 구하시오.

점수(점)	학생 수(명)
$4^{이상} \sim 5^{미만}$	1
$5 \sim 6$	A
$6 \sim 7$	8
$7 \sim 8$	12
$8 \sim 9$	B
$9 \sim 10$	9
합계	C

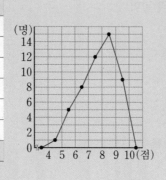

2-2

아래는 성원이네 반 학생들의 통학 시간을 조사하여 나타낸 도수분포다각형이다. 다음을 구하시오.

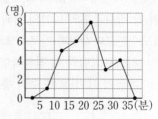

(1) 계급의 크기

(2) 성원이네 반 전체 학생 수

(3) 도수가 가장 작은 계급

(4) 통학 시간이 20분 이상인 학생 수

STEP 2 기출 기초 테스트

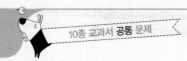
10종 교과서 **공통** 문제

유형 01   히스토그램의 해석

(10종 교과서 공통)

1-1

아래는 어느 도시의 1년 동안 강수일을 매년 조사하여 나타낸 히스토그램이다. 다음 물음에 답하시오.

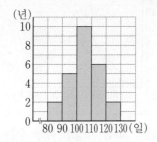

(1) 모두 몇 년을 조사하였는지 구하시오.

(2) 도수가 가장 큰 계급을 구하시오.

(3) 강수일이 100일 미만인 해는 전체의 몇 %인지 구하시오.

1-2

아래는 성희네 반 학생들이 만든 모형 글라이더의 비행시간을 조사하여 나타낸 히스토그램이다. 다음 물음에 답하시오.

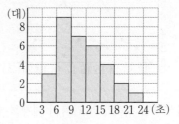

(1) 비행시간이 10번째로 긴 모형 글라이더가 속하는 계급을 구하시오.

(2) 비행시간이 9초 이하인 모형 글라이더는 전체의 몇 %인지 구하시오.

유형 02   도수분포다각형의 해석

(10종 교과서 공통)

2-1

아래는 어느 버스 정류장에서 50명의 사람이 버스를 기다린 시간을 조사하여 나타낸 도수분포다각형이다. 다음 물음에 답하시오.

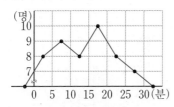

(1) 버스를 기다린 시간이 20분 이상인 사람의 수를 구하시오.

(2) 버스를 기다린 시간이 20분 이상인 사람은 전체의 몇 %인지 구하시오.

(3) 버스를 20번째로 오래 기다린 사람이 속하는 계급을 구하시오.

2-2

아래는 민하네 반 학생들의 수면 시간을 조사하여 나타낸 도수분포다각형이다. 다음 물음에 답하시오.

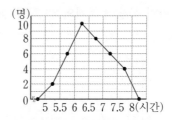

(1) 민하네 반 전체 학생 수를 구하시오.

(2) 수면 시간이 5번째로 짧은 학생이 속하는 계급을 구하시오.

(3) 수면 시간이 7시간인 학생이 속하는 계급의 도수를 구하시오.

정답과 해설 42쪽

유형 **03** 두 도수분포다각형의 비교

천재(류), 좋은책, 지학사 유사

3-1

아래는 어느 스포츠 클럽에 가입한 남학생과 여학생의 100 m 달리기 기록을 조사하여 나타낸 도수분포다각형이다. 다음 보기 중 옳은 것을 고르시오.

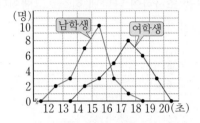

┤ 보기 ├

㉠ 남학생보다 여학생의 기록이 대체로 좋다.
㉡ 남학생 수와 여학생 수는 같다.
㉢ 기록이 15초 이하인 학생은 남학생이 더 많다.

3-2

아래는 어느 중학교 1반과 2반의 국어 성적을 조사하여 나타낸 도수분포다각형이다. 다음 보기 중 옳은 것을 모두 고르시오.

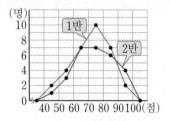

┤ 보기 ├

㉠ 국어 성적이 80점 이상인 학생 수는 1반보다 2반이 더 많다.
㉡ 1반과 2반을 합한 학생 수는 60명이다.
㉢ 국어 성적이 90점 이상인 학생은 상위 10 % 이내에 든다.

유형 **04** 찢어진 히스토그램과 도수분포다각형

10종 교과서 공통

4-1

아래는 지영이네 학교 영어 회화반 학생 40명의 영어 성적을 조사하여 나타낸 도수분포다각형인데 일부가 찢어져서 보이지 않는다. 영어 성적이 60점 이상 70점 미만인 학생이 전체의 25 %일 때, 다음 물음에 답하시오.

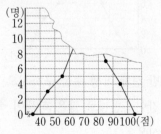

(1) 영어 성적이 70점 이상 80점 미만인 학생 수를 구하시오.

(2) 영어 성적이 70점 미만인 학생은 전체의 몇 % 인지 구하시오.

4-2

아래는 경준이네 반 학생들의 던지기 기록을 조사하여 나타낸 히스토그램인데 일부가 찢어져서 보이지 않는다. 기록이 40 m 이상인 학생이 전체의 40 % 일 때, 기록이 40 m 이상 50 m 미만인 학생 수를 구하시오.

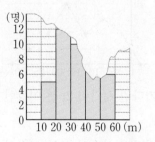

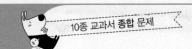
하
01
>> 출제 예상 90%

오른쪽은 과학 경진 대회에 참가한 학생들이 만든 고무 동력기가 날아간 거리를 조사하여 나타낸 히스토그램이다. 다음 중 히스토그램을 보고 알 수 없는 것은?

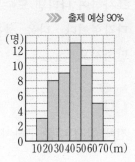

① 날아간 거리가 40 m 미만인 학생 수
② 가장 멀리 날아간 거리
③ 참가한 학생 수
④ 날아간 거리가 52 m인 학생이 속하는 계급
⑤ 고무 동력기가 날아간 거리의 분포 상태

중하
02
>> 출제 예상 95%

오른쪽은 민지네 밭에서 딴 토마토의 무게를 조사하여 나타낸 히스토그램이다. 다음 설명 중 옳지 않은 것은?

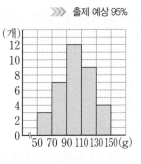

① 계급의 크기는 20 g이다.
② 전체 토마토의 개수는 35이다.
③ 무게가 70 g 이상 90 g 미만인 토마토는 전체의 20 %이다.
④ 무게가 13번째로 적게 나가는 토마토가 속하는 계급은 90 g 이상 110 g 미만이다.
⑤ 130 g 이상 150 g 미만인 계급의 직사각형의 넓이는 90 g 이상 110 g 미만인 계급의 직사각형의 넓이의 3배이다.

[03~04] 오른쪽은 현수 네 반 학생들의 연극 관람 횟수를 조사하여 나타낸 히스토그램이다. 다음 물음에 답하시오.

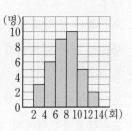

중하
03
>> 출제 예상 85%

도수가 가장 큰 계급의 도수는 도수가 가장 작은 계급의 도수의 몇 배인지 구하시오.

중하
04
>> 출제 예상 90%

연극 관람 횟수가 10회 이상인 학생은 전체의 몇 %인지 구하시오.

[05~06] 오른쪽은 승호 네 반 학생 38명의 분당 맥박 수를 조사하여 나타낸 히스토그램인데 일부가 찢어져서 보이지 않는다. 다음 물음에 답하시오.

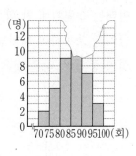

하
05
>> 출제 예상 95%

맥박 수가 85회 이상 90회 미만인 학생 수를 구하시오.

하
06
>> 출제 예상 95%

맥박 수가 78회인 학생이 속하는 계급의 도수를 구하시오.

중하
07

오른쪽은 중학교 1학년 학생들의 윗몸 일으키기 기록을 조사하여 나타낸 도수분포다각형이다. 다음 보기 중 도수분포다각형에서 알 수 있는 분포의 특징으로 옳은 것을 고르시오.

>>> 출제 예상 95%

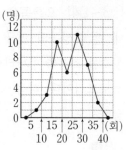

┤ 보기 ├

㉠ 기록이 15회 이상 20회 미만인 학생이 가장 많다.
㉡ 기록이 22회인 학생의 수는 2명이다.
㉢ 기록이 5회 이상 10회 미만인 학생이 가장 적다.

중하
08

>>> 출제 예상 95%

아래는 수린이네 반 학생들이 지난 1년 동안 저축한 금액을 조사하여 나타낸 도수분포다각형이다. 다음 설명 중 옳지 않은 것은?

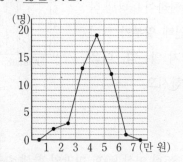

① 계급의 개수는 6이다.
② 계급의 크기는 만 원이다.
③ 도수가 가장 큰 계급은 3만 5천 원 이상 5만 5천 원 미만이다.
④ 저축한 금액이 3만 5천 원인 학생이 속하는 계급의 도수는 13명이다.
⑤ 저축한 금액이 2만 원 미만인 학생은 2명이다.

[09~11] 오른쪽은 경수네 반 학생들의 수학 성적을 조사하여 나타낸 도수분포다각형이다. 다음 물음에 답하시오.

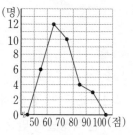

하
09

>>> 출제 예상 95%

전체 학생 수를 구하시오.

하
10

>>> 출제 예상 95%

수학 성적이 50점 이상 70점 미만인 학생 수를 구하시오.

상중
11 까다로운 문제

>>> 출제 예상 85%

상위 20 % 이내인 학생들에게 수학 경시 대회 참가 자격을 준다고 할 때, 참가 자격이 있는 학생의 성적은 적어도 몇 점 이상이어야 하는지 구하시오.

중
12

>>> 출제 예상 95%

다음은 어느 학급 학생 40명의 몸무게를 조사하여 나타낸 도수분포다각형인데 일부가 찢어져서 보이지 않는다. 몸무게가 50 kg 이상인 학생이 전체의 55 % 일 때, 몸무게가 50 kg 이상 55 kg 미만인 학생 수를 구하시오.

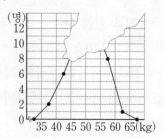

중
13
>>> 출제 예상 90%

아래는 어느 반 남학생과 여학생의 50 m 달리기 기록을 조사하여 나타낸 도수분포다각형이다. 다음 설명 중 옳지 <u>않은</u> 것은?

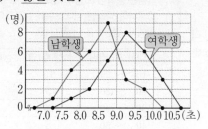

① 남학생 수와 여학생 수는 같다.

② 전체 학생 수는 50명이다.

③ 기록이 7.5초 미만인 여학생은 없다.

④ 여학생이 남학생보다 대체적으로 기록이 좋다.

⑤ 기록이 9.0초 이상인 학생은 여학생이 남학생보다 많다.

🔵 과정을 평가하는 서술형입니다.

중
14
>>> 출제 예상 90%

오른쪽은 형돈이네 반 학생들의 오래 매달리기 기록을 조사하여 나타낸 히스토그램이다. 기록이 15초 이상인 학생은 수행 평가 점수가

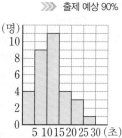

만점이라 할 때, 다음 단계에 따라 만점을 받은 학생은 전체의 몇 %인지 구하시오.

(1) 전체 학생 수를 구하시오.

(2) 기록이 15초 이상인 학생 수를 구하시오.

(3) 만점을 받은 학생은 전체의 몇 %인지 구하시오.

[15~16] 아래는 어느 음식점에서 손님들이 식사를 마치는 데 걸리는 시간을 조사하여 나타낸 도수분포다각형이다. 다음 물음에 답하시오.

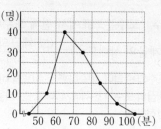

중하
15
>>> 출제 예상 85%

식사를 마치는 데 걸리는 시간이 70분 이상 80분 미만인 손님 수는 50분 이상 60분 미만인 손님 수의 몇 배인지 구하시오.

중하
16
>>> 출제 예상 90%

식사를 마치는 데 걸리는 시간이 80분 이상인 손님 수는 전체의 몇 %인지 구하시오.

상중
17
>>> 출제 예상 80%

다음은 혜선이네 반과 인혁이네 반 학생들의 수학 성적을 조사하여 나타낸 도수분포다각형이다. 인혁이네 반에서 상위 25 % 이내에 드는 학생의 수학 성적은 혜선이네 반에서 상위 몇 % 이내에 드는지 구하시오.

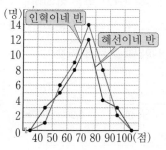

15 상대도수

상대도수

(1) 상대도수 도수분포표에서 전체 도수에 대한 각 계급의 도수의 비율

$$(\text{어떤 계급의 상대도수}) = \frac{(\text{그 계급의 도수})}{(\text{도수의 총합})}$$

> **참고** 도수의 총합이 서로 다른 두 자료를 비교할 때에는 각 계급의 도수 대신 각 계급의 도수가 전체에서 차지하는 비율인 상대도수를 비교하는 것이 더 바람직하다.

(2) 상대도수의 분포표

예

사회 성적(점)	학생 수(명)	상대도수
50^{이상}~ 60^{미만}	4	
60 ~ 70	2	0.05
70 ~ 80	10	0.25
80 ~ 90		0.4
90 ~100	8	0.2
합계	40	1

$\dfrac{(\text{그 계급의 도수})}{(\text{도수의 총합})} = \dfrac{4}{40} = 0.1$

(도수의 총합) × (상대도수)
= 40 × 0.4 = 16

(3) 상대도수의 특징

① 각 계급의 상대도수는 0 이상 1 이하이다.

② 각 계급의 상대도수의 합은 자료에 관계없이 항상 1이다.

③ 각 계급의 상대도수는 그 계급의 도수에 정비례한다.

④ 각 계급의 도수가 전체에서 차지하는 비율을 알 수 있다.

⑤ 도수의 총합이 다른 여러 집단의 자료의 분포를 비교할 때 유용하다.

QUIZ

다음은 중학생 50명의 가족 간의 대화 시간을 조사하여 나타낸 상대도수의 분포표이다. ☐ 안에 알맞은 수를 써넣으시오.

대화 시간(분)	학생 수(명)	상대도수
10^{이상}~ 20^{미만}	15	a
20 ~ 30	5	
30 ~ 40	20	
40 ~ 50	5	
50 ~ 60	b	0.1
합계	50	c

(1) $a = \dfrac{15}{\square} = \square$

(2) $b = \square \times 0.1 = \square$

(3) 상대도수의 합은 항상 ☐이므로 $c = \square$

정답 |
(1) 50, 0.3 (2) 50, 5 (3) 1, 1

상대도수의 분포를 나타낸 그래프

(1) 상대도수의 분포를 나타낸 그래프 상대도수의 분포표를 히스토그램이나 도수분포다각형과 같은 모양으로 나타낸 그래프

(2) 상대도수의 분포를 나타낸 그래프 그리기

① 가로축에 각 계급의 양 끝 값을 차례대로 써넣는다.

② 세로축에 상대도수를 차례대로 써넣는다.

③ 히스토그램 또는 도수분포다각형과 같은 방법으로 그린다.

예

나이(세)	상대도수
10^{이상}~ 20^{미만}	0.12
20 ~ 30	0.28
30 ~ 40	0.36
40 ~ 50	0.16
50 ~ 60	0.08
합계	1

➡

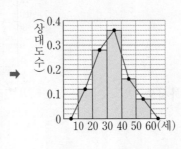

QUIZ

위 **개념 01**의 **QUIZ**에서 구한 상대도수의 분포표를 도수분포다각형 모양의 그래프로 나타내시오.

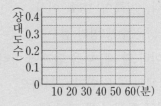

정답 |

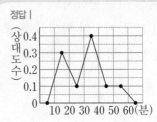

도수의 총합이 다른 두 집단의 분포를 비교할 때, 상대도수의 분포표를 보고 비교하는 것보다 이를 그래프로 나타내어 비교하는 것이 더 편리하다.

예 다음은 현아네 반 학생 30명과 지유네 반 학생 50명의 키를 각각 조사하여 나타낸 상대도수의 분포표를 도수분포다각형 모양의 그래프로 나타낸 것이다.

키(cm)	학생 수(명)		상대도수	
	현아네	지유네	현아네	지유네
145^{이상} ~ 150^{미만}	⊙6	8	0.2	0.16
150 ~ 155	9	3	0.3	0.06
155 ~ 160	ⓛ12	20	0.4	0.4
160 ~ 165	3	12	0.1	0.24
165 ~ 170	0	7	0	0.14
합계	30	50	1	1

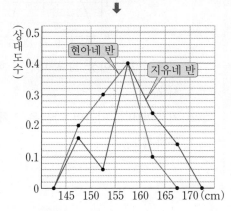

위의 그래프에서 다음을 알 수 있다.

① 같은 계급에서 상대도수 비교

ㄱ ➡ 현아네 반의 학생 수가 지유네 반의 학생 수보다 적지만 상대도수는 더 크다. 즉, 키가 145 cm 이상 150 cm 미만인 학생이 현아네 반에 상대적으로 더 많다고 할 수 있다.

ㄴ ➡ 현아네 반과 지유네 반의 학생 수는 다르지만 상대도수는 같다. 즉, 키가 155 cm 이상 160 cm 미만인 학생이 두 반에서 차지하는 비율은 각각 같다고 할 수 있다.

② 두 그래프의 비교

지유네 반의 그래프가 현아네 반의 그래프보다 오른쪽으로 치우쳐 있으므로 지유네 반 학생들의 키가 현아네 반 학생들의 키보다 큰 편이다.

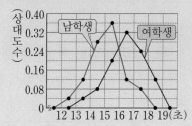

QUIZ

아래는 어느 중학교 1학년 남학생과 여학생의 100 m 달리기 기록에 대한 상대도수의 분포를 나타낸 그래프이다. 다음 설명 중 옳은 것에는 ○표, 옳지 않은 것에는 ×표를 하시오.

(1) 그래프만으로는 전체 학생 수를 알 수 없다. ( )
(2) 기록이 16초 이상 17초 미만인 학생의 비율은 남학생이 더 높다. ( )
(3) 기록이 14초 이상 15초 미만인 학생은 남학생이 더 많다. ( )
(4) 대체적으로 남학생의 기록이 여학생의 기록보다 좋다. ( )

정답 |
(1) ○ (2) × (3) × (4) ○

STEP 1

교과서 개념 확인 테스트

정답과 해설 44쪽

01 상대도수의 분포표, 상대도수의 분포를 나타낸 그래프 개념 01 개념 02

1-1

아래는 유진이네 반 학생들의 몸무게를 조사하여 나타낸 상대도수의 분포표이다. 다음 물음에 답하시오.

몸무게(kg)	학생 수(명)	상대도수
40^{이상} ~ 45^{미만}	2	0.1
45 ~ 50	3	0.15
50 ~ 55	6	
55 ~ 60	5	
60 ~ 65	4	
합계	A	B

(1) A, B의 값을 각각 구하시오.

(2) 몸무게가 55 kg 이상인 학생은 전체의 몇 %인지 구하시오.

1-2

아래는 현수네 학교 학생 50명의 50 m 달리기 기록에 대한 상대도수의 분포를 그래프로 나타낸 것이다. 다음 물음에 답하시오.

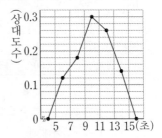

(1) 기록이 7초 이상 11초 미만인 학생 수를 구하시오.

(2) 기록이 9초 미만인 학생은 전체의 몇 %인지 구하시오.

02 도수의 총합이 다른 두 집단의 비교 개념 03

2-1

오른쪽은 A 중학교 학생 300명과 B 중학교 학생 200명이 방학 동안 읽은 책의 수에 대한 상대도수의 분포를 그래프로 나타낸 것이다. 다음 물음에 답하시오.

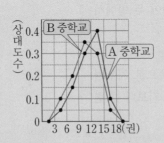

(1) A 중학교와 B 중학교에서 책을 9권 미만 읽은 학생 수를 각각 구하시오.

(2) 어느 중학교 학생들이 비교적 책을 많이 읽었다고 할 수 있는가?

2-2

아래는 수희네 학교 남학생 300명과 여학생 200명의 지난주 휴대 전화 사용 시간에 대한 상대도수의 분포를 그래프로 나타낸 것이다. 다음 물음에 답하시오.

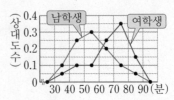

(1) 여학생 수가 남학생 수보다 더 많은 계급을 모두 구하시오.

(2) 휴대 전화를 70분 이상 사용한 비율은 어느 쪽이 더 높은지 말하시오.

STEP 2 기출 기초 테스트

 10종 교과서 공통 문제

정답과 해설 45쪽

유형01 상대도수의 분포표

(10종 교과서 공통)

1-1

아래는 선주네 학교 학생 200명이 하루에 마시는 우유의 양을 조사하여 나타낸 상대도수의 분포표이다. 다음 물음에 답하시오.

우유의 양(mL)	학생 수(명)	상대도수
0^{이상} ~ 200^{미만}	24	
200 ~ 400		0.27
400 ~ 600	84	
600 ~ 800		0.11
800 ~ 1000	16	
합계	200	

(1) 상대도수의 분포표를 완성하시오.

(2) 우유를 하루에 600 mL 이상 마시는 학생은 전체의 몇 %인지 구하시오.

1-2

아래는 동철이네 중학교 학생들의 하루 수면 시간을 조사하여 나타낸 상대도수의 분포표이다. 다음 물음에 답하시오.

수면 시간(시간)	학생 수(명)	상대도수
5^{이상} ~ 6^{미만}	4	0.08
6 ~ 7	10	0.2
7 ~ 8	21	a
8 ~ 9	b	c
9 ~ 10	3	0.06
합계	d	1

(1) a, b, c, d의 값을 각각 구하시오.

(2) 수면 시간이 15번째로 많은 학생이 속하는 계급의 상대도수를 구하시오.

유형02 상대도수의 분포를 나타낸 그래프

(10종 교과서 공통)

2-1

오른쪽은 현희네 반 학생들의 윗몸 일으키기 기록에 대한 상대도수의 분포를 그래프로 나타낸 것이다. 기록이 30회 이상 40회 미만인 학생이 10명일 때, 다음 물음에 답하시오.

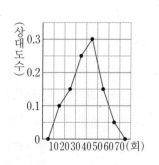

(1) 전체 학생 수를 구하시오.

(2) 기록이 53회인 학생이 속하는 계급의 도수를 구하시오.

2-2

오른쪽은 어느 반 학생들의 통학 시간에 대한 상대도수의 분포를 그래프로 나타낸 것이다. 통학 시간이 20분 미만인 학생이 3명일 때, 다음 물음에 답하시오.

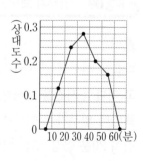

(1) 통학 시간이 40분 이상인 학생은 전체의 몇 %인지 구하시오.

(2) 전체 학생 수를 구하시오.

유형 03 도수의 총합이 다른 두 집단의 비교

(10종 교과서 공통)

3-1

아래는 A 마을 주민 100명과 B 마을 주민 200명의 나이를 조사하여 나타낸 상대도수의 분포표이다. 다음 물음에 답하시오.

나이(세)	A 마을		B 마을	
	주민 수(명)	상대도수	주민 수(명)	상대도수
20^{이상}~ 30^{미만}	5	0.05	6	0.03
30 ~ 40	7		12	
40 ~ 50	37		64	
50 ~ 60	25		70	
60 ~ 70	26		48	
합계	100		200	

(1) 상대도수의 분포표를 완성하시오.

(2) 나이가 40세 이상인 주민의 비율은 어느 마을이 더 높은지 말하시오.

3-2

아래는 가수 A의 팬클럽 회원 400명과 가수 B의 팬클럽 회원 800명의 나이에 대한 상대도수의 분포를 그래프로 나타낸 것이다. 다음 물음에 답하시오.

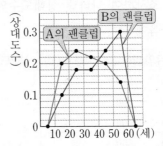

(1) 나이가 40세 이상 50세 미만인 회원의 비율은 어느 팬클럽이 더 높은지 말하시오.

(2) 가수 A의 팬클럽 회원 중에서 10세 이상 20세 미만인 회원은 몇 명인지 구하시오.

유형 04 일부가 보이지 않는 상대도수의 분포표와 그래프

(천재, 금성, 좋은책, 지학사 유사)

4-1

다음은 선주네 반 학생들이 어떤 놀이 기구를 타려고 기다린 시간을 조사하여 나타낸 상대도수의 분포표인데 일부가 찢어져서 보이지 않는다. 기다린 시간이 20분 이상 30분 미만인 계급의 상대도수를 구하시오.

기다린 시간(분)	학생 수(명)	상대도수
10^{이상}~ 20^{미만}	4	0.08
20 ~ 30	5	

4-2

오른쪽은 어느 중학교 학생 50명의 1학기 동안의 도서관 방문 횟수에 대한 상대도수의 분포를 나타낸 그래프인데 일부가 찢어져서 보이지 않는다.

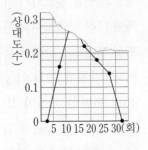

도서관 방문 횟수가 10회 이상 15회 미만인 학생 수를 구하시오.

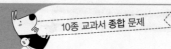

10종 교과서 종합 문제

정답과 해설 45쪽

01 중하

>>> 출제 예상 95%

다음은 수지네 반 학생들의 키를 조사하여 나타낸 상대도수의 분포표이다. A, B, C, D, E의 값을 각각 구하시오.

키(cm)	학생 수(명)	상대도수
140^{이상} ~ 145^{미만}	4	A
145 ~ 150	9	0.225
150 ~ 155	B	D
155 ~ 160	7	
160 ~ 165	2	
합계	C	E

02 중하

>>> 출제 예상 95%

오른쪽은 서울 시내 50개의 지역의 소음도를 조사하여 나타낸 상대도수의 분포표이다. 다음 물음에 답하시오.

소음도(dB)	상대도수
50^{이상} ~ 55^{미만}	0.04
55 ~ 60	0.2
60 ~ 65	0.3
65 ~ 70	0.26
70 ~ 75	A
75 ~ 80	0.06
합계	B

(1) A, B의 값을 각각 구하시오.

(2) 소음도가 $65\,dB$ 이상 $70\,dB$ 미만인 지역의 수를 구하시오.

03 하

>>> 출제 예상 90%

어느 학교 학생 50명의 음악 수행 평가 점수를 도수분포표로 나타내었더니, 음악 수행 평가 점수가 10점 이상 20점 미만인 계급의 도수가 10명이었다. 이때 이 계급의 상대도수를 구하시오.

[04~06] 아래는 과학 동아리 학생 50명의 과학 성적에 대한 상대도수의 분포를 그래프로 나타낸 것이다. 다음 물음에 답하시오.

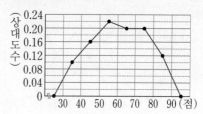

04 하

>>> 출제 예상 95%

도수가 가장 큰 계급의 도수를 구하시오.

05 하

>>> 출제 예상 95%

성적이 70점 이상인 학생 수를 구하시오.

06 중하

>>> 출제 예상 95%

성적이 50점 미만인 학생은 전체의 몇 %인지 구하시오.

07 중

>>> 출제 예상 90%

다음은 프로 야구 선수들의 100타수 동안의 안타 수에 대한 상대도수의 분포를 그래프로 나타낸 것이다. 안타 수가 20개 이상 24개 미만인 선수가 6명일 때, 안타 수가 28개 이상인 선수의 수를 구하시오.

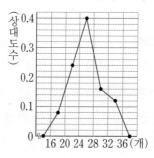

중하 08 》》 출제 예상 85%

아래는 A 학교와 B 학교 학생들이 1년 동안 읽은 책의 수에 대한 상대도수의 분포를 그래프로 나타낸 것이다. 다음 보기 중 옳은 것을 모두 고르시오.

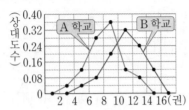

┤ 보기 ├

ㄱ. B 학교에 책을 한 권도 읽지 않은 학생이 있다.
ㄴ. 책을 8권 이상 10권 미만 읽은 학생의 비율은 A 학교가 B 학교보다 더 높다.
ㄷ. A 학교의 전체 학생 수가 100명일 때, 책을 10권 이상 12권 미만 읽은 학생 수는 12명이다.

중 09 》》 출제 예상 95%

오른쪽은 어느 중학교 1학년 학생들의 던지기 기록에 대한 상대도수의 분포를 그래프로 나타낸 것인데 일부가 찢어져서 보

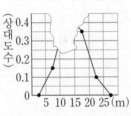

이지 않는다. 기록이 20 m 이상 25 m 미만인 학생이 25명일 때, 기록이 10 m 이상 15 m 미만인 학생 수를 구하시오.

상중 10 까다로운 문제 》》 출제 예상 80%

예원이네 반과 주현이네 반의 전체 학생 수의 비가 3 : 2이고, 어떤 계급에 속하는 학생 수의 비가 4 : 5일 때, 이 계급의 상대도수의 비를 가장 간단한 정수의 비로 나타내시오.

● 과정을 평가하는 서술형입니다.

중하 11 》》 출제 예상 90%

오른쪽은 형준이네 반 학생들의 턱걸이 횟수를 조사하여 나타낸 도수분포다각형이다. 턱걸이 횟수가 9회 이상인 계급의 상대도수를 구하시오.

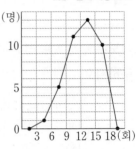

중 12 》》 출제 예상 85%

오른쪽은 재석이네 반 학생들의 일주일 동안의 인터넷 사용 시간에 대한 상대도수의 분포를 그래프로 나타낸 것이다. 상대도수가 0.1인 계급의 도수가 5명일 때, 인터넷 사용 시간이 15시간 이상인 학생 수를 구하시오.

중하 13 》》 출제 예상 90%

다음은 어느 반 남학생과 여학생의 100 m 달리기 기록에 대한 상대도수의 분포를 그래프로 나타낸 것이다. 기록이 더 우수하다고 할 수 있는 쪽은 어느 쪽인지 말하시오.

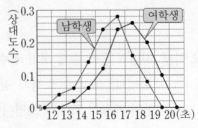

✓ 상대도수의 그래프가 왼쪽으로 치우쳐 있을수록 기록이 더 우수하다.

천재교육

중학 수학

마스터

하

기초
연산서

빅터 연산

개념서

시작은 하루 수학

셀파 해법 수학

개념 해결의 법칙

유형서

교과서 다품 수학

유형 해결의 법칙

최상위

최고수준

최강 TOT

상

난이도

내신 대비
특화 교재

기초 단기완성

7일 끝 수학

내신 공통서

수학전략

고득점 필수

일등전략

전과목 기출

열공 기출문제집
수학

교과서 다:품

천재교육

교과서
다품
정답과 해설

넌♥ 잘할거야

중학 수학 1-2

정답과 해설

Ⅰ. 도형의 기초 ·········· 2

Ⅱ. 도형의 성질 ·········· 18

Ⅲ. 통계 ·········· 39

I. 도형의 기초

01 점, 선, 면

STEP 1 교과서 개념 확인 테스트

1-1 (1) 8 (2) 12
1-2 (1) 교점 : 3, 교선 : 0
　　　(2) 교점 : 6, 교선 : 9
2-1 그림은 풀이 참조 (1) $\overrightarrow{AB}$ (2) $\overrightarrow{BC}$ (3) $\overline{AC}$
2-2 (1) × (2) ○ (3) ○ (4) ○
3-1 (1) 4 cm (2) 4 cm (3) 8 cm (4) 12 cm
3-2 (1) 5 cm (2) 10 cm (3) 20 cm (4) 15 cm

1-1 (1) 직육면체에서 교점은 꼭짓점이므로
　(교점의 개수)=(꼭짓점의 개수)=8
(2) 직육면체에서 교선은 모서리이므로
　(교선의 개수)=(모서리의 개수)=12

1-2 (1) 교점의 개수는 3이고, 교선은 없다.
(2) 주어진 입체도형에서 교점은 꼭짓점이므로
　(교점의 개수)=(꼭짓점의 개수)=6
　교선은 모서리이므로
　(교선의 개수)=(모서리의 개수)=9

2-1 (1) 직선 AB를 그리면 오른쪽 그림과 같고, 기호로 나타내면 $\overleftrightarrow{AB}$이다.

(2) 반직선 BC를 그리면 오른쪽 그림과 같고, 기호로 나타내면 $\overrightarrow{BC}$이다.

(3) 선분 AC를 그리면 오른쪽 그림과 같고, 기호로 나타내면 $\overline{AC}$이다.

2-2 (1) $\overrightarrow{AB}$와 $\overrightarrow{BA}$는 시작점과 방향이 모두 다르므로
　$\overrightarrow{AB} \neq \overrightarrow{BA}$
(2) $\overrightarrow{BC}$와 $\overrightarrow{BD}$는 시작점과 방향이 모두 같으므로 $\overrightarrow{BC} = \overrightarrow{BD}$

3-1 (1) $\overline{MN} = \dfrac{1}{2}\overline{MB} = \dfrac{1}{2} \times 8 = 4$ (cm)
(2) $\overline{AM} = \overline{MN} = 4$ cm
(3) $\overline{AN} = \overline{AM} + \overline{MN} = 4 + 4 = 8$ (cm)
(4) $\overline{AB} = \overline{AM} + \overline{MB} = 4 + 8 = 12$ (cm)

3-2 (1) $\overline{NB} = \overline{MN} = 5$ cm
(2) $\overline{MB} = \overline{MN} + \overline{NB} = 5 + 5 = 10$ (cm)이므로
　$\overline{AM} = \overline{MB} = 10$ cm
(3) $\overline{AB} = \overline{AM} + \overline{MB} = 10 + 10 = 20$ (cm)
(4) $\overline{AN} = \overline{AM} + \overline{MN} = 10 + 5 = 15$ (cm)

STEP 2 기출 기초 테스트

1-1 12　　　　　**1-2** 15
2-1 $\overrightarrow{AC}$와 $\overrightarrow{BC}$, $\overline{BC}$와 $\overline{CB}$, $\overrightarrow{CB}$와 $\overrightarrow{CA}$
2-2 ③
3-1 (1) 6 cm (2) 18 cm
3-2 (1) 8 cm (2) 4 cm (3) 12 cm

1-1 오각기둥에서 면의 개수는 7이므로 $a=7$
(교점의 개수)=(꼭짓점의 개수)=10이므로 $b=10$
(교선의 개수)=(모서리의 개수)=15이므로 $c=15$
$\therefore a-b+c=7-10+15=12$

1-2 (교점의 개수)=(꼭짓점의 개수)=6이므로 $a=6$
(교선의 개수)=(모서리의 개수)=9이므로 $b=9$
$\therefore a+b=6+9=15$

2-1 $\overrightarrow{AC}$와 $\overrightarrow{BC}$는 같은 직선이다.
$\overline{BC}$와 $\overline{CB}$는 같은 선분이다.
$\overrightarrow{CB}$와 $\overrightarrow{CA}$는 시작점과 방향이 모두 같으므로 같은 반직선이다.

2-2 ③ $\overrightarrow{CB}$와 $\overrightarrow{CD}$는 시작점은 같지만 방향이 다르므로
$\overrightarrow{CB} \neq \overrightarrow{CD}$

3-1 (1) 점 M은 $\overline{AB}$의 중점이므로
　$\overline{AM} = \overline{MB} = \dfrac{1}{2}\overline{AB} = \dfrac{1}{2} \times 24 = 12$ (cm)
　점 N은 $\overline{MB}$의 중점이므로
　$\overline{MN} = \overline{NB} = \dfrac{1}{2}\overline{MB} = \dfrac{1}{2} \times 12 = 6$ (cm)
(2) $\overline{AN} = \overline{AM} + \overline{MN} = 12 + 6 = 18$ (cm)

3-2 (1) $\overline{MB}=\dfrac{1}{2}\overline{AB}=\dfrac{1}{2}\times16=8\,(cm)$

(2) $\overline{AM}=\overline{MB}=8\,cm$이므로

$\overline{NM}=\dfrac{1}{2}\overline{AM}=\dfrac{1}{2}\times8=4\,(cm)$

(3) $\overline{NB}=\overline{NM}+\overline{MB}=4+8=12\,(cm)$

본문 10~11쪽

STEP 3 교과서 기본 테스트

01 22	**02** ④	**03** ④	**04** ④
05 9 cm	**06** 12 cm	**07** 20 cm	**08** ②
09 ④	**10** 3 cm	**11** 19	**12** 2 cm

01 오각뿔에서 면의 개수는 6이므로

$x=6$

(교점의 개수)=(꼭짓점의 개수)=6이므로

$y=6$

(교선의 개수)=(모서리의 개수)=10이므로

$z=10$

$\therefore x+y+z=6+6+10=22$

02 직선은 $\overleftrightarrow{AB}$, $\overleftrightarrow{AC}$, $\overleftrightarrow{AD}$, $\overleftrightarrow{BC}$, $\overleftrightarrow{BD}$, $\overleftrightarrow{CD}$의 6개이다.

03 ㉠ $\overleftrightarrow{AB}=\overleftrightarrow{BD}$

㉡ $\overrightarrow{BA}$와 $\overrightarrow{BC}$는 시작점은 같지만 방향이 다르므로

$\overrightarrow{BA}\neq\overrightarrow{BC}$

㉢ $\overrightarrow{AC}$와 $\overrightarrow{AD}$는 시작점과 방향이 모두 같으므로

$\overrightarrow{AC}=\overrightarrow{AD}$

㉣ $\overline{AB}=\overline{BA}$

따라서 같은 것끼리 짝 지어진 것은 ㉠, ㉢, ㉣이다.

04 ① 서로 다른 세 점을 지나는 직선 은 오른쪽 그림과 같이 존재하 지 않을 수도 있다.

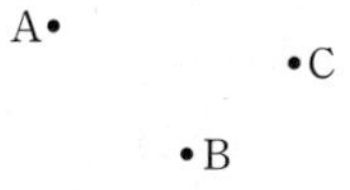

A•
 •C
•B

② 교선은 직선인 경우와 곡선인 경우가 있다.

③ 교점은 선과 선 또는 선과 면이 만나서 생기는 점이다.

⑤ 직선 위의 한 점 A에서 시작하는 두 반직선은 방향에 따라 같을 수도 있고 다를 수도 있다.

따라서 옳은 것은 ④이다.

05 $\overline{AB}=\overline{AC}-\overline{BC}=13-5=8\,(cm)$이므로

$\overline{MB}=\dfrac{1}{2}\overline{AB}=\dfrac{1}{2}\times8=4\,(cm)$

$\therefore \overline{MC}=\overline{MB}+\overline{BC}$

$=4+5=9\,(cm)$

06 점 M은 $\overline{AC}$의 중점이므로

$\overline{AC}=2\overline{MC}$

점 N은 $\overline{CB}$의 중점이므로

$\overline{CB}=2\overline{CN}$

$\therefore \overline{AB}=\overline{AC}+\overline{CB}=2\overline{MC}+2\overline{CN}$

$=2(\overline{MC}+\overline{CN})=2\overline{MN}$

$=2\times6=12\,(cm)$

07 두 점 M, N은 각각 $\overline{AB}$, $\overline{MB}$의 중점이므로

$\overline{AM}=\overline{MB}=2\overline{MN}$

$\therefore \overline{AN}=\overline{AM}+\overline{MN}=2\overline{MN}+\overline{MN}=3\overline{MN}$

이때 $\overline{AN}=15\,cm$이므로

$\overline{AN}=3\overline{MN}=15\,cm$

$\therefore \overline{MN}=5\,(cm)$

점 N은 $\overline{MB}$의 중점이므로

$\overline{NB}=\overline{MN}=5\,cm$

$\therefore \overline{AB}=\overline{AN}+\overline{NB}$

$=15+5=20\,(cm)$

08 ㉠ 점 M은 $\overline{AN}$의 중점이므로 $\overline{AM}=\overline{MN}$

점 N은 $\overline{MB}$의 중점이므로 $\overline{MN}=\overline{NB}$

$\therefore \overline{AM}=\overline{MN}=\overline{NB}$

㉡ $\overline{AB}=\dfrac{3}{2}\overline{MB}$

㉢ $\overline{AN}=2\overline{NB}$

㉣ $\overline{AB}=3\overline{MN}$이므로 $\overline{MN}=\dfrac{1}{3}\overline{AB}$

따라서 옳은 것은 ㉠, ㉣이다.

09 ①, ③ 점 M은 $\overline{AB}$의 중점이므로

$\overline{AM}=\overline{MB}=\dfrac{1}{2}\overline{AB}$, $\overline{AB}=2\overline{AM}=2\overline{MB}$

② 점 N은 $\overline{MB}$의 중점이므로

$\overline{MN}=\overline{NB}=\dfrac{1}{2}\overline{MB}$, $\overline{MB}=2\overline{MN}=2\overline{NB}$

$\therefore \overline{AM}=\overline{MB}=2\overline{NB}$

④ $\overline{AN}=\overline{AM}+\overline{MN}=\overline{MB}+\overline{MN}$

$=2\overline{MN}+\overline{MN}=3\overline{MN}$

⑤ $\overline{MB}=2\overline{MN}$

따라서 옳은 것은 ④이다.

10 $\overline{AC}=2\overline{CD}$이므로 $\overline{CD}=\dfrac{1}{2}\overline{AC}$

$\overline{AD}=\overline{AC}+\overline{CD}=\overline{AC}+\dfrac{1}{2}\overline{AC}=\dfrac{3}{2}\overline{AC}=18\text{ cm}$

$\therefore \overline{AC}=12\ (\text{cm})$

$\overline{AB}=3\overline{BC}$이므로

$\overline{AC}=\overline{AB}+\overline{BC}=3\overline{BC}+\overline{BC}=4\overline{BC}=12\text{ cm}$

$\therefore \overline{BC}=3\ (\text{cm})$

다른 풀이

$\overline{AC}=2\overline{CD}$이므로 $\overline{AC}:\overline{CD}=2:1$

$\therefore \overline{AC}=\dfrac{2}{3}\overline{AD}=\dfrac{2}{3}\times18=12\ (\text{cm})$

$\overline{AB}=3\overline{BC}$이므로 $\overline{AB}:\overline{BC}=3:1$

$\therefore \overline{BC}=\dfrac{1}{4}\overline{AC}=\dfrac{1}{4}\times12=3\ (\text{cm})$

11 점 E를 지나지 않는 직선은 $\overleftrightarrow{AB}$의 1개

점 E를 지나는 직선은 $\overleftrightarrow{AE}$, $\overleftrightarrow{BE}$, $\overleftrightarrow{CE}$, $\overleftrightarrow{DE}$의 4개

$\therefore a=1+4=5$ ...... ㉮

직선 l 위의 반직선은 $\overrightarrow{AB}$, $\overrightarrow{BC}$, $\overrightarrow{BA}$, $\overrightarrow{CD}$, $\overrightarrow{CA}$, $\overrightarrow{DA}$의 6개

점 E를 지나는 반직선은 $\overrightarrow{AE}$, $\overrightarrow{EA}$, $\overrightarrow{BE}$, $\overrightarrow{EB}$, $\overrightarrow{CE}$, $\overrightarrow{EC}$, $\overrightarrow{DE}$, $\overrightarrow{ED}$의 8개

$\therefore b=6+8=14$ ...... ㉯

$\therefore a+b=5+14=19$ ...... ㉰

채점 기준	비율
㉮ a의 값을 구한 경우	40 %
㉯ b의 값을 구한 경우	40 %
㉰ $a+b$의 값을 구한 경우	20 %

12 점 C는 $\overline{AB}$의 중점이므로

$\overline{AC}=\overline{CB}=\dfrac{1}{2}\overline{AB}=\dfrac{1}{2}\times16=8\ (\text{cm})$ ...... ㉮

점 D는 $\overline{CB}$의 중점이므로

$\overline{CD}=\overline{DB}=\dfrac{1}{2}\overline{CB}=\dfrac{1}{2}\times8=4\ (\text{cm})$

$\therefore \overline{AD}=\overline{AC}+\overline{CD}=8+4=12\ (\text{cm})$ ...... ㉯

점 E는 $\overline{AD}$의 중점이므로

$\overline{AE}=\dfrac{1}{2}\overline{AD}=\dfrac{1}{2}\times12=6\ (\text{cm})$

$\therefore \overline{EC}=\overline{AC}-\overline{AE}=8-6=2\ (\text{cm})$ ...... ㉰

채점 기준	비율
㉮ $\overline{AC}$의 길이를 구한 경우	20 %
㉯ $\overline{AD}$의 길이를 구한 경우	40 %
㉰ $\overline{EC}$의 길이를 구한 경우	40 %

02 각

본문 14쪽

STEP 1 교과서 개념 확인 테스트

1-1 (1) 150° (2) 60°

1-2 (1) 45° (2) 25°

2-1 (1) ∠DOE (2) ∠EOF (3) ∠BOD

2-2 (1) ∠a=50°, ∠b=130°

(2) ∠a=35°, ∠b=115°

3-1 (1) 8 cm (2) 90°

3-2 (1) $\overrightarrow{AD}$, $\overrightarrow{BC}$ (2) 8 cm (3) 점 A

1-1 (1) ∠AOD+30°=180°이므로 ∠AOD=150°

(2) 90°+∠COD+30°=180°이므로

∠COD+120°=180° $\therefore$ ∠COD=60°

1-2 (1) ∠x+135°=180°이므로 ∠x=45°

(2) ∠x+65°=90°이므로 ∠x=25°

2-2 (1) ∠a=50°(맞꼭지각)

∠b+50°=180°이므로 ∠b=130°

(2) ∠a=35°(맞꼭지각)

30°+∠a+∠b=180°이므로

30°+35°+∠b=180°

∠b+65°=180° $\therefore$ ∠b=115°

3-1 (1) $\overline{AM}=\overline{BM}=4\text{ cm}$이므로

$\overline{AB}=2\overline{AM}=2\times4=8\ (\text{cm})$

(2) $\overleftrightarrow{PM}\perp\overline{AB}$이므로 ∠AMP=90°

3-2 (2) 점 C와 $\overleftrightarrow{AB}$ 사이의 거리는 $\overline{BC}$의 길이와 같으므로 8 cm이다.

STEP 2 기출 기초 테스트

본문 15~16쪽

1-1 (1) 40° (2) 30°	**1-2** 35°
2-1 (1) 39° (2) 117°	**2-2** 72°
3-1 (1) 30° (2) 40°	**3-2** (1) 45° (2) 15°
4-1 14°	**4-2** 30°
5-1 164°	**5-2** ∠x=25°, ∠y=90°
6-1 (1) 8 cm (2) 4 cm	**6-2** ⑤

1-1 (1) 40°+∠x+100°=180°이므로

∠x+140°=180° $\therefore$ ∠x=40°

(2) 2∠x+3∠x+∠x=180°이므로

6∠x=180° $\therefore$ ∠x=30°

1-2 $20°+2∠x+90°=180°$이므로

$2∠x+110°=180°,\ 2∠x=70°$

$∴\ ∠x=35°$

2-1 (1) $∠BOD=180°-24°=156°$이므로

$∠BOC=\dfrac{1}{4}∠BOD=\dfrac{1}{4}×156°=39°$

(2) $∠COD=∠BOD-∠BOC$

$=156°-39°=117°$

2-2 $∠AOP=90°$이므로

$∠POQ=\dfrac{1}{5}∠AOP=\dfrac{1}{5}×90°=18°$

$∴\ ∠QOB=90°-∠POQ$

$=90°-18°=72°$

3-1 (1) $3∠x-40°=∠x+20°$(맞꼭지각)이므로

$2∠x=60°$ $∴\ ∠x=30°$

(2) $3∠x+10°=4∠x-30°$(맞꼭지각)이므로

$∠x=40°$

3-2 (1) $2∠x+30°=120°$(맞꼭지각)이므로

$2∠x=90°$ $∴\ ∠x=45°$

(2) $4∠x-40°=2∠x-10°$(맞꼭지각)이므로

$2∠x=30°$ $∴\ ∠x=15°$

4-1 오른쪽 그림에서

$90°+29°+(4∠x+5°)=180°$

이므로 $4∠x+124°=180°$

$4∠x=56°$ $∴\ ∠x=14°$

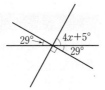

4-2 오른쪽 그림에서

$(2∠x-15°)+(∠x+45°)$

$\qquad\qquad+2∠x=180°$

이므로 $5∠x+30°=180°$

$5∠x=150°$ $∴\ ∠x=30°$

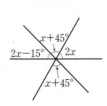

5-1 $∠x+90°+53°=180°$이므로

$∠x+143°=180°$ $∴\ ∠x=37°$

$∠y=∠x+90°$(맞꼭지각)이므로

$∠y=37°+90°=127°$

$∴\ ∠x+∠y=37°+127°=164°$

5-2 $(3∠x-10°)+115°=180°$이므로

$3∠x+105°=180°,\ 3∠x=75°$

$∴\ ∠x=25°$

$∠y+∠x=115°$(맞꼭지각)이므로

$∠y+25°=115°$ $∴\ ∠y=90°$

6-1 (1) 점 A와 $\overleftrightarrow{BC}$ 사이의 거리는 $\overline{DF}$의 길이와 같으므로

8 cm이다.

(2) 점 C와 $\overleftrightarrow{AB}$ 사이의 거리는 $\overline{AE}$의 길이와 같으므로 4 cm

이다.

6-2 ⑤ 점 D에서 $\overleftrightarrow{AB}$에 내린 수선의 발은 점 H이다.

STEP 3 교과서 **기본 테스트** |본문 17~18쪽|

01 $45°$			
02 $∠x=36°,\ ∠y=54°,\ ∠z=90°$			
03 $∠x=50°,\ ∠y=50°$		**04** $20°$	
05 $∠x=56°,\ ∠y=34°$		**06** $34°$	**07** ④
08 ④	**09** ㉡	**10** $30°$	**11** $60°$
12 $90°$			

01 $∠COE=∠COD+∠DOE$

$=\dfrac{1}{4}∠AOD+\dfrac{1}{4}∠DOB$

$=\dfrac{1}{4}(∠AOD+∠DOB)$

$=\dfrac{1}{4}×180°=45°$

02 $∠x+∠y+∠z=180°$이므로

$∠x=180°×\dfrac{2}{2+3+5}=180°×\dfrac{2}{10}=36°$

$∠y=180°×\dfrac{3}{2+3+5}=180°×\dfrac{3}{10}=54°$

$∠z=180°×\dfrac{5}{2+3+5}=180°×\dfrac{5}{10}=90°$

03 $3∠x-20°=2∠x+30°$(맞꼭지각)이므로

$∠x=50°$

$(3∠x-20°)+∠y=180°$이므로

$(150°-20°)+∠y=180°,\ 130°+∠y=180°$

$∴\ ∠y=50°$

04 오른쪽 그림에서

$3∠x+2∠x+4∠x=180°$

이므로 $9∠x=180°$

$∴\ ∠x=20°$

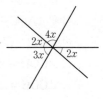

05 $\angle x = 56°$ (맞꼭지각)

$\angle y + 56° = 90°$ 이므로 $\angle y = 34°$

06 오른쪽 그림에서

$(3\angle x - 20°) + \angle x$

$\qquad + (\angle x + 30°) = 180°$

이므로 $5\angle x + 10° = 180°$

$5\angle x = 170°$ $\quad \therefore \angle x = 34°$

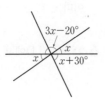

07 $\angle x = \angle y + 90°$ (맞꼭지각)이므로

$\angle x - \angle y = 90°$

08 ④ 점 C와 $\overline{AB}$ 사이의 거리는 $\overline{CH}$의 길이와 같다.

09 ㉠ 점 A에서 $\overleftrightarrow{CD}$에 내린 수선의 발은 점 C이다.

㉡ 점 A와 $\overleftrightarrow{BC}$ 사이의 거리는 $\overline{AC}$의 길이와 같으므로 4 cm이다.

㉢ $\overline{BC}$의 수직이등분선은 점 D를 지나고 $\overline{BC}$에 수직인 직선 또는 선분이다.

따라서 옳은 것은 ㉡이다.

10 $\angle AOB = 90° - \angle BOC$, $\angle COD = 90° - \angle BOC$이고
$\qquad\qquad\qquad\qquad\qquad\qquad$ …… ㉮

$\angle AOB + \angle COD = 120°$이므로

$(90° - \angle BOC) + (90° - \angle BOC) = 120°$ …… ㉯

$180° - 2\angle BOC = 120°$

$2\angle BOC = 60°$

$\therefore \angle BOC = 30°$ $\qquad\qquad\qquad$ …… ㉰

채점 기준	비율
㉮ $\angle AOB$와 $\angle COD$의 크기를 $\angle BOC$를 사용하여 나타낸 경우	30 %
㉯ $\angle AOB + \angle COD = 120°$임을 이용하여 식을 세운 경우	40 %
㉰ $\angle BOC$의 크기를 구한 경우	30 %

11 $\angle AOC = 2\angle COD$, $\angle BOE = 2\angle DOE$이므로

$\angle AOC + \angle COD + \angle DOE + \angle BOE$

$= 2\angle COD + \angle COD + \angle DOE + 2\angle DOE$

$= 3\angle COD + 3\angle DOE$

$= 3(\angle COD + \angle DOE)$

이때 $\angle AOC + \angle COD + \angle DOE + \angle BOE = 180°$

이므로 $3(\angle COD + \angle DOE) = 180°$ …… ㉮

$\therefore \angle COD + \angle DOE = 60°$ …… ㉯

$\therefore \angle COE = \angle COD + \angle DOE = 60°$ …… ㉰

채점 기준	비율
㉮ 평각을 이용하여 식을 세운 경우	60 %
㉯ $\angle COD + \angle DOE$의 크기를 구한 경우	20 %
㉰ $\angle COE$의 크기를 구한 경우	20 %

12 $2\angle x + 50° = 90°$ (맞꼭지각)이므로

$2\angle x = 40°$ $\quad \therefore \angle x = 20°$ …… ㉮

$\angle y = \angle x + 30°$ (맞꼭지각)이므로

$\angle y = 20° + 30° = 50°$ …… ㉯

$\therefore 2\angle x + \angle y = 2 \times 20° + 50°$

$\qquad\qquad\qquad = 90°$ …… ㉰

채점 기준	비율
㉮ $\angle x$의 크기를 구한 경우	40 %
㉯ $\angle y$의 크기를 구한 경우	40 %
㉰ $2\angle x + \angle y$의 크기를 구한 경우	20 %

창의력·융합형·서술형·코딩 본문 19쪽

1 (1) 점 G (2) 6 km

2 (1) × (2) × (3) ○ (4) ○ (5) ×

1 (1) ㉮에서 선영이네 집은 점 A, B, C, G, D 중 하나에 있음을 알 수 있다.

㉯에서 $\overline{AC} = \overline{CD}$, $\overline{AB} = \overline{BC}$, $\overline{CG} = \overline{GD}$임을 알 수 있다.

즉 $\overline{AB} = \overline{BC} = \overline{CG} = \overline{GD}$이므로

$\overline{BG} = \overline{BC} + \overline{CG} = \overline{GD} + \overline{GD} = 2\overline{GD}$

따라서 ㉰에 의해 선영이네 집은 점 G에 있다.

(2) (1)에서 $\overline{AB} = \overline{BC} = \overline{CG} = \overline{GD}$이므로

$\overline{AB} = \overline{BC} = \overline{CG} = \overline{GD}$

$\qquad = \dfrac{1}{4}\overline{AD} = \dfrac{1}{4} \times 8 = 2 \text{ (km)}$

이때 선영이네 집에서 점 A에 있는 집까지의 거리는

$\overline{AG} = 3\overline{AB} = 3 \times 2 = 6 \text{ (km)}$

2 (1) 점 B는 $\overline{AC}$의 중점인지 알 수 없다.

(2) $\overline{AB} = \overline{PB}$인지 알 수 없다.

(5) 점 C에서 $\overline{PB}$에 그은 길이가 가장 짧은 선은 $\overline{BC}$이다.

03 위치 관계

STEP 1 교과서 개념 확인 테스트 | 본문 22쪽

1-1 (1) 변 BC (2) 변 AD, 변 BC

1-2 (1) $\overline{AD}$, $\overline{BC}$ (2) $\overline{AD}/\!/\overline{BC}$

2-1 (1) $\overline{AD}$, $\overline{AE}$, $\overline{BC}$, $\overline{BF}$
   (2) $\overline{AE}$, $\overline{BF}$, $\overline{DH}$
   (3) $\overline{AD}$, $\overline{DH}$, $\overline{BC}$, $\overline{CG}$

2-2 (1) $\overline{AC}$, $\overline{AD}$, $\overline{BC}$, $\overline{BE}$
   (2) $\overline{AD}$, $\overline{BE}$
   (3) $\overline{AB}$, $\overline{AC}$, $\overline{AD}$

3-1 (1) 면 ABCD, 면 ABFE
   (2) 면 ABCD, 면 CGHD
   (3) 면 ABFE, 면 CGHD
   (4) 면 AEHD

3-2 (1) 면 ADFC, 면 BEFC
   (2) 면 DEF
   (3) 면 ABC, 면 DEF

STEP 2 기출 기초 테스트 | 본문 23~24쪽

1-1 (1) $\overleftrightarrow{AF}$, $\overleftrightarrow{BC}$, $\overleftrightarrow{CD}$, $\overleftrightarrow{EF}$ (2) $\overleftrightarrow{AF}$

1-2 5

2-1 (1) 한 점에서 만난다.
   (2) 꼬인 위치에 있다.
   (3) 평행하다.

2-2 (1) $\overline{AC}$, $\overline{AD}$, $\overline{BC}$, $\overline{BE}$
   (2) $\overline{AD}$, $\overline{CF}$
   (3) $\overline{AD}$, $\overline{DE}$, $\overline{DF}$

3-1 (1) $\overline{CH}$, $\overline{HI}$, $\overline{DI}$, $\overline{CD}$
   (2) 면 FGHIJ

3-2 (1) $\overline{AG}$, $\overline{DJ}$, $\overline{EK}$, $\overline{FL}$, $\overline{EF}$, $\overline{KL}$
   (2) 6

4-1 ②   **4-2** ㉡, ㉢, ㉣, ㉤

5-1 (1) $\overline{MH}$ (2) $\overline{AE}$, $\overline{AM}$, $\overline{EH}$, $\overline{MH}$

5-2 7

6-1 평행하다.   **6-2** ③

1-1 (1) 오른쪽 그림에서 $\overleftrightarrow{AB}$와 한 점에서 만나는 직선은 $\overleftrightarrow{AF}$, $\overleftrightarrow{BC}$, $\overleftrightarrow{CD}$, $\overleftrightarrow{EF}$이다.
(2) $\overleftrightarrow{CD}$와 평행한 직선은 $\overleftrightarrow{AF}$이다.

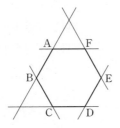

1-2 $\overleftrightarrow{BC}$와 평행한 직선은 $\overleftrightarrow{FG}$의 1개이므로 $a=1$
$\overleftrightarrow{AH}$와 한 점에서 만나는 직선은 $\overleftrightarrow{AB}$, $\overleftrightarrow{BC}$, $\overleftrightarrow{CD}$, $\overleftrightarrow{EF}$, $\overleftrightarrow{FG}$, $\overleftrightarrow{GH}$의 6개이므로 $b=6$
$\therefore b-a=6-1=5$

2-1 (1) 모서리 AB와 모서리 AC는 한 점 A에서 만난다.
(2) 모서리 AD와 모서리 BE는 꼬인 위치에 있다.
(3) 모서리 BC와 모서리 ED는 평행하다.

3-2 (2) 면 ABCDEF와 수직인 면은 면 ABHG, 면 BHIC, 면 CIJD, 면 DJKE, 면 EKLF, 면 AGLF의 6개이다.

4-1 주어진 전개도를 접어서 만든 삼각뿔은 오른쪽 그림과 같다.
따라서 모서리 BD와 꼬인 위치에 있는 모서리는 $\overline{AF}(=\overline{EF})$이다.

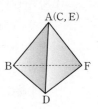

4-2 주어진 전개도를 접어서 만든 정육면체는 오른쪽 그림과 같다.
따라서 모서리 MN과 평행한 모서리는 $\overline{BC}(=\overline{HG})$, $\overline{ED}(=\overline{EF})$, $\overline{LK}(=\overline{JK})$이다.

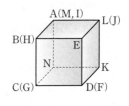

5-2 면 DEFG와 평행한 모서리는 $\overline{AB}$, $\overline{BC}$, $\overline{AC}$의 3개이므로 $a=3$
모서리 AB와 꼬인 위치에 있는 모서리는 $\overline{CF}$, $\overline{CG}$, $\overline{DG}$, $\overline{EF}$의 4개이므로 $b=4$
$\therefore a+b=3+4=7$

6-1 다음 그림에서 $l\perp P$, $m\perp P$이면 $l/\!/m$이다.

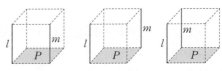

6-2 오른쪽 그림에서 $l/\!/m$, $m\perp n$이면 $l\perp n$이다.

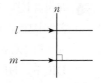

01 7   **02** ①, ②   **03** 4   **04** ㉠, ㉡, ㉢
05 ②   **06** 13   **07** ②, ⑤   **08** ⑤
09 ②   **10** ㉠, ㉡, ㉣   **11** 4
12 (1) $\overline{JC}$, $\overline{HE}$ (2) 면 JCEH

01 모서리 AB와 한 점에서 만나는 모서리는
$\overline{AC}$, $\overline{AD}$, $\overline{AE}$, $\overline{BC}$, $\overline{BE}$의 5개이므로 $a=5$
모서리 AB와 꼬인 위치에 있는 모서리는 $\overline{CD}$, $\overline{DE}$의
2개이므로 $b=2$
$\therefore a+b=5+2=7$

02 ③ 한 평면에서 두 직선의 위치 관계는 한 점에서 만나는
경우, 평행한 경우, 일치하는 경우가 있다.
④ 공간에서 만나지 않는 두 직선의 위치 관계는 평행한
경우, 꼬인 위치에 있는 경우가 있다.
⑤ 서로 다른 두 직선이 꼬인 위치에 있는 경우 두 직선을
포함하는 평면은 존재하지 않는다.
따라서 옳은 것은 ①, ②이다.

03 모서리 CG와 수직인 면은 면 ABCD, 면 EFGH의 2개
이므로 $a=2$
면 CGHD와 평행한 모서리는 $\overline{AE}$, $\overline{BF}$의 2개이므로
$b=2$
$\therefore a+b=2+2=4$

04 ㉢ 면 ABCD에 수직인 모서리는 $\overline{AE}$, $\overline{BF}$, $\overline{CG}$, $\overline{DH}$의
4개이다.
㉣ 모서리 AE와 꼬인 위치에 있는 모서리는 $\overline{BC}$, $\overline{CD}$,
$\overline{FG}$, $\overline{GH}$의 4개이다.
따라서 옳은 것은 ㉠, ㉡, ㉢이다.

05 ② $\overline{AB}\,/\!/\,\overline{GH}$
③ 면 ABCD에 포함되는 모서리는 $\overline{AB}$, $\overline{BC}$, $\overline{CD}$, $\overline{AD}$
의 4개이다.
④ 면 ABCD에 수직인 모서리는 $\overline{AE}$, $\overline{BF}$, $\overline{CG}$, $\overline{DH}$의
4개이다.
⑤ 면 BFGC에 평행한 모서리는 $\overline{AE}$, $\overline{EH}$, $\overline{DH}$, $\overline{AD}$
의 4개이다.
따라서 옳지 않은 것은 ②이다.

06 모서리 EJ와 수직인 면은 면 ABCDE, 면 FGHIJ의
2개이므로 $a=2$
모서리 BG와 꼬인 위치에 있는 모서리는 $\overline{AE}$, $\overline{CD}$,
$\overline{DE}$, $\overline{FJ}$, $\overline{HI}$, $\overline{IJ}$의 6개이므로 $b=6$

면 ABCDE와 평행한 모서리는 $\overline{FG}$, $\overline{GH}$, $\overline{HI}$, $\overline{IJ}$, $\overline{FJ}$
의 5개이므로 $c=5$
$\therefore a+b+c=2+6+5=13$

07 ① 한 직선을 포함한 두 평면은 한 직선에서 만난다.
② 한 직선에 수직인 두 평면은 항상 평행하다.
③ 한 직선에 평행한 두 평면은 한 직선에서 만나거나 평
행하다.
④ 한 평면에 수직인 두 평면은 한 직선에서 만나거나 평
행하다.
⑤ 한 평면에 평행한 두 평면은 항상 평행하다.
따라서 공간에서 서로 다른 두 평면이 평행한 경우는 ②,
⑤이다.

08 ③ 면 ABC와 수직인 모서리는 $\overline{AD}$, $\overline{BE}$, $\overline{CG}$의 3개이
다.
⑤ 모서리 CF와 꼬인 위치에 있는 모서리는 $\overline{AB}$, $\overline{AD}$,
$\overline{BE}$, $\overline{DE}$, $\overline{DG}$의 5개이다.
따라서 옳지 않은 것은 ⑤이다.

09 ㉮ $\overline{AE}$와 꼬인 위치에 있는 모서리는 $\overline{BC}$, $\overline{CD}$, $\overline{FG}$,
$\overline{GH}$이다.
㉯ 면 BFGC와 수직인 모서리는 $\overline{AB}$, $\overline{EF}$, $\overline{GH}$, $\overline{CD}$이
다.
㉰ 면 ABCD와 평행한 모서리는 $\overline{EF}$, $\overline{FG}$, $\overline{GH}$, $\overline{EH}$이
다.
따라서 ㉮, ㉯, ㉰를 모두 만족시키는 모서리는 $\overline{GH}$이다.

10 ㉠ 다음 그림에서 $l\,/\!/\,m$, $m\perp P$이면 $l\perp P$이다.

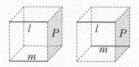

㉡ 다음 그림에서 $l\,/\!/\,m$, $m\,/\!/\,P$이면 $l\,/\!/\,P$이다.

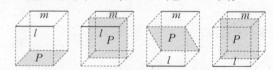

㉢ 다음 그림에서 $l\,/\!/\,P$, $m\,/\!/\,P$이면 두 직선 l, m은 만
나거나 평행하거나 꼬인 위치에 있다.

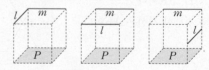

ⓔ 다음 그림에서 $l \perp m$, $m \perp P$이면 $l /\!/ P$이다.

따라서 옳은 것은 ㉠, ㉡, ⓔ이다.

11 $\overleftrightarrow{DG}$와 수직으로 만나는 모서리는 $\overline{AD}$, $\overline{FG}$의 2개이므로
$a=2$ ...... ㉮

$\overleftrightarrow{DG}$와 꼬인 위치에 있는 모서리는 $\overline{AB}$, $\overline{AE}$, $\overline{BC}$, $\overline{BF}$,
$\overline{EF}$, $\overline{EH}$의 6개이므로 $b=6$ ...... ㉯

$\therefore b-a=6-2=4$ ...... ㉰

채점 기준	비율
㉮ a의 값을 구한 경우	40 %
㉯ b의 값을 구한 경우	40 %
㉰ $b-a$의 값을 구한 경우	20 %

12 주어진 전개도를 이용하여 만든 삼각기둥은 오른쪽 그림과 같다. ...... ㉮

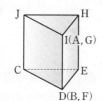

(1) 모서리 AB와 평행한 모서리는 $\overline{JC}$, $\overline{HE}$이다. ...... ㉯

(2) 모서리 GF와 평행한 면은 면 JCEH이다. ...... ㉰

채점 기준	비율
㉮ 전개도를 접어서 만든 삼각기둥의 겨냥도를 그린 경우	40 %
㉯ 모서리 AB와 평행한 모서리를 구한 경우	30 %
㉰ 모서리 GF와 평행한 면을 구한 경우	30 %

창의력·융합형·서술형·코딩	본문 27쪽

1 (1) × (2) ○ (3) × (4) ○

2 (1) 직선 n (2) 평행하다.
(3) 꼬인 위치에 있다. (4) 직선 m

1 (1) 점 A는 두 직선 l, p 위에 있다.
(3) 두 점 B, C는 직선 q 위에 있다.

2 (3) 두 직선 m, n은 평행하지도 않고 만나지도 않으므로 꼬인 위치에 있다.

---

04 평행선의 성질

STEP 1 교과서 개념 확인 테스트	본문 29쪽

1-1 (1) $65°$ (2) $115°$
1-2 (1) $130°$ (2) $50°$
2-1 (1) $\angle a=50°$, $\angle b=130°$
(2) $\angle a=126°$, $\angle b=54°$
2-2 $\angle a=65°$, $\angle b=80°$
3-1 $l /\!/ m$
3-2 $m /\!/ n$, $p /\!/ q$

1-1 (1) $\angle a$의 동위각의 크기는 $65°$이다.
(2) 오른쪽 그림에서 $\angle b$의 엇각은 $\angle c$
이므로 $\angle b$의 엇각의 크기는
$180°-65°=115°$

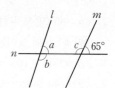

1-2 (1) $\angle EPA$의 동위각은 $\angle PQC$이다.
$\angle PQC=180°-50°=130°$이므로 $\angle EPA$의 동위각의 크기는 $130°$이다.
(2) $\angle APQ$의 엇각은 $\angle PQD$이다.
$\angle PQD=50°$이므로 $\angle APQ$의 엇각의 크기는 $50°$이다.

2-1 (1) $\angle a=50°$(동위각)이므로
$\angle b=180°-50°=130°$
(2) $\angle a=126°$(엇각)이므로
$\angle b=180°-126°=54°$

3-1 두 직선 l, m이 직선 r와 만나서 생기는 엇각의 크기가 $130°$로 같으므로 두 직선 l, m은 서로 평행하다.
➡ $l /\!/ m$

3-2 (i) 오른쪽 그림에서 두 직선 m, n이 직선 p와 만나서 생기는 동위각의 크기가 $74°$로 같으므로 두 직선 m, n은 서로 평행하다. ➡ $m /\!/ n$

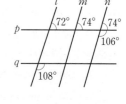

(ii) 오른쪽 그림에서 두 직선 p, q가 직선 l과 만나서 생기는 동위각의 크기가 $108°$로 같으므로 두 직선 p, q는 서로 평행하다.
➡ $p /\!/ q$

1-1 ⑤   1-2 ③, ④

2-1 (1) $\angle a=80°$, $\angle b=115°$ (2) $\angle a=70°$, $\angle b=140°$

2-2 (1) $\angle x=40°$, $\angle y=110°$ (2) $\angle x=50°$, $\angle y=120°$

3-1 l과 m, $52°$ 3-2 $l /\!/ m$, $q /\!/ r$

4-1 $95°$ 4-2 $100°$

5-1 $90°$ 5-2 $115°$

6-1 (1) $\angle ABC$, $\angle ACB$ (2) $64°$

6-2 $110°$

1-1 ① $\angle b$의 동위각은 $\angle e$이다.

$\angle e=180°-105°=75°$이므로 $\angle b$의 동위각의 크기는 $75°$이다.

② $\angle b=65°$(맞꼭지각), $\angle e=180°-105°=75°$이므로 $\angle b$의 크기와 $\angle e$의 크기는 같지 않다.

③ $\angle d=180°-105°=75°$

④ $\angle c=180°-65°=115°$, $\angle f=105°$(맞꼭지각)이므로 $\angle c$의 크기와 $\angle f$의 크기는 같지 않다.

따라서 옳은 것은 ⑤이다.

1-2 ① $\angle d=180°-62°=118°$

② $\angle g=180°-38°=142°$

③ $\angle b$의 엇각은 $\angle f$이다.

$\angle f=62°$(맞꼭지각)이므로 $\angle b$의 엇각의 크기는 $62°$이다.

④ 다음 그림과 같이 한 교점 부분을 지운 후 생각한다.

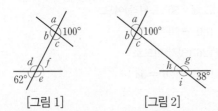

[그림 1]   [그림 2]

[그림 1]에서 $\angle c$의 엇각은 $\angle d$이고, [그림 2]에서 $\angle c$의 엇각은 $\angle g$이다.

⑤ $\angle d$의 동위각은 $\angle a$, $\angle h$이다.

따라서 옳은 것은 ③, ④이다.

2-1 (1) $\angle a=80°$(동위각)이므로

$\angle b=35°+\angle a=35°+80°=115°$(동위각)

(2) 오른쪽 그림에서

$\angle a=180°-110°=70°$

$\angle b=180°-40°=140°$

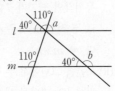

2-2 (1) $\angle x=40°$(엇각)이므로

$\angle y=\angle x+70°=40°+70°=110°$(동위각)

(2) 오른쪽 그림에서

$\angle x=180°-130°=50°$

$\therefore \angle y=\angle x+70°$

$=50°+70°$

$=120°$(엇각)

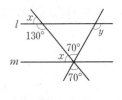

3-1 두 직선 l, m이 직선 p와 만나서 생기는 동위각의 크기가 $53°$로 같으므로 $l /\!/ m$ $\therefore \angle x=52°$(엇각)

3-2 (i) 두 직선 l, m이 직선 r와 만나서 생기는 엇각의 크기가 $75°$로 같으므로 두 직선 l, m은 서로 평행하다.

➡ $l /\!/ m$

(ii) 오른쪽 그림에서 두 직선 q, r가 직선 m과 만나서 생기는 동위각의 크기가 $105°$로 같으므로 두 직선 q, r는 서로 평행하다.

➡ $q /\!/ r$

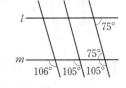

4-1 오른쪽 그림과 같이 두 직선 l, m에 평행한 직선을 그으면

$\angle x=360°-(140°+125°)$

$=360°-265°=95°$

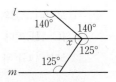

4-2 오른쪽 그림과 같이 두 직선 l, m에 평행한 직선을 그으면

$\angle x=40°+60°=100°$

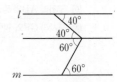

5-1 오른쪽 그림과 같이 두 직선 l, m에 평행한 직선을 그으면

$\angle x=35°+55°=90°$

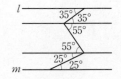

5-2 오른쪽 그림과 같이 두 직선 l, m에 평행한 직선을 그으면

$(\angle x-20°)+85°=180°$

$\angle x+65°=180°$ $\therefore \angle x=115°$

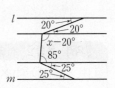

6-1 (1) 오른쪽 그림에서

$\overrightarrow{CD} /\!/ \overrightarrow{AB}$이므로

$\angle ABC=\angle BCD=58°$(엇각)

$\angle ACB=\angle BCD=58°$(접은 각)

따라서 $\angle BCD$와 크기가 같은 각은 $\angle ABC$, $\angle ACB$이다.

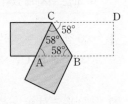

(2) △ABC에서

$\angle CAB = 180° - (58° + 58°) = 64°$

6-2 오른쪽 그림에서

$\overrightarrow{AD} \parallel \overrightarrow{BC}$이므로

$\angle RQC = \angle PRQ$

$= 35°$(엇각)

$\angle PQR = \angle RQC$

$= 35°$(접은 각)

이므로 $\angle x + 35° + 35° = 180°$

$\angle x + 70° = 180°$ ∴ $\angle x = 110°$

STEP **3** 교과서 **기본 테스트** |본문 32~34쪽|

01 ②, ④	02 $\angle a = 65°$, $\angle b = 131°$	03 ㉠, ㉡, ㉢
04 58°	05 15°	06 37°	07 40°
08 ④	09 (1) $l \parallel n$, $p \parallel q$ (2) 61°	10 28°
11 $\angle x = 130°$, $\angle y = 60°$	12 $\angle x = 40°$, $\angle y = 65°$
13 100°	14 82°	15 31°	16 75°
17 120°	18 37°	

01 ① $\angle b$의 엇각은 $\angle f$이다.

$\angle f = 180° - 120° = 60°$이므로 $\angle b$의 엇각의 크기는 60°이다.

③ $\angle d$의 엇각은 없고, $\angle i$의 엇각은 $\angle e$이다.

④ $\angle e$의 엇각은 $\angle i$이다.

$\angle i = 50°$(맞꼭지각)이므로 $\angle e$의 엇각의 크기는 50°이다.

⑤ $\angle g$의 동위각은 $\angle c$, $\angle d$이다.

따라서 옳은 것은 ②, ④이다.

02 오른쪽 그림에서

$\angle a = 180° - 115° = 65°$

$\angle b = 180° - 49° = 131°$

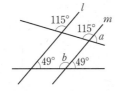

03 ㉢ $l \parallel m$이면 $\angle b = \angle e$(동위각)

04 오른쪽 그림에서

$\angle x + 72° = 130°$(엇각)

∴ $\angle x = 58°$

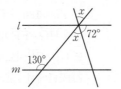

05 오른쪽 그림에서 삼각형의 세 각의 크기의 합은 180°이므로

$45° + \angle x + (180° - 60°) = 180°$

∴ $\angle x = 15°$

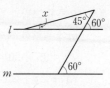

06 오른쪽 그림에서 삼각형의 세 각의 크기의 합은 180°이므로

$\angle x + 43° + (180° - 80°) = 180°$

∴ $\angle x = 37°$

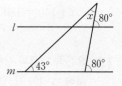

07 오른쪽 그림에서 삼각형의 세 각의 크기의 합은 180°이므로

$50° + (2\angle x - 10°) + (\angle x + 20°) = 180°$

$3\angle x + 60° = 180°$

$3\angle x = 120°$ ∴ $\angle x = 40°$

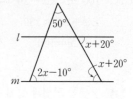

08 ① 동위각의 크기가 50°로 같으므로 $l \parallel m$

② 동위각의 크기가 110°로 같으므로 $l \parallel m$

③ 엇각의 크기가 120°로 같으므로 $l \parallel m$

④ 오른쪽 그림에서 동위각의 크기가 다르므로 두 직선 l, m은 평행하지 않다.

⑤ 오른쪽 그림에서 엇각의 크기가 45°로 같으므로 $l \parallel m$

09 (1) (i) 두 직선 l, n이 직선 q와 만나서 생기는 엇각의 크기가 61°로 같으므로 두 직선 l, n은 서로 평행하다. ➡ $l \parallel n$

(ii) 두 직선 p, q가 직선 m과 만나서 생기는 엇각의 크기가 59°로 같으므로 두 직선 p, q는 서로 평행하다. ➡ $p \parallel q$

(2) $p \parallel q$이므로 $\angle a = 61°$(엇각)

10 오른쪽 그림과 같이 두 직선 l, m에 평행한 직선을 그으면

$\angle x + 62° = 90°$

∴ $\angle x = 28°$

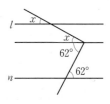

11 오른쪽 그림과 같이 두 직선 l, m에 평행한 직선 p를 그으면

$\angle x = 180° - 50° = 130°$

$p \parallel m$이므로 $\angle y = 60°$(엇각)

12 오른쪽 그림과 같이 두 직선 l, m에 평행한 직선을 그으면

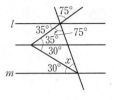

$\angle y = 35° + 30° = 65°$

$75° + \angle y + \angle x = 180°$이므로

$75° + 65° + \angle x = 180°$

$\angle x + 140° = 180°$ ∴ $\angle x = 40°$

13 오른쪽 그림과 같이 두 직선 l, m에 평행한 직선을 그으면

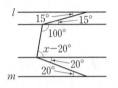

$100° + (\angle x - 20°) = 180°$

$\angle x + 80° = 180°$

∴ $\angle x = 100°$

14 오른쪽 그림과 같이 두 직선 l, m에 평행한 직선을 그으면

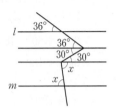

$\angle x - 16° = 36° + 30°$

$\angle x - 16° = 66°$

∴ $\angle x = 82°$

15 $\angle QPD = \angle QPR = \angle x$(접은 각)

$\overrightarrow{AD} /\!/ \overrightarrow{BC}$이므로 $\angle DPR = \angle PRB = 62°$(엇각)

즉 $2\angle x = 62°$이므로 $\angle x = 31°$

16 오른쪽 그림과 같이 두 직선 l, m에 평행한 직선을 그으면 ······ ㉮

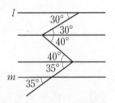

$\angle x = 40° + 35°$

$= 75°$ ······ ㉯

채점 기준	비율
㉮ 두 직선 l, m에 평행한 직선을 긋고 동위각과 엇각의 크기가 같음을 이용하여 각의 크기를 나타낸 경우	60 %
㉯ $\angle x$의 크기를 구한 경우	40 %

17 두 직선 l, m에 평행한 직선을 그으면 다음 그림과 같다. ······ ㉮

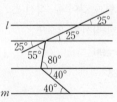

∴ $\angle x = 80° + 40° = 120°$ ······ ㉯

채점 기준	비율
㉮ 두 직선 l, m에 평행한 직선을 긋고 동위각, 엇각, 맞꼭지각의 크기가 같음을 이용하여 각의 크기를 나타낸 경우	60 %
㉯ $\angle x$의 크기를 구한 경우	40 %

18 오른쪽 그림에서

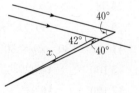

$\angle CDE = \angle BCD$

$= \angle x$(엇각)

$\angle BDC = \angle CDE$

$= \angle x$(접은 각) ······ ㉮

이때 $\angle ABD = \angle BDE$(엇각)이므로

$\angle x + \angle x = 74°$ ······ ㉯

$2\angle x = 74°$ ∴ $\angle x = 37°$ ······ ㉰

채점 기준	비율
㉮ $\angle CDE$, $\angle BDC$의 크기를 $\angle x$를 사용하여 나타낸 경우	40 %
㉯ $\angle x$에 대한 식을 세운 경우	40 %
㉰ $\angle x$의 크기를 구한 경우	20 %

본문 35쪽

> **창의력 ·융합형 ·서술형 ·코딩**
>
> **1** 2°　　　　　　　　**2** 60°
> **3** $\angle b = 104°$, $\angle c = 104°$, $\angle d = 52°$

1 무지개의 빨간색 부분에 반사되는 빛의 경로를 연장하면 오른쪽 그림과 같다.

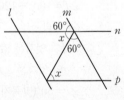

즉 $\angle x + 40°$

$+ (180° - 42°) = 180°$

이므로 $\angle x = 2°$

2 오른쪽 그림과 같이 평행한 두 거울을 각각 두 직선 l, m이라 하고 들어가는 빛과 나가는 빛의 경로를 각각 두 직선 n, p라 하자.

즉 $60° + \angle x + 60° = 180°$이므로

$\angle x + 120° = 180°$ ∴ $\angle x = 60°$

3 다음 그림과 같이 당구대를 모형화 하자.

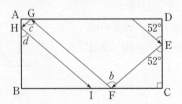

위의 그림에서 $\angle CEF = 52°$이므로

$\angle GFI = \angle CFE = 180° - (52° + 90°) = 38°$

∴ $\angle b = 180° - (38° + 38°) = 104°$

이때 $\overrightarrow{HG} /\!/ \overrightarrow{FE}$이므로 $\angle c = \angle b = 104°$(엇각)

또 $\overrightarrow{HI} /\!/ \overrightarrow{GF}$이므로 $\angle BIH = \angle GFI = 38°$(동위각)

$\triangle BIH$에서 $\angle d = 180° - (90° + 38°) = 52°$

05 삼각형의 작도

1-1 (1) × (2) ○ (3) ○   **1-2** ①, ②

2-1 ㄱ→ㄷ→ㄴ→ㅁ→ㄹ 또는 ㄷ→ㄱ→ㄴ→ㅁ→ㄹ

2-2 ㄷ→ㄴ→ㄱ

3-1 (1) ㄹ, ㄴ, ㅁ (2) 동위각

3-2 (1) ㅂ (2) 엇각의 크기가 같다.

4-1 표는 풀이 참조

    삼각형을 작도할 수 있는 것 : (1), (3)

4-2 ④, ⑤

5-1 ㄷ, ㄴ   **5-2** ③

6-1 ㄷ→ㄱ→ㄴ   **6-2** ⑤

1-1 (1) 두 선분의 길이를 비교할 때, 컴퍼스를 사용한다.

3-1 (2) $\angle \mathrm{BAC} = \angle \mathrm{QPR}$(동위각)이므로 두 직선 l, m은 평행하다.

3-2 (1) 작도 순서는 ㄱ → ㅁ → ㄹ → ㅂ → ㄷ → ㄴ 또는 ㄱ → ㄹ → ㅁ → ㅂ → ㄷ → ㄴ이므로 네 번째로 작도해야 하는 것은 ㅂ이다.
(2) $\angle \mathrm{AQB} = \angle \mathrm{CPD}$(엇각)이므로 두 직선 l, m은 평행하다.

4-1 표를 완성하면 다음과 같다.

	세 변의 길이	가장 긴 변의 길이	등호 / 부등호	나머지 두 변의 길이의 합
(1)	3, 4, 6	6	<	$3+4=7$
(2)	2, 4, 7	7	>	$2+4=6$
(3)	5, 5, 5	5	<	$5+5=10$
(4)	6, 6, 12	12	=	$6+6=12$

따라서 삼각형을 작도할 수 있는 것은 (1), (3)이다.

4-2 ① $5=1+4$이므로 삼각형의 세 변의 길이가 될 수 없다.
② $12>4+7$이므로 삼각형의 세 변의 길이가 될 수 없다.
③ $11=5+6$이므로 삼각형의 세 변의 길이가 될 수 없다.
④ $3<3+3$이므로 삼각형의 세 변의 길이가 될 수 있다.
⑤ $6<2+5$이므로 삼각형의 세 변의 길이가 될 수 있다.
따라서 삼각형을 작도할 수 있는 것은 ④, ⑤이다.

6-2 한 변의 길이와 그 양 끝 각의 크기가 주어졌을 때에는 선분을 작도한 후 두 각을 작도하거나 한 각을 작도한 후 선분을 작도하고 다른 각을 작도하면 된다.
따라서 작도 순서로 옳지 않은 것은 ⑤이다.

1-1 ③

1-2 (1) ㄱ (2) $\overline{\mathrm{OA}}$, $\overline{\mathrm{OB}}$, $\overline{\mathrm{PD}}$ (3) $\overline{\mathrm{CD}}$

2-1 4, 8, 11, 15

2-2 ㄷ, ㄹ

3-1 ㄱ, ㄹ

3-2 ③, ④

1-1 ③ $\overline{\mathrm{OA}} = \overline{\mathrm{OB}} = \overline{\mathrm{PC}} = \overline{\mathrm{PD}}$, $\overline{\mathrm{AB}} = \overline{\mathrm{CD}}$이지만 $\overline{\mathrm{OA}}$와 $\overline{\mathrm{AB}}$가 같은지는 알 수 없다.

1-2 (1) 작도 순서는 ㄴ → ㅁ → ㄱ → ㄹ → ㄷ 또는 ㅁ → ㄴ → ㄱ → ㄹ → ㄷ이므로 세 번째로 작도해야 하는 것은 ㄱ이다.

2-1 $x=3$일 때, $10=7+3$이므로 삼각형의 세 변의 길이가 될 수 없다.
$x=4$일 때, $10<7+4$이므로 삼각형의 세 변의 길이가 될 수 있다.
$x=8$일 때, $10<7+8$이므로 삼각형의 세 변의 길이가 될 수 있다.
$x=11$일 때, $11<7+10$이므로 삼각형의 세 변의 길이가 될 수 있다.
$x=15$일 때, $15<7+10$이므로 삼각형의 세 변의 길이가 될 수 있다.
$x=20$일 때, $20>7+10$이므로 삼각형의 세 변의 길이가 될 수 없다.
따라서 x의 값이 될 수 있는 것은 4, 8, 11, 15이다.

2-2 ㄱ $7>3+2$이므로 삼각형의 세 변의 길이가 될 수 없다.
ㄴ $7=3+4$이므로 삼각형의 세 변의 길이가 될 수 없다.
ㄷ $7<3+6$이므로 삼각형의 세 변의 길이가 될 수 있다.
ㄹ $8<3+7$이므로 삼각형의 세 변의 길이가 될 수 있다.
따라서 나머지 한 변의 길이가 될 수 있는 것은 ㄷ, ㄹ이다.

3-1 ㄱ 두 변의 길이와 그 끼인각의 크기가 주어졌으므로 △ABC가 하나로 정해진다.
ㄴ $7=5+2$, 즉 가장 긴 변의 길이가 나머지 두 변의 길이의 합과 같으므로 △ABC를 만들 수 없다.
ㄷ $\angle$B가 $\overline{\mathrm{AB}}$, $\overline{\mathrm{AC}}$의 끼인각이 아니므로 △ABC가 하나로 정해지지 않는다.
ㄹ $9<7+5$, 즉 가장 긴 변의 길이가 나머지 두 변의 길이의 합보다 작으므로 △ABC가 하나로 정해진다.
따라서 △ABC가 하나로 정해지기 위해 필요한 조건은 ㄱ, ㄹ이다.

3-2 ① 두 변의 길이와 그 끼인각의 크기가 주어졌으므로
△ABC가 하나로 정해진다.
② 한 변의 길이와 그 양 끝 각의 크기가 주어졌으므로 △ABC
가 하나로 정해진다.
③ ∠C가 $\overline{AB}$, $\overline{BC}$의 끼인각이 아니므로 △ABC가 하나로
정해지지 않는다.
④ 세 각의 크기가 주어졌으므로 △ABC가 무수히 많이 만들
어진다.
⑤ 12<9+5, 즉 가장 긴 변의 길이가 나머지 두 변의 길이의
합보다 작으므로 △ABC가 하나로 정해진다.
따라서 △ABC가 하나로 정해지지 않는 것은 ③, ④이다.

STEP 3 **교과서 기본 테스트** | 본문 41~42쪽

01 ㉡, ㉢	**02** ⑤	**03** ④, ⑤	**04** ㉠, ㉡
05 3개	**06** ①, ③	**07** ㉠, ㉡	**08** ㉡, ㉣, ㉾
09 ㉢ → ㉣ → ㉡ → ㉠ 또는 ㉢ → ㉡ → ㉣ → ㉠			
10 3개			

01 ㉡ 선분의 길이를 잴 때에는 컴퍼스를 사용한다.
㉢ 두 점을 지나는 직선을 그릴 때에는 눈금이 없는 자를
사용한다.
따라서 옳지 않은 것은 ㉡, ㉢이다.

02 ⑤ 작도 순서는 ㉣ → ㉾ → ㉢ → ㉤ → ㉡ → ㉠ 또는
㉣ → ㉢ → ㉾ → ㉤ → ㉡ → ㉠이다.

03 ① $\overline{AB}=\overline{AC}=\overline{QD}=\overline{QE}$
② $\overline{BC}=\overline{DE}$
③ 작도 순서는 ㉾ → ㉤ → ㉢ → ㉣ → ㉡ → ㉠ 또는
㉾ → ㉢ → ㉤ → ㉣ → ㉡ → ㉠이다.
따라서 옳은 것은 ④, ⑤이다.

04 ㉠ 8<5+5이므로 삼각형의 세 변의 길이가 될 수 있다.
㉡ 6<5+6이므로 삼각형의 세 변의 길이가 될 수 있다.
㉢ 8=3+5이므로 삼각형의 세 변의 길이가 될 수 없다.
㉣ 10>4+5이므로 삼각형의 세 변의 길이가 될 수 없다.
따라서 삼각형을 작도할 수 있는 것은 ㉠, ㉡이다.

05 (i) (2 cm, 3 cm, 4 cm)를 선택하는 경우
4<2+3이므로 삼각형을 만들 수 있다.
(ii) (2 cm, 3 cm, 5 cm)를 선택하는 경우
5=2+3이므로 삼각형을 만들 수 없다.

(iii) (2 cm, 4 cm, 5 cm)를 선택하는 경우
5<2+4이므로 삼각형을 만들 수 있다.
(iv) (3 cm, 4 cm, 5 cm)를 선택하는 경우
5<3+4이므로 삼각형을 만들 수 있다.
따라서 만들 수 있는 서로 다른 삼각형은
(2 cm, 3 cm, 4 cm), (2 cm, 4 cm, 5 cm),
(3 cm, 4 cm, 5 cm)의 3개이다.

06 ② 세 각의 크기가 주어졌으므로 △ABC가 무수히 많이
만들어진다.
④ 13=6+7, 즉 가장 긴 변의 길이가 나머지 두 변의 길
이의 합과 같으므로 삼각형을 만들 수 없다.
⑤ ∠C가 $\overline{AB}$, $\overline{AC}$의 끼인각이 아니므로 △ABC가 하
나로 정해지지 않는다.
따라서 △ABC가 하나로 정해지는 것은 ①, ③이다.

07 ㉠ 한 변의 길이와 그 양 끝 각의 크기가 주어졌으므로
△ABC를 하나로 작도할 수 있다.
㉡ 두 변의 길이와 그 끼인각의 크기가 주어졌으므로
△ABC를 하나로 작도할 수 있다.
㉢ ∠B가 $\overline{AB}$, $\overline{AC}$의 끼인각이 아니므로 △ABC를 하
나로 작도할 수 없다.
따라서 추가할 수 있는 조건은 ㉠, ㉡이다.

08 ㉠ ∠A가 $\overline{AB}$, $\overline{BC}$의 끼인각이 아니므로 △ABC가 하
나로 정해지지 않는다.
㉡ 두 변의 길이와 그 끼인각의 크기가 주어졌으므로
△ABC가 하나로 정해진다.
㉢ ∠A가 $\overline{BC}$, $\overline{AC}$의 끼인각이 아니므로 △ABC가 하
나로 정해지지 않는다.
㉣ 한 변의 길이와 그 양 끝 각의 크기가 주어졌으므로
△ABC가 하나로 정해진다.
㉤ 세 각의 크기가 주어졌으므로 △ABC가 무수히 많이
만들어진다.
㉾ 한 변의 길이와 그 양 끝 각의 크기가 주어졌으므로
△ABC가 하나로 정해진다.
따라서 필요한 조건은 ㉡, ㉣, ㉾이다.

10 한 변의 길이와 두 각의 크기가 주어졌으므로 △ABC는
다음 그림과 같다.

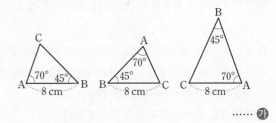

따라서 △ABC는 3개 작도할 수 있다. ...... 나

채점 기준	비율
가 작도 가능한 모든 경우에 대해 △ABC를 나타낸 경우	80 %
나 작도 가능한 △ABC의 개수를 구한 경우	20 %

창의력 · 융합형 · 서술형 · 코딩   본문 43쪽

1 풀이 참조   2 풀이 참조   3 2개

1 북극성의 위치는 다음 그림의 점 P이다.

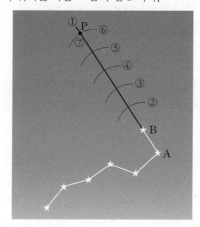

2 새로 만들어지는 도로는 다음과 같이 작도할 수 있다.

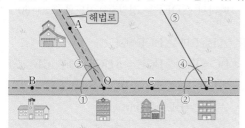

3 주어진 조건에서 각 변의 길이가 모두 6 cm 이상이므로 변의 길이가 가장 짧을 때는 6 cm이다.
두 변의 길이가 6 cm일 때 나머지 한 변의 길이는 $20-(6+6)=8$ (cm)이므로 가장 긴 변의 길이가 될 수 있는 것은 8 cm이다.
따라서 한 변으로 가능한 길이는 6 cm, 7 cm, 8 cm 이다.
이 중 세 변의 길이의 합이 20 cm가 되는 것은
   (6 cm, 6 cm, 8 cm), (6 cm, 7 cm, 7 cm)
이므로 만들 수 있는 삼각형은 모두 2개이다.

06 삼각형의 합동 조건

STEP 1 교과서 개념 확인 테스트   본문 45쪽

1-1 $\overline{AB}=6$ cm, $\angle E=37°$
1-2 $\overline{DE}=10$ cm, $\angle C=105°$
2-1 △ABC≡△FED, SAS 합동
2-2 △ABC≡△DEF, SSS 합동
3-1 합동이다., ASA 합동
3-2 합동이 아니다.

1-1 $\overline{AB}=\overline{DE}=6$ cm, $\angle E=\angle B=37°$

1-2 $\overline{DE}=\overline{AB}=10$ cm, $\angle C=\angle F=105°$

2-1 △ABC와 △FED에서
$\overline{AB}=\overline{FE}=5$ cm, $\angle BAC=\angle EFD=95°$,
$\overline{AC}=\overline{FD}=3$ cm
∴ △ABC≡△FED(SAS 합동)

2-2 △ABC와 △DEF에서
$\overline{AB}=\overline{DE}=5$ cm, $\overline{BC}=\overline{EF}=3$ cm, $\overline{CA}=\overline{FD}=4$ cm
∴ △ABC≡△DEF(SSS 합동)

3-1 △ABC와 △DEF에서
$\angle B=\angle E=40°$, $\overline{BC}=\overline{EF}=10$ cm,
$\angle C=180°-(80°+40°)=60°$이므로 $\angle C=\angle F=60°$
∴ △ABC≡△DEF(ASA 합동)

3-2 △ABC와 △DEF에서
$\angle A=\angle D=44°$, $\overline{AB}=\overline{DE}=9$ cm,
$\angle E=180°-(44°+78°)=58°$이므로 $\angle B\neq\angle E$
따라서 △ABC와 △DEF는 합동이 아니다.

STEP 2 기출 기초 테스트   본문 46쪽

1-1 ㄹ   1-2 ㄱ과 ㅂ
2-1 $\overline{AC}=\overline{DF}$, $\angle B=\angle E$, $\angle A=\angle D$
2-2 $\overline{AB}=\overline{DE}$, $\angle C=\angle F$
3-1 합동이다., SSS 합동   3-2 합동이다., SAS 합동

1-1 주어진 삼각형의 나머지 한 각의 크기는
$180°-(70°+60°)=50°$
ㄹ 한 변의 길이가 같고, 그 양 끝 각의 크기가 각각 같으므로 ASA 합동이다.

1-2 ㉠과 ㉃ : ㉠에서 나머지 한 각의 크기는
$$180°-(80°+40°)=60°$$
즉 한 변의 길이가 같고, 그 양 끝 각의 크기가 각각 같으므로 ASA 합동이다.

2-1 (i) $\overline{AC}=\overline{DF}$이면 두 변의 길이가 각각 같고, 그 끼인각의 크기가 같으므로 SAS 합동이다.

(ii) $\angle B=\angle E$ 또는 $\angle A=\angle D$이면 한 변의 길이가 같고, 그 양 끝 각의 크기가 각각 같으므로 ASA 합동이다.

2-2 (i) $\overline{AB}=\overline{DE}$이면 세 변의 길이가 각각 같으므로 SSS 합동이다.

(ii) $\angle C=\angle F$이면 두 변의 길이가 각각 같고, 그 끼인각의 크기가 같으므로 SAS 합동이다.

3-1 △ABC와 △ADC에서
$\overline{AB}=\overline{AD}=9\,\text{cm}$, $\overline{BC}=\overline{DC}=6\,\text{cm}$, $\overline{AC}$는 공통
$\therefore$ △ABC≡△ADC(SSS 합동)

3-2 △ABD와 △CDB에서
$\overline{AD}=\overline{CB}$, $\angle ADB=\angle CDB$, $\overline{BD}$는 공통
$\therefore$ △ABD≡△CDB(SAS 합동)

---

^{STEP}**3** 교과서 **기본 테스트**   본문 47~48쪽

01 21	**02** ⑤	**03** ①	**04** ④
05 ㉡, ㉢, ㉃	**06** ④	**07** 2 cm	**08** 90°
09 60°	**10** 25 cm	**11** 16 cm²	**12** 120°

01 △ABC≡△DEF이므로
$\overline{AB}=\overline{DE}=8\,\text{cm}$, 즉 $a=8$
$\overline{BC}=\overline{EF}=9\,\text{cm}$, 즉 $b=9$
$\overline{AC}=\overline{DF}=4\,\text{cm}$, 즉 $c=4$
$\therefore a+b+c=8+9+4=21$

02 $\angle A=180°-(72°+60°)=48°$
⑤ 한 변의 길이가 같고, 그 양 끝 각의 크기가 같으므로 ASA 합동이다.

03 ① 나머지 한 각의 크기는 $180°-(40°+80°)=60°$
즉 한 변의 길이가 같고, 그 양 끝 각의 크기가 각각 같으므로 ASA 합동이다.

04 ① SSS 합동 ②, ⑤ ASA 합동 ③ SAS 합동
④ 두 변의 길이가 각각 같지만 그 끼인각이 아닌 다른 각의 크기가 같으므로 △ABC≡△DEF라 할 수 없다.

05 ㉡ 두 변의 길이가 각각 같고, 그 끼인각의 크기가 같으므로 SAS 합동이다.
㉢, ㉃ 한 변의 길이가 같고, 그 양 끝 각의 크기가 각각 같으므로 ASA 합동이다.

06 ㉠ 다음 그림과 같은 두 직각삼각형은 넓이가 같지만 합동은 아니다.

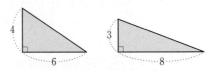

따라서 옳은 것은 ㉡, ㉢, ㉃이다.

07 △ABO와 △DCO에서
$\overline{AB}=\overline{DC}=4\,\text{cm}$, $\angle B=\angle C=65°$,
$\angle AOB=\angle DOC$(맞꼭지각)이므로 $\angle A=\angle D$
$\therefore$ △ABO≡△DCO(ASA 합동)
$\therefore \overline{OC}=\overline{OB}=2\,\text{cm}$

08 △ABC≡△BDE이므로
$\angle BCF=\angle E=62°$, $\angle CBF=\angle A=28°$
$\therefore \angle x=\angle BFC=180°-(62°+28°)=90°$

09 △ADF와 △BED에서
$\overline{AD}=\overline{BE}$, $\overline{AF}=\overline{AC}-\overline{CF}=\overline{AB}-\overline{AD}=\overline{BD}$,
$\angle A=\angle B=60°$
$\therefore$ △ADF≡△BED(SAS 합동)
마찬가지로 △ADF≡△CFE(SAS 합동)
즉 △ADF≡△BED≡△CFE이므로
$\overline{DF}=\overline{ED}=\overline{FE}$
따라서 △DEF는 정삼각형이므로 $\angle x=60°$

10 △BCE와 △DCF에서
$\overline{BC}=\overline{DC}$, $\angle BCE=\angle DCF=90°$, $\overline{CE}=\overline{CF}$
이므로 △BCE≡△DCF(SAS 합동)   ⋯⋯ ㉮
$\therefore \overline{DF}=\overline{BE}=25\,\text{cm}$ ⋯⋯ ㉯

채점 기준	비율
㉮ 합동인 두 삼각형을 찾은 경우	60 %
㉯ $\overline{DF}$의 길이를 구한 경우	40 %

11 △BHO와 △CIO에서
$\overline{BO}=\dfrac{1}{2}\overline{BD}=\dfrac{1}{2}\overline{AC}=\overline{CO}$, $\angle OBH=\angle OCI=45°$,
$\angle BOH=90°-\angle HOC=\angle COI$
$\therefore$ △BHO≡△CIO(ASA 합동)   ⋯⋯ ㉮
즉 △BHO≡△CIO이므로
(사각형 OHCI의 넓이)=△OHC+△CIO
$=$△OHC+△BHO=△OBC
$=\dfrac{1}{4}\times8\times8=16\,(\text{cm}^2)$⋯⋯ ㉯

채점 기준	비율
㉮ 합동인 두 삼각형을 찾은 경우	50 %
㉯ 사각형 OHCI의 넓이를 구한 경우	50 %

12 △ACE와 △BCD에서

$\overline{AC}=\overline{BC}$, $\overline{CE}=\overline{CD}$,

$\angle ACE=\angle BCD=180°-60°=120°$

$\therefore$ △ACE≡△BCD(SAS 합동) ...... ㉮

$\angle CAE=\angle a$, $\angle AEC=\angle b$라 하면 △ACE에서

$\angle a+120°+\angle b=180°$

$\therefore \angle a+\angle b=60°$ ...... ㉯

$\angle CBD=\angle CAE=\angle a$이므로 △BEF에서

$\angle BFE=180°-(\angle a+\angle b)=120°$ ...... ㉰

채점 기준	비율
㉮ 합동인 두 삼각형을 찾은 경우	40 %
㉯ $\angle CAE=\angle a$, $\angle AEC=\angle b$로 놓고 $\angle a+\angle b$의 크기를 구한 경우	30 %
㉰ $\angle BFE$의 크기를 구한 경우	30 %

창의력·융합형·서술형·코딩 본문 49쪽

1 (1) 합동이다., ASA 합동 (2) 풀이 참조
2 1.1 km **3** 8 km

---

1 (1) △ABP와 △DCP에서

$\angle ABP=\angle DCP=90°$,

$\overline{BP}=\overline{CP}=70$ m,

$\angle APB=\angle DPC$(맞꼭지각)

$\therefore$ △ABP≡△DCP(ASA 합동)

(2) △ABP≡△DCP이므로 $\overline{AB}=\overline{DC}$

따라서 강의 폭 $\overline{AB}$의 길이는 ㈐에서 측정한 $\overline{CD}$의 길이이다.

2 △AOB와 △DOC에서

$\overline{OA}=\overline{OD}=0.6$ km,

$\angle AOB=\angle DOC$(맞꼭지각),

$\overline{OB}=\overline{OC}=1.3$ km

이므로 △AOB≡△DOC(SAS 합동)

$\therefore \overline{AB}=\overline{DC}=1.1$ km

3 △AOD와 △COB에서

$\angle ADO=\angle CBO=80°$,

$\overline{DO}=\overline{BO}=5$ km,

$\angle AOD=\angle COB$(맞꼭지각)

$\therefore$ △AOD≡△COB(ASA 합동)

즉 $\overline{AD}=\overline{CB}=8$ km이므로 지점 D에서 배까지의 거리는 8 km이다.

II. 도형의 성질

07 다각형의 성질

STEP 1 교과서 개념 확인 테스트

본문 54쪽

1-1 (1) 7 (2) 4 **1-2** (1) 20 (2) 65

2-1 (1) ∠ABC (2) 100° **2-2** 풀이 참조

3-1 (1) 16° (2) 120° **3-2** (1) 35° (2) 43°

1-2 (1) $\dfrac{8 \times (8-3)}{2} = 20$

(2) $\dfrac{13 \times (13-3)}{2} = 65$

2-2 ∠C의 외각은 오른쪽 그림의
표시한 부분과 같으므로
(∠C의 외각의 크기)
$= 180° - 60° = 120°$

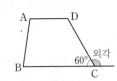

3-1 (1) $90° + 58° + 2∠x = 180°$이므로
$2∠x + 148° = 180°$, $2∠x = 32°$
$∴ ∠x = 16°$
(2) $∠x = 70° + 50° = 120°$

3-2 (1) $55° + 90° + ∠x = 180°$이므로
$∠x + 145° = 180°$ $∴ ∠x = 35°$
(2) $32° + ∠x = 75°$ $∴ ∠x = 43°$

STEP 2 기출 기초 테스트

본문 55~56쪽

1-1 44 **1-2** 27

2-1 90°, 30° **2-2** 90°

3-1 50° **3-2** 60°

4-1 55° **4-2** $∠x = 85°$, $∠y = 25°$

5-1 104° **5-2** 40°

6-1 25° **6-2** 115°

1-1 구하는 다각형을 n각형이라 하면
$n - 3 = 8$ $∴ n = 11$
따라서 십일각형의 대각선의 총 개수는
$\dfrac{11 \times (11-3)}{2} = 44$

1-2 구하는 다각형을 n각형이라 하면
$n - 3 = 6$ $∴ n = 9$
따라서 구각형의 대각선의 총 개수는
$\dfrac{9 \times (9-3)}{2} = 27$

2-1 삼각형의 세 내각의 크기의 합은 180°이므로
(가장 큰 각의 크기) $= 180° \times \dfrac{3}{1+2+3} = 90°$
(가장 작은 각의 크기) $= 180° \times \dfrac{1}{1+2+3} = 30°$

2-2 삼각형의 세 내각의 크기의 합은 180°이므로
(가장 큰 각의 크기) $= 180° \times \dfrac{5}{2+3+5} = 90°$

3-1 $∠x + (2∠x - 5°) + 35° = 180°$이므로
$3∠x + 30° = 180°$, $3∠x = 150°$
$∴ ∠x = 50°$

3-2 $(∠x - 15°) + 75° = 2∠x$이므로
$∠x + 60° = 2∠x$ $∴ ∠x = 60°$

4-1 △PBD에서 $∠APD = 60° + ∠x$
△ACP에서 $∠APD = 25° + 90° = 115°$이므로
$60° + ∠x = 115°$ $∴ ∠x = 55°$

4-2 △ACP에서 $∠x = 40° + 45° = 85°$
△PBD에서 $∠y + 60° = 85°$ $∴ ∠y = 25°$

5-1 △ACB에서 $\overline{AB} = \overline{BC}$이므로
$∠BCA = ∠BAC = 26°$
$∴ ∠CBD = 26° + 26° = 52°$
△CDB에서 $\overline{CB} = \overline{CD}$이므로
$∠CDB = ∠CBD = 52°$
$∴ ∠DCE = 26° + 52° = 78°$
△DCE에서 $\overline{DC} = \overline{DE}$이므로
$∠DEC = ∠DCE = 78°$
$∴ ∠x = 26° + 78° = 104°$

5-2 오른쪽 그림과 같이
$∠ABC = ∠a$라 하면 △ABC
에서 $\overline{AB} = \overline{AC}$이므로
$∠ACB = ∠ABC = ∠a$
$∴ ∠CAD = ∠a + ∠a = 2∠a$
△CDA에서 $\overline{CA} = \overline{CD}$이므로
$∠CDA = ∠CAD = 2∠a$

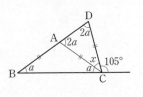

즉 $\angle a + 2\angle a = 105°$이므로

$3\angle a = 105°$ $\quad \therefore \angle a = 35°$

$35° + \angle x + 105° = 180°$이므로

$\angle x + 140° = 180°$ $\quad \therefore \angle x = 40°$

6-1 오른쪽 그림과 같이
$\angle DBC = \angle a$, $\angle DCE = \angle b$라
하면 $\triangle ABC$에서
$2\angle b = 50° + 2\angle a$이므로
$\angle b = 25° + \angle a$
$\therefore \angle b - \angle a = 25°$
$\triangle DBC$에서 $\angle a + \angle x = \angle b$이므로
$\angle x = \angle b - \angle a = 25°$

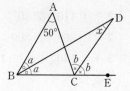

6-2 $\triangle ABC$에서 $50° + \angle ABC + \angle ACB = 180°$이므로
$\angle ABC + \angle ACB = 130°$
$\therefore \angle IBC + \angle ICB = \dfrac{1}{2}(\angle ABC + \angle ACB)$
$\qquad\qquad\qquad\qquad = \dfrac{1}{2} \times 130° = 65°$
따라서 $\triangle IBC$에서
$\angle x = 180° - (\angle IBC + \angle ICB)$
$\quad = 180° - 65° = 115°$

STEP 3 교과서 **기본 테스트** | 본문 57~58쪽 |

01 ㉢, ㉣	**02** 13	**03** ③	**04** ③
05 125°	**06** ②	**07** 28°	**08** 68°
09 60°	**10** 20	**11** 십각형	**12** 50°

01 ㉢ 모든 변의 길이가 같고, 모든 내각의 크기가 같아야 정
다각형이다.
㉣ n각형의 대각선의 총 개수는 $\dfrac{n(n-3)}{2}$이다.
따라서 옳지 않은 것은 ㉢, ㉣이다.

02 $a = 9 - 3 = 6$, $b = 9 - 2 = 7$이므로
$a + b = 6 + 7 = 13$

03 구하는 다각형을 n각형이라 하면
$n - 3 = 7$ $\quad \therefore n = 10$
따라서 $a = 10$, $b = \dfrac{10 \times (10-3)}{2} = 35$이므로
$a + b = 10 + 35 = 45$

04 삼각형의 세 내각의 크기의 합은 180°이므로
$(\text{가장 큰 내각의 크기}) = 180° \times \dfrac{5}{1+3+5} = 100°$

05 $\triangle ABC$에서 $\angle ECD = 30° + 45° = 75°$
$\triangle ECD$에서 $\angle x = 75° + 50° = 125°$

06 $\triangle ACP$에서 $\angle x = 50° + 40° = 90°$
$\triangle PBD$에서 $\angle y + 58° = 90°$ $\quad \therefore \angle y = 32°$
$\therefore \angle x + \angle y = 90° + 32° = 122°$

07 $\triangle ADC$에서 $\overline{DA} = \overline{DC}$이므로
$\angle DCA = \angle DAC = 38°$
$\therefore \angle BDC = 38° + 38° = 76°$
$\triangle BCD$에서 $\overline{CB} = \overline{CD}$이므로
$\angle DBC = \angle BDC = 76°$
$\therefore \angle x = 180° - (76° + 76°) = 28°$

08 $\triangle IBC$에서 $124° + \angle IBC + \angle ICB = 180°$이므로
$\angle IBC + \angle ICB = 56°$
$\therefore \angle ABC + \angle ACB = 2(\angle IBC + \angle ICB)$
$\qquad\qquad\qquad\qquad = 2 \times 56° = 112°$
따라서 $\triangle ABC$에서
$\angle x = 180° - (\angle ABC + \angle ACB)$
$\quad = 180° - 112° = 68°$

09 $\triangle APD$에서 $\angle CPQ = \angle x + 25°$
$\triangle PCQ$에서 $(\angle x + 25°) + 30° + 65° = 180°$
$\angle x + 120° = 180°$ $\quad \therefore \angle x = 60°$

10 구하는 다각형을 n각형이라 하면
$n - 2 = 6$ $\quad \therefore n = 8$ $\qquad\qquad$ ······ ㉮
따라서 팔각형의 대각선의 총 개수는
$\dfrac{8 \times (8-3)}{2} = 20$ $\qquad\qquad$ ······ ㉯

채점 기준	비율
㉮ 어떤 다각형인지 알아낸 경우	50 %
㉯ 다각형의 대각선의 총 개수를 구한 경우	50 %

11 구하는 다각형을 n각형이라 하면
$\dfrac{n(n-3)}{2} = 35$ $\qquad\qquad$ ······ ㉮
$n(n-3) = 70 = 10 \times 7 = 10 \times (10-3)$
$\therefore n = 10$ $\qquad\qquad$ ······ ㉯
따라서 구하는 다각형은 십각형이다. $\qquad$ ······ ㉰

채점 기준	비율
㉮ n각형의 대각선의 개수를 이용하여 식을 세운 경우	40 %
㉯ n의 값을 구한 경우	50 %
㉰ 구하는 다각형의 이름을 말한 경우	10 %

12 $45°+(\angle x+20°)=2\angle x+15°$이므로 ······ ㉮

$\angle x+65°=2\angle x+15$ ∴ $\angle x=50°$ ······ ㉯

채점 기준	비율
㉮ 삼각형의 외각의 성질을 이용하여 식을 세운 경우	60 %
㉯ $\angle x$의 크기를 구한 경우	40 %

창의력·융합형·서술형·코딩   본문 59쪽

1 66번   **2** 180°   **3** 35°

1 원탁에 둘러앉아 있는 12명의 대표를 12개의 점으로 표시하고 서로 악수를 하는 대표끼리 선분으로 연결하면 악수를 하는 총 횟수는 십이각형의 변의 개수와 대각선의 총 개수의 합과 같다.

십이각형의 변의 개수는 12이고 대각선의 총 개수는

$\dfrac{12\times(12-3)}{2}=54$이므로 악수를 하는 총 횟수는

$12+54=66$(번)

2 △BDJ에서

$\angle AJF=\angle B+\angle D$

△CEF에서

$\angle AFJ=\angle C+\angle E$

삼각형의 세 내각의 크기의

합은 180°이므로

△AFJ에서

$\angle A+(\angle C+\angle E)+(\angle B+\angle D)=180°$

∴ $\angle A+\angle B+\angle C+\angle D+\angle E=180°$

3 오른쪽 그림과 같이

$\angle EBC=\angle a$, $\angle ECD=\angle b$

라 하면 두 선분 BC와 AB, 두

선분 CD와 AC가 각각 겹치도

록 접었으므로

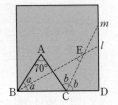

$\angle ABE=\angle EBC=\angle a$, $\angle ACE=\angle ECD=\angle b$

△ABC에서 $2\angle b=70°+2\angle a$이므로

$\angle b=35°+\angle a$ ∴ $\angle b-\angle a=35°$

△EBC에서 $\angle a+\angle BEC=\angle b$이므로

$\angle BEC=\angle b-\angle a=35°$

---

08 다각형의 내각과 외각

STEP 1 교과서 개념 확인 테스트   본문 61쪽

1-1 (1) 105° (2) 130°

1-2 (1) 1440° (2) 2340°

2-1 (1) 110° (2) 40°

2-2 (1) 360° (2) 360°

3-1 (1) 140°, 40° (2) 150°, 30°

3-2 144°

1-1 (1) 사각형의 내각의 크기의 합은 360°이므로

$130°+55°+70°+\angle x=360°$

$\angle x+255°=360°$ ∴ $\angle x=105°$

(2) 오각형의 내각의 크기의 합은 $180°\times(5-2)=540°$이므로

$115°+95°+\angle x+110°+90°=540°$

$\angle x+410°=540°$ ∴ $\angle x=130°$

1-2 (1) 십각형의 내각의 크기의 합은

$180°\times(10-2)=1440°$

(2) 십오각형의 내각의 크기의 합은

$180°\times(15-2)=2340°$

2-1 (1) 사각형의 외각의 크기의 합은 360°이므로

$60°+\angle x+100°+90°=360°$

$\angle x+250°=360°$ ∴ $\angle x=110°$

(2) 육각형의 외각의 크기의 합은 360°이므로

$80°+60°+45°+70°+\angle x+65°=360°$

$\angle x+320°=360°$ ∴ $\angle x=40°$

3-1 (1) 정구각형의 한 내각의 크기와 한 외각의 크기를 각각 구하면

(한 내각의 크기)$=\dfrac{180°\times(9-2)}{9}=140°$

(한 외각의 크기)$=\dfrac{360°}{9}=40°$

(2) 정십이각형의 한 내각의 크기와 한 외각의 크기를 각각 구하면

(한 내각의 크기)$=\dfrac{180°\times(12-2)}{12}=150°$

(한 외각의 크기)$=\dfrac{360°}{12}=30°$

3-2 구하는 정다각형을 정n각형이라 하면

$\dfrac{360°}{n}=36°$ ∴ $n=10$

따라서 정십각형의 한 내각의 크기는

$\dfrac{180°\times(10-2)}{10}=144°$

1-1 육각형	**1-2** 20
2-1 (1) $95°$ (2) $110°$	**2-2** (1) $130°$ (2) $55°$
3-1 $133°$	**3-2** $110°$
4-1 (1) $55°$ (2) $45°$	**4-2** (1) $95°$ (2) $60°$
5-1 오각형	**5-2** 팔각형
6-1 정육각형	**6-2** 정오각형
7-1 정십각형	**7-2** 정십이각형

1-1 구하는 다각형을 n각형이라 하면
$180° \times (n-2) = 720°$에서 $n-2 = 4$
$\therefore n = 6$
따라서 구하는 다각형은 육각형이다.

1-2 구하는 다각형을 n각형이라 하면
$180° \times (n-2) = 1080°$에서 $n-2 = 6$
$\therefore n = 8$
따라서 팔각형의 대각선의 총 개수는
$\dfrac{8 \times (8-3)}{2} = 20$

2-1 (1) 사각형의 내각의 크기의 합은 $360°$이므로
$135° + \angle x + (180° - 120°) + 70° = 360°$
$\angle x + 265° = 360°$ $\therefore \angle x = 95°$
(2) 오각형의 내각의 크기의 합은 $180° \times (5-2) = 540°$이므로
$90° + \angle x + 120° + 110° + \angle x = 540°$
$2\angle x + 320° = 540°$, $2\angle x = 220°$
$\therefore \angle x = 110°$

2-2 (1) 오각형의 내각의 크기의 합은 $180° \times (5-2) = 540°$
이므로
$100° + \angle x + (180° - 70°) + 120° + 80° = 540°$
$\angle x + 410° = 540°$ $\therefore \angle x = 130°$
(2) 육각형의 내각의 크기의 합은 $180° \times (6-2) = 720°$이므로
$120° + 135° + (2\angle x - 10°) + 130° + (\angle x + 50°) + 130°$
$= 720°$
$3\angle x + 555° = 720°$, $3\angle x = 165°$
$\therefore \angle x = 55°$

3-1 사각형의 내각의 크기의 합은 $360°$이므로
$120° + (62° + \angle CBD) + (\angle CDB + 48°) + 83° = 360°$
$\angle CBD + \angle CDB + 313° = 360°$
$\therefore \angle CBD + \angle CDB = 47°$

따라서 $\triangle CBD$에서
$\angle x = 180° - (\angle CBD + \angle CDB)$
$= 180° - 47°$
$= 133°$

3-2 사각형의 내각의 크기의 합은 $360°$이므로
$130° + \angle ABD + \angle BDE + 90° = 360°$
이때 $\angle ABD = 2\angle CBD$, $\angle BDE = 2\angle CDB$이므로
$2\angle CBD + 2\angle CDB + 220° = 360°$
$2(\angle CBD + \angle CDB) = 140°$
$\therefore \angle CBD + \angle CDB = 70°$
따라서 $\triangle CBD$에서
$\angle x = 180° - (\angle CBD + \angle CDB)$
$= 180° - 70°$
$= 110°$

4-1 (1) 오각형의 외각의 크기의 합은 $360°$이므로
$\angle x + 75° + 70° + 85° + (180° - 105°) = 360°$
$\angle x + 305° = 360°$ $\therefore \angle x = 55°$
(2) 육각형의 외각의 크기의 합은 $360°$이므로
$(180° - 105°) + \angle x + (180° - 90°) + 35°$
$+ 40° + (\angle x + 30°) = 360°$
$2\angle x + 270° = 360°$, $2\angle x = 90°$
$\therefore \angle x = 45°$

4-2 (1) 육각형의 외각의 크기의 합은 $360°$이므로
$70° + 40° + 30° + 80° + (180° - \angle x) + (180° - 125°)$
$= 360°$
$455° - \angle x = 360°$ $\therefore \angle x = 95°$
(2) 오각형의 외각의 크기의 합은 $360°$이므로
$(180° - 85°) + (180° - 110°) + (180° - 2\angle x)$
$+ 90° + (\angle x - 15°) = 360°$
$420° - \angle x = 360°$ $\therefore \angle x = 60°$

5-1 구하는 다각형을 n각형이라 하면 n각형의 내각의 크기의 합은 $180° \times (n-2)$이고 외각의 크기의 합은 $360°$이므로
$180° \times (n-2) + 360° = 900°$
$180° \times (n-2) = 540°$
$n-2 = 3$ $\therefore n = 5$
따라서 구하는 다각형은 오각형이다.

5-2 구하는 다각형을 n각형이라 하면 n각형의 내각의 크기의 합은 $180° \times (n-2)$이고 외각의 크기의 합은 $360°$이므로

$180° \times (n-2) + 360° = 1440°$

$180° \times (n-2) = 1080°$

$n-2=6 \qquad \therefore n=8$

따라서 구하는 다각형은 팔각형이다.

6-1 구하는 정다각형을 정 n각형이라 하면

$\dfrac{360°}{n} = 60° \qquad \therefore n=6$

따라서 구하는 정다각형은 정육각형이다.

6-2 구하는 정다각형을 정 n각형이라 하면

$\dfrac{180° \times (n-2)}{n} = 108°$

$5(n-2) = 3n, \ 5n-10 = 3n$

$2n = 10 \qquad \therefore n=5$

따라서 구하는 정다각형은 정오각형이다.

7-1 한 꼭짓점에서 내각의 크기와 외각의 크기의 합은 $180°$
이므로

(한 외각의 크기) $= 180° \times \dfrac{1}{4+1} = 36°$

이때 구하는 정다각형을 정 n각형이라 하면

$\dfrac{360°}{n} = 36° \qquad \therefore n=10$

따라서 구하는 정다각형은 정십각형이다.

7-2 한 꼭짓점에서 내각의 크기와 외각의 크기의 합은 $180°$
이므로

(한 외각의 크기) $= 180° \times \dfrac{1}{5+1} = 30°$

이때 구하는 정다각형을 정 n각형이라 하면

$\dfrac{360°}{n} = 30° \qquad \therefore n=12$

따라서 구하는 정다각형은 정십이각형이다.

STEP 3 교과서 기본 테스트 　　　본문 64~66쪽

01 $105°$	**02** $102°$	**03** ②	**04** $95°$
05 $60°$	**06** $155°$	**07** 정십오각형	**08** ③
09 27	**10** $540°$	**11** ②	**12** ④
13 $150°$	**14** $72°$	**15** $36°$	**16** $35°$
17 $360°$	**18** $1800°$		
19 (1) $40°$	(2) 정구각형	(3) $1260°$	

01 오각형의 내각의 크기의 합은 $180° \times (5-2) = 540°$이
므로

$90° + 100° + \angle x + 95° + 150° = 540°$

$\angle x + 435° = 540° \qquad \therefore \angle x = 105°$

02 육각형의 내각의 크기의 합은 $180° \times (6-2) = 720°$이
므로

$130° + 120° + 110° + (180° - 42°) + 120° + \angle x = 720°$

$\angle x + 618° = 720° \qquad \therefore \angle x = 102°$

03 $180° \times (n-2) = 1620°$이므로

$n-2=9 \qquad \therefore n=11$

04 사각형의 내각의 크기의 합은 $360°$이므로

$110° + 80° + \angle BCE + \angle CEA = 360°$

이때 $\angle BCE = 2\angle DCE, \ \angle CEA = 2\angle DEC$이므로

$2\angle DCE + 2\angle DEC + 190° = 360°$

$2(\angle DCE + \angle DEC) = 170°$

$\therefore \angle DCE + \angle DEC = 85°$

따라서 $\triangle DCE$에서

$\angle x = 180° - (\angle DCE + \angle DEC)$

$\qquad = 180° - 85° = 95°$

05 오각형의 외각의 크기의 합은 $360°$이므로

$(\angle x + 20°) + \angle x + 68° + 80° + 72° = 360°$

$2\angle x + 240° = 360°, \ 2\angle x = 120°$

$\therefore \angle x = 60°$

06 오각형의 외각의 크기의 합은 $360°$이므로

$\angle x + 90° + \angle y + (180° - 130°) + (180° - 115°) = 360°$

$\angle x + \angle y + 205° = 360°$

$\therefore \angle x + \angle y = 155°$

07 구하는 정다각형을 정 n각형이라 하면

$\dfrac{180° \times (n-2)}{n} = 156°$

$15(n-2) = 13n, \ 15n-30 = 13n$

$2n = 30 \qquad \therefore n=15$

따라서 구하는 정다각형은 정십오각형이다.

08 ⑺, ⑻를 만족하는 다각형은 정다각형이므로 구하는 정
다각형을 정 n각형이라 하면 ⑼에서

$180° \times (n-2) = 1440°$

$n-2=8 \qquad \therefore n=10$

따라서 ⑺, ⑻, ⑼를 모두 만족하는 다각형은 정십각형이
다. (①)

② 한 내각의 크기는 $\dfrac{1440°}{10}=144°$

③ 대각선의 총 개수는 $\dfrac{10\times(10-3)}{2}=35$

④ 한 외각의 크기는 $\dfrac{360°}{10}=36°$

⑤ 외각의 크기의 합은 $360°$

따라서 옳지 않은 것은 ③이다.

09 구하는 정다각형을 정n각형이라 하면

$\dfrac{360°}{n}=40°$ $\therefore n=9$

따라서 정구각형의 대각선의 총 개수는

$\dfrac{9\times(9-3)}{2}=27$

10 구하는 정다각형을 정n각형이라 하면

$\dfrac{360°}{n}=72°$ $\therefore n=5$

따라서 정오각형의 내각의 크기의 합은

$180°\times(5-2)=540°$

11 구하는 정다각형을 정n각형이라 하면

$\dfrac{n(n-3)}{2}=9$

$n(n-3)=18=6\times3=6\times(6-3)$

$\therefore n=6$

따라서 정육각형의 한 외각의 크기는 $\dfrac{360°}{6}=60°$

12 한 꼭짓점에서 내각의 크기와 외각의 크기의 합은 $180°$

이므로

(한 외각의 크기)$=180°\times\dfrac{1}{3+1}=45°$

이때 구하는 정다각형을 정n각형이라 하면

$\dfrac{360°}{n}=45°$ $\therefore n=8$

따라서 구하는 정다각형은 정팔각형이다.

13 정다각형의 내부의 한 점과 각각의 꼭짓점을 선분으로 연결하여 생긴 삼각형이 12개이므로 이 정다각형은 정십이각형이다. 따라서 정십이각형의 한 내각의 크기는

$\dfrac{180°\times(12-2)}{12}=150°$

14 정오각형의 한 내각의 크기는

$\dfrac{180°\times(5-2)}{5}=108°$

$\triangle$ABE에서 $\overline{AB}=\overline{AE}$이므로

$\angle$AEB$=\dfrac{1}{2}\times(180°-108°)=36°$

$\triangle$EAD에서 $\overline{EA}=\overline{ED}$이므로

$\angle$EAD$=\dfrac{1}{2}\times(180°-108°)=36°$

따라서 $\triangle$AFE에서 $\angle x=36°+36°=72°$

15 정오각형의 한 내각의 크기는

$\dfrac{180°\times(5-2)}{5}=108°$

즉 $\angle$ABC$=\angle$BCD$=108°$이므로

$\angle y=180°-108°=72°$

$\triangle$BOC에서 $\angle x+72°=108°$ $\therefore \angle x=36°$

$\therefore \angle y-\angle x=72°-36°=36°$

16 $\triangle$EHF에서

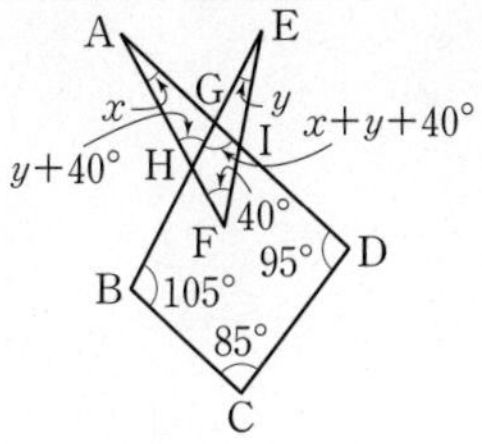

$\angle$AHG$=\angle y+40°$

$\triangle$AHG에서

$\angle$HGI$=\angle x+\angle y+40°$

사각형 BCDG의 내각의 크기의 합은 $360°$이므로

$(\angle x+\angle y+40°)+105°+85°+95°=360°$

$\angle x+\angle y+325°=360°$

$\therefore \angle x+\angle y=35°$

17 오른쪽 그림과 같이 삼각형의 한 외각의 크기는 그와 이웃하지 않는 두 내각의 크기의 합과 같다.

...... ㉮

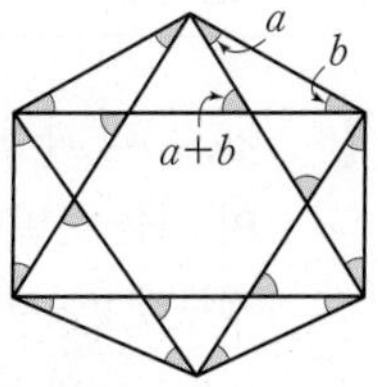

따라서 색칠한 각의 크기의 합은 육각형의 외각의 크기의 합과 같으므로 $360°$이다.

...... ㉯

채점 기준	비율
㉮ 색칠한 각과 육각형의 외각 사이의 관계를 말한 경우	60 %
㉯ 색칠한 각의 크기의 합을 구한 경우	40 %

18 구하는 정다각형을 정n각형이라 하고 한 외각의 크기를 $\angle x$라 하면 한 내각의 크기는 $\angle x+120°$이므로

$\angle x+(\angle x+120°)=180°$, $2\angle x=60°$

$\therefore \angle x=30°$ ...... ㉮

$\dfrac{360°}{n}=30°$이므로 $n=12$ ...... ㉯

따라서 정십이각형의 내각의 크기의 합은

$180°\times(12-2)=1800°$ ...... ㉰

채점 기준	비율
㉮ 정n각형의 한 외각의 크기를 구한 경우	50 %
㉯ n의 값을 구한 경우	20 %
㉰ 정십이각형의 내각의 크기의 합을 구한 경우	30 %

19 (1) (나)에서

$$(\text{한 외각의 크기})=180°\times\frac{2}{7+2}=40°\quad\cdots\cdots\text{㉮}$$

(2) ㉮를 만족하는 다각형은 정다각형이므로 구하는 정다
각형을 정n각형이라 하면

$$\frac{360°}{n}=40°\qquad\therefore n=9$$

따라서 구하는 정다각형은 정구각형이다. $\cdots\cdots$ ㉯

(3) 정구각형의 내각의 크기의 합은

$$180°\times(9-2)=1260°\quad\cdots\cdots\text{㉰}$$

채점 기준	비율
㉮ 다각형의 한 외각의 크기를 구한 경우	30 %
㉯ 구하는 다각형의 이름을 말한 경우	40 %
㉰ 다각형의 내각의 크기의 합을 구한 경우	30 %

창의력·융합형·서술형·코딩	본문 67쪽

1 40°
2 (1) 풀이 참조 (2) 풀이 참조

1   (가), (나)의 과정을 9번 반복하여 실행시켰을 때 개미 로봇
이 처음 출발한 자리로 되돌아오면 개미 로봇의 경로는
정구각형이 된다.
이때 ∠x의 크기는 정구각형의 한 외각의 크기이므로

$$\angle x=\frac{360°}{9}=40°$$

2   (1) 오른쪽 그림과 같이 칠각형의 내
부의 한 점과 각 꼭짓점을 잇는
선분을 모두 그으면 칠각형은 7
개의 삼각형으로 나누어진다.
이때 삼각형의 내각의 크기의
합이 180°이고 내부의 한 점에 모인 7개의 각의 크기
의 합이 360°이므로 칠각형의 내각의 크기의 합은
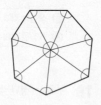

$$180°\times7-360°=1260°-360°=900°$$

(2) n각형의 내부의 한 점과 각 꼭짓점을 잇는 선분을 그
으면 n각형은 n개의 삼각형으로 나누어진다. 이때 삼
각형의 내각의 크기의 합이 180°이고 내부의 한 점에
모인 n개의 각의 크기의 합이 360°이므로 n각형의 내
각의 크기의 합은

$$180°\times n-360°=180°\times n-180°\times2$$
$$=180°\times(n-2)$$

---

09 원과 부채꼴

1-1 (1) ㉡ (2) ㉠ (3) ㉢ (4) ㉢
1-2 풀이 참조
2-1 (1) 8 (2) 120 (3) 80 (4) 4
2-2 (1) 6 (2) 60 (3) 28 (4) 12
3-1 (1) $l=10\pi$ cm, $S=25\pi$ cm²
      (2) $l=12\pi$ cm, $S=36\pi$ cm²
3-2 (1) $l=8\pi$ cm, $S=16\pi$ cm²
      (2) $l=14\pi$ cm, $S=49\pi$ cm²
4-1 (1) $l=2\pi$ cm, $S=8\pi$ cm²
      (2) $l=\dfrac{10}{3}\pi$ cm, $S=10\pi$ cm²
4-2 (1) $l=4\pi$ cm, $S=18\pi$ cm²
      (2) $l=5\pi$ cm, $S=10\pi$ cm²
5-1 (1) 30π cm² (2) 54π cm²
5-2 (1) 18π (2) 4π

1-2 (1)   (2)
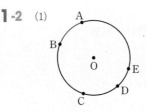 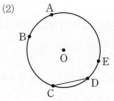

(3)   (4)
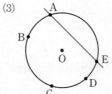 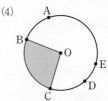

(5)   (6)
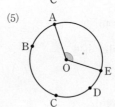 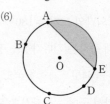

2-1   (2) $40°:x°=5:15$이므로

$$40:x=1:3\qquad\therefore x=120$$

(3) $x°:40°=32:16$이므로

$$x:40=2:1\qquad\therefore x=80$$

(4) $135°:45°=12:x$이므로

$$3:1=12:x\qquad\therefore x=4$$

2-2   (1) $40°:160°=x:24$이므로

$$1:4=x:24\qquad\therefore x=6$$

(2) $130°:x°=13:6$이므로

$$130:x=13:6\qquad\therefore x=60$$

(3) $60° : 80° = 21 : x$이므로
  $3 : 4 = 21 : x$ $\therefore x = 28$
(4) $x : 20 = 9 : 15$이므로
  $x : 20 = 3 : 5$ $\therefore x = 12$

3-1 (1) $l = 2\pi \times 5 = 10\pi$ (cm)
  $S = \pi \times 5^2 = 25\pi$ (cm^2)
(2) 반지름의 길이는 $\frac{1}{2} \times 12 = 6$ (cm)이므로
  $l = 2\pi \times 6 = 12\pi$ (cm)
  $S = \pi \times 6^2 = 36\pi$ (cm^2)

3-2 (1) $l = 2\pi \times 4 = 8\pi$ (cm)
  $S = \pi \times 4^2 = 16\pi$ (cm^2)
(2) 반지름의 길이는 $\frac{1}{2} \times 14 = 7$ (cm)이므로
  $l = 2\pi \times 7 = 14\pi$ (cm)
  $S = \pi \times 7^2 = 49\pi$ (cm^2)

4-1 (1) $l = 2\pi \times 8 \times \frac{45}{360} = 2\pi$ (cm)
  $S = \pi \times 8^2 \times \frac{45}{360} = 8\pi$ (cm^2)
(2) $l = 2\pi \times 6 \times \frac{100}{360} = \frac{10}{3}\pi$ (cm)
  $S = \pi \times 6^2 \times \frac{100}{360} = 10\pi$ (cm^2)

4-2 (1) $l = 2\pi \times 9 \times \frac{80}{360} = 4\pi$ (cm)
  $S = \pi \times 9^2 \times \frac{80}{360} = 18\pi$ (cm^2)
(2) $l = 2\pi \times 4 \times \frac{225}{360} = 5\pi$ (cm)
  $S = \pi \times 4^2 \times \frac{225}{360} = 10\pi$ (cm^2)

5-1 (1) $\frac{1}{2} \times 10 \times 6\pi = 30\pi$ (cm^2)
(2) $\frac{1}{2} \times 9 \times 12\pi = 54\pi$ (cm^2)

5-2 (1) $x = \frac{1}{2} \times 12 \times 3\pi = 18\pi$
(2) $\frac{1}{2} \times 10 \times x = 20\pi$ $\therefore x = 4\pi$

1-1 150°   **1-2** 72°
2-1 24 cm   **2-2** 26 cm
3-1 ㉠, ㉣   **3-2** ③, ⑤
4-1 6π cm   **4-2** 12π cm^2
5-1 둘레의 길이 : $(4\pi + 4)$ cm, 넓이 : 4π cm^2
5-2 12π cm^2
6-1 (1) 8π cm^2 (2) $(50\pi - 100)$ cm^2
6-2 둘레의 길이 : $(8\pi + 32)$ cm, 넓이 : $(128 - 32\pi)$ cm^2

1-1 $\overset{\frown}{AB} : \overset{\frown}{BC} = 1 : 5$이므로
  $\angle AOB : \angle BOC = 1 : 5$
  $\therefore \angle BOC = 180° \times \frac{5}{1+5} = 150°$

1-2 $\overset{\frown}{AB} : \overset{\frown}{BC} = 3 : 2$이므로
  $\angle AOB : \angle BOC = 3 : 2$
  $\therefore \angle BOC = 180° \times \frac{2}{3+2} = 72°$

2-1 $\overline{AC} /\!/ \overline{OD}$이므로
  $\angle OAC = \angle BOD = 45°$ (동위각)
  오른쪽 그림과 같이 $\overline{OC}$를 그으면
  $\triangle AOC$에서 $\overline{OA} = \overline{OC}$이므로
  $\angle OCA = \angle OAC = 45°$
  $\therefore \angle AOC = 180° - (45° + 45°)$
    $= 90°$
  $\angle AOC : \angle BOD = \overset{\frown}{AC} : \overset{\frown}{BD}$이므로
  $90° : 45° = \overset{\frown}{AC} : 12$
  $2 : 1 = \overset{\frown}{AC} : 12$
  $\therefore \overset{\frown}{AC} = 24$ (cm)

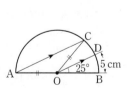

2-2 $\overline{AC} /\!/ \overline{OD}$이므로
  $\angle OAC = \angle BOD = 25°$ (동위각)
  오른쪽 그림과 같이 $\overline{OC}$를 그으면
  $\triangle AOC$에서 $\overline{OA} = \overline{OC}$이므로
  $\angle OCA = \angle OAC = 25°$
  $\therefore \angle AOC = 180° - (25° + 25°)$
    $= 130°$
  $\angle AOC : \angle BOD = \overset{\frown}{AC} : \overset{\frown}{BD}$이므로
  $130° : 25° = \overset{\frown}{AC} : 5$
  $26 : 5 = \overset{\frown}{AC} : 5$
  $\therefore \overset{\frown}{AC} = 26$ (cm)

3-1 ⊙ 호의 길이는 중심각의 크기에 정비례하므로
$\overparen{AB}=2\overparen{CD}$

ⓛ 현의 길이는 중심각의 크기에 정비례하지 않으므로
$\overline{AB}\neq2\overline{CD}$

ⓒ 삼각형의 넓이는 중심각의 크기에 정비례하지 않으므로
(△AOB의 넓이)≠2×(△COD의 넓이)

ⓡ 부채꼴의 넓이는 중심각의 크기에 정비례하므로
(부채꼴 AOB의 넓이)=2×(부채꼴 COD의 넓이)

따라서 옳은 것은 ⊙, ⓡ이다.

3-2 ①, ⑤ 호의 길이는 중심각의 크기에 정비례하고,
∠AOC=6∠AOB이므로 $\overparen{AC}=6\overparen{AB}$

② 호의 길이는 중심각의 크기에 정비례하고,
∠BOC=5∠AOB이므로 $\overparen{BC}=5\overparen{AB}$

③ 호의 길이는 중심각의 크기에 정비례하고,
5∠AOC=6∠BOC이므로 $5\overparen{AC}=6\overparen{BC}$

④ 현의 길이는 중심각의 크기에 정비례하지 않으므로
$\overline{AC}\neq6\overline{AB}$

따라서 옳은 것은 ③, ⑤이다.

4-1 부채꼴의 호의 길이를 l cm라 하면
$\frac{1}{2}\times4\times l=12\pi$　∴ $l=6\pi$

따라서 부채꼴의 호의 길이는 6π cm이다.

4-2 $\frac{1}{2}\times6\times4\pi=12\pi$ (cm²)

5-1 (색칠한 부분의 둘레의 길이)
$=\overparen{AB}+\overparen{CD}+\overline{AC}+\overline{BD}$
$=2\pi\times5\times\frac{90}{360}+2\pi\times3\times\frac{90}{360}+(5-3)+(5-3)$
$=\frac{5}{2}\pi+\frac{3}{2}\pi+2+2=4\pi+4$ (cm)

(색칠한 부분의 넓이)
=(부채꼴 AOB의 넓이)-(부채꼴 COD의 넓이)
$=\pi\times5^2\times\frac{90}{360}-\pi\times3^2\times\frac{90}{360}$
$=\frac{25}{4}\pi-\frac{9}{4}\pi=4\pi$ (cm²)

5-2 $\pi\times\overline{OA}^2=4\pi$에서
$\overline{OA}^2=4$　∴ $\overline{OA}=2$ cm($\because\overline{OA}>0$)

따라서 $\overline{OB}=2\times2=4$ (cm)이므로 색칠한 부분의 넓이는
$\pi\times4^2-4\pi=16\pi-4\pi=12\pi$ (cm²)

6-1 (1) 색칠한 부분의 넓이는 다음 그림과 같이 구할 수 있다.

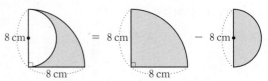

∴ (색칠한 부분의 넓이)
$=\pi\times8^2\times\frac{90}{360}-\pi\times4^2\times\frac{180}{360}$
$=16\pi-8\pi=8\pi$ (cm²)

(2) 색칠한 부분의 넓이는 다음 그림과 같이 구할 수 있다.

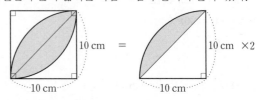

∴ (색칠한 부분의 넓이)
$=(\pi\times10^2\times\frac{90}{360}-\frac{1}{2}\times10\times10)\times2$
$=(25\pi-50)\times2=50\pi-100$ (cm²)

6-2 (색칠한 부분의 둘레의 길이)
$=2\times(2\pi\times8\times\frac{90}{360})+8\times4$
$=8\pi+32$ (cm)

색칠한 부분의 넓이는 다음 그림과 같이 구할 수 있다.

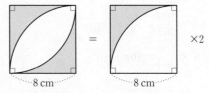

∴ (색칠한 부분의 넓이)
$=(8\times8-\pi\times8^2\times\frac{90}{360})\times2$
$=(64-16\pi)\times2=128-32\pi$ (cm²)

STEP 3 교과서 **기본 테스트**　　본문 74~76쪽

01 ②　　**02** 60°　　**03** (1) 60π (2) 30

04 20 cm　　**05** 80°　　**06** 12 cm　　**07** 16 cm

08 120°　　**09** 5π cm　　**10** 105°

11 (1) 6π cm² (2) 108π cm²　　　　**12** 14π cm

13 $(36-6\pi)$ cm²　　**14** $\frac{10}{3}\pi$ cm

15 $(4\pi+60)$ cm²　　**16** $(8\pi+32)$ cm

17 24 cm　　**18** $l=12\pi$ cm, $S=42\pi$ cm²

19 (1) 120° (2) $(4\pi+12)$ cm (3) 12π cm²

01 ② 활꼴은 원의 호와 현으로 이루어진 활 모양의 도형이다.

02 $\overline{OA}=\overline{AB}=\overline{OB}$이므로 $\triangle OAB$는 정삼각형이다.
정삼각형의 한 내각의 크기는 $60°$이므로 $\overset{\frown}{AB}$에 대한 중심각의 크기는 $60°$이다.

03 (1) $30°:120°=15\pi:x$이므로
$1:4=15\pi:x$ $\therefore x=60\pi$
(2) $x°:(4x°-30°)=6:18$이므로
$x°:(4x°-30°)=1:3$
$3x°=4x°-30°,\ x°=30°$
$\therefore x=30$

04 $\angle AOB+\angle BOC+\angle COD=180°$이므로
$2\angle a+90°+(3\angle a+15°)=180°$
$\therefore \angle a=15°$
즉 $\angle AOB=30°$이므로 $\angle AOE=180°-30°=150°$
$\angle AOB:\angle AOE=\overset{\frown}{AB}:\overset{\frown}{AE}$이므로
$30°:150°=4:\overset{\frown}{AE}$
$1:5=4:\overset{\frown}{AE}$ $\therefore \overset{\frown}{AE}=20\ (cm)$

05 $\overset{\frown}{AB}:\overset{\frown}{BC}:\overset{\frown}{CA}=2:3:4$이므로
$\angle AOB:\angle BOC:\angle COA=2:3:4$
$\therefore \angle AOB=360°\times\dfrac{2}{2+3+4}=80°$

06 $\overline{AC}/\!/\overline{OD}$이므로
$\angle OAC=\angle BOD=30°$ (동위각)
오른쪽 그림과 같이 $\overline{OC}$를 그으면 $\triangle AOC$에서
$\overline{OA}=\overline{OC}$이므로
$\angle OCA=\angle OAC=30°$
$\therefore \angle AOC=180°-(30°+30°)=120°$
$\angle AOC:\angle BOD=\overset{\frown}{AC}:\overset{\frown}{BD}$이므로
$120°:30°=\overset{\frown}{AC}:3$
$4:1=\overset{\frown}{AC}:3$ $\therefore \overset{\frown}{AC}=12\ (cm)$

07 $\triangle AOB$에서 $\overline{OA}=\overline{OB}$이므로
$\angle OAB=\angle OBA=\dfrac{1}{2}\times(180°-120°)=30°$
$\therefore \angle BOD=\angle OBA=30°$ (엇각)
$\angle AOB:\angle BOD=\overset{\frown}{AB}:\overset{\frown}{BD}$이므로
$120°:30°=\overset{\frown}{AB}:4$
$4:1=\overset{\frown}{AB}:4$ $\therefore \overset{\frown}{AB}=16\ (cm)$

08 부채꼴의 넓이는 중심각의 크기에 정비례하므로
$\angle AOB:360°=4\pi:24\pi$
$\angle AOB:360°=1:6$ $\therefore \angle AOB=60°$
$\therefore \angle x+\angle y=180°-60°=120°$

09 부채꼴의 호의 길이를 l cm라 하면
$\dfrac{1}{2}\times4\times l=10\pi$ $\therefore l=5\pi$
따라서 부채꼴의 호의 길이는 5π cm이다.

10 부채꼴의 중심각의 크기를 $x°$라 하면
$2\pi\times12\times\dfrac{x}{360}=7\pi$ $\therefore x=105$
따라서 부채꼴의 중심각의 크기는 $105°$이다.

11 (1) 색칠한 부분의 넓이는 다음 그림과 같이 구할 수 있다.

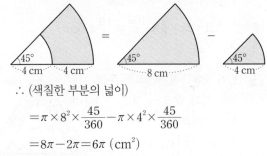

$\therefore$ (색칠한 부분의 넓이)
$=\pi\times8^2\times\dfrac{45}{360}-\pi\times4^2\times\dfrac{45}{360}$
$=8\pi-2\pi=6\pi\ (cm^2)$
(2) 색칠한 부분의 넓이는 다음 그림과 같이 구할 수 있다.

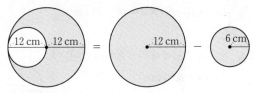

$\therefore$ (색칠한 부분의 넓이)$=\pi\times12^2-\pi\times6^2$
$=144\pi-36\pi=108\pi\ (cm^2)$

12 (색칠한 부분의 둘레의 길이)
$=\overset{\frown}{AB'}+\overset{\frown}{BB'}+\overset{\frown}{AB}$
$=2\pi\times6\times\dfrac{1}{2}+2\pi\times12\times\dfrac{30}{360}+2\pi\times6\times\dfrac{1}{2}$
$=6\pi+2\pi+6\pi$
$=14\pi\ (cm)$

13 색칠한 부분의 넓이는 다음 그림과 같이 구할 수 있다.

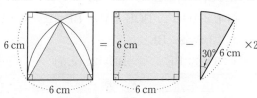

$\therefore$ (색칠한 부분의 넓이)$=6\times6-\left(\pi\times6^2\times\dfrac{30}{360}\right)\times2$
$=36-6\pi\ (cm^2)$

14 다음 그림에서

($\overline{O'A}$를 반지름으로 하는 반원의 넓이)$=㉠+㉡$

(부채꼴 BOC의 넓이)$=㉡+㉢$

이때 $㉠=㉢$이므로

($\overline{O'A}$를 반지름으로 하는 반원의 넓이)

$=$(부채꼴 BOC의 넓이)

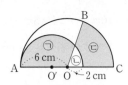

$\angle BOC=x^\circ$라 하면

$\pi \times 4^2 \times \dfrac{180}{360} = \pi \times 6^2 \times \dfrac{x}{360}$

$8\pi = \dfrac{x}{10}\pi$ $\quad \therefore x=80$

즉 $\angle BOC=80^\circ$이므로

$\angle AOB=180^\circ-80^\circ=100^\circ$

$\therefore \overset{\frown}{AB} = 2\pi \times 6 \times \dfrac{100}{360} = \dfrac{10}{3}\pi \text{ (cm)}$

15 원이 지나간 자리는 오른쪽 그림과 같고 ㉠, ㉡, ㉢의 넓이의 합은

$\pi \times 2^2 = 4\pi \text{ (cm}^2)$

따라서 구하는 넓이는

$4\pi + (10 \times 2) \times 3 = 4\pi + 60 \text{ (cm}^2)$

16 오른쪽 그림에서 곡선 부분의 길이는

$2\pi \times 4 = 8\pi \text{ (cm)}$

직선 부분의 길이는

$4 \times 8 = 32 \text{ (cm)}$

따라서 구하는 끈의 최소 길이는

$(8\pi+32) \text{ cm}$

17 △COD에서 $\overline{DC}=\overline{DO}$ 이므로 $\angle C=x^\circ$라 하면

$\angle COD = \angle C = x^\circ$

$\therefore \angle ODE = x^\circ + x^\circ = 2x^\circ$ ……㉮

△DOE에서 $\overline{OD}=\overline{OE}$이므로

$\angle OED = \angle ODE = 2x^\circ$

△COE에서 $\angle BOE = x^\circ + 2x^\circ = 3x^\circ$ ……㉯

이때 $\angle AOD : \angle BOE = \overset{\frown}{AD} : \overset{\frown}{BE}$이므로

$x^\circ : 3x^\circ = 8 : \overset{\frown}{BE}$

$1 : 3 = 8 : \overset{\frown}{BE}$ $\quad \therefore \overset{\frown}{BE}=24 \text{ (cm)}$ ……㉰

채점 기준	비율
㉮ $\angle C=x^\circ$라 하고 $\angle ODE$를 x°를 사용하여 나타낸 경우	30 %
㉯ 보조선 $\overline{OE}$를 긋고 $\angle BOE$를 x°를 사용하여 나타낸 경우	40 %
㉰ $\overset{\frown}{BE}$의 길이를 구한 경우	30 %

18 △DEO에서 $\angle ODE = \angle DEO = \angle EOD = 60^\circ$이므로

$\angle AOB = \angle BDC = \angle CEO$

$\quad = 180^\circ - 60^\circ = 120^\circ$ ……㉮

$l = 2\pi \times 9 \times \dfrac{120}{360} + 2\pi \times 6 \times \dfrac{120}{360} + 2\pi \times 3 \times \dfrac{120}{360}$

$\quad = 6\pi + 4\pi + 2\pi = 12\pi \text{ (cm)}$ ……㉯

$S = \pi \times 9^2 \times \dfrac{120}{360} + \pi \times 6^2 \times \dfrac{120}{360} + \pi \times 3^2 \times \dfrac{120}{360}$

$\quad = 27\pi + 12\pi + 3\pi = 42\pi \text{ (cm}^2)$ ……㉰

채점 기준	비율
㉮ $\angle AOB$, $\angle BDC$, $\angle CEO$의 크기를 구한 경우	20 %
㉯ l의 값을 구한 경우	40 %
㉰ S의 값을 구한 경우	40 %

19 (1) 정육각형의 한 내각의 크기는

$\dfrac{180^\circ \times (6-2)}{6} = 120^\circ$이므로 색칠한 부채꼴의 중심각의 크기는 120°이다. ……㉮

(2) $2\pi \times 6 \times \dfrac{120}{360} + 6 + 6 = 4\pi + 12 \text{ (cm)}$ ……㉯

(3) $\pi \times 6^2 \times \dfrac{120}{360} = 12\pi \text{ (cm}^2)$ ……㉰

채점 기준	비율
㉮ 색칠한 부채꼴의 중심각의 크기를 구한 경우	20 %
㉯ 색칠한 부채꼴의 둘레의 길이를 구한 경우	40 %
㉰ 색칠한 부채꼴의 넓이를 구한 경우	40 %

창의력·융합형·서술형·코딩 　　　　　　본문 77쪽

1 32°	**2** 진호	**3** 40000 km

1 $\overset{\frown}{AB} : \overset{\frown}{BC} : \overset{\frown}{CD} = 13 : 8 : 4$이므로

$\angle BOC = 100^\circ \times \dfrac{8}{13+8+4} = 32^\circ$

2 (연희의 조각 피자의 넓이)$= \pi \times 16^2 \times \dfrac{45}{360}$

$\quad = 32\pi \text{ (cm}^2)$

(진호의 조각 피자의 넓이)$= \pi \times 18^2 \times \dfrac{40}{360}$

$\quad = 36\pi \text{ (cm}^2)$

따라서 진호의 조각 피자의 양이 더 많다.

3 지구의 둘레의 길이를 x km라 하면

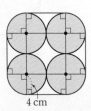

$7.2^\circ : 360^\circ = 800 : x$

$1 : 50 = 800 : x$

$\therefore x = 40000$

따라서 지구의 둘레의 길이는 40000 km이다.

10 다면체와 회전체

STEP 1 교과서 개념 확인 테스트

본문 81~82쪽

1-1 (1) 육면체

　　모서리의 개수 : 10, 꼭짓점의 개수 : 6

　(2) 칠면체

　　모서리의 개수 : 15, 꼭짓점의 개수 : 10

1-2 ① 7　② 10　③ 12　④ 9　⑤ 6

2-1 ⓒ　　　　　　　**2-2** 풀이 참조

3-1 풀이 참조

3-2 (1) 정사면체, 정팔면체, 정이십면체

　(2) 정사면체, 정육면체, 정십이면체

4-1 (1) 풀이 참조　(2) 풀이 참조

4-2 ㉠, ㉡, ㉣

5-1 ④　　　　　　　**5-2** ③

6-1 ④

6-2 (1) 풀이 참조　(2) 풀이 참조

2-1　㉠의 각 면은 모두 정삼각형,

㉡의 각 면은 정삼각형과 정사각형,

ⓒ의 각 면은 모두 정사각형

이므로 조건 ⑺를 만족하는 도형은 ㉠과 ⓒ이다.

㉠, ㉡, ⓒ의 각 꼭짓점에 모인 면의 개수는 다음과 같다.

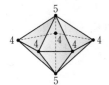 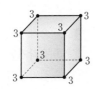

즉 조건 ⑷를 만족하는 도형은 ㉡, ⓒ이다.

따라서 조건을 모두 만족하는 도형은 ⓒ이다.

2-2　주어진 도형의 각 꼭짓점에 모인
면의 개수는 오른쪽 그림과 같다.

따라서 각 꼭짓점에 모인 면의 개수가 같
지 않으므로 주어진 도형은 정다면체가
아니다.

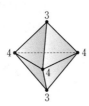

3-1

	면의 개수	면의 모양	한 꼭짓점에 모인 면의 개수
정사면체	4	정삼각형	3
정육면체	6	정사각형	3
정팔면체	8	정삼각형	4
정십이면체	12	정오각형	3
정이십면체	20	정삼각형	5

4-1 (1) 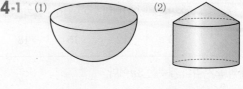 (2)

5-1 ① ② 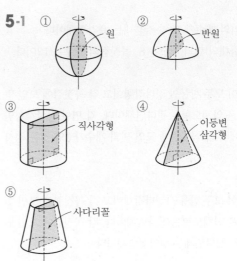 ③ ④ ⑤

따라서 옳지 않은 것은 ④이다.

5-2　③ 오른쪽 그림과 같이 원기둥을 회전축에
수직인 평면으로 자를 때 생기는 단면은 같은
크기의 원뿐이다.

따라서 회전축에 수직인 평면으로 자른 단면의 모
양이 항상 합동이 되는 것은 ③이다.

6-2　(1)　　(2)

STEP 2 기출 기초 테스트

본문 83~84쪽

1-1 ㉠, ㉡　　　　　　**1-2** ③

2-1 (1) 풀이 참조　(2) $3n$

2-2 면의 개수 : 8, 꼭짓점의 개수 : 12

3-1 정사면체　　　　　**3-2** 정이십면체

4-1 ④　　　　　　　　**4-2** ④

5-1 ㉠, ㉡, ⓒ　　　　　**5-2** (1) ㉡ (2) ㉠

6-1 32π cm²　　　　　**6-2** 6 cm²

1-1 ㉠ 오각뿔 ― 육면체　㉡ 사각뿔대 ― 육면체

ⓒ 오각기둥 ― 칠면체　㉣ 삼각뿔대 ― 오면체

1-2 ③ 삼각뿔대 ― 사다리꼴

2-1 (1)

	삼각뿔대	사각뿔대	오각뿔대	육각뿔대
모서리의 개수	9	12	15	18

(2) n각뿔대의 모서리의 개수는 $3n$이다.

2-2 모서리의 개수가 18인 각뿔대는 육각뿔대이다.
따라서 육각뿔대의 면의 개수는 8, 꼭짓점의 개수는 12이다.

3-1 각 면이 모두 합동인 정다각형이고 각 꼭짓점에 모인 면의 개수가 같은 입체도형은 정다면체이다. 각 면이 정삼각형인 정다면체 중에서 각 꼭짓점에 모인 면의 개수가 3인 것은 정사면체이다.

3-2 각 면이 모두 합동인 정다각형이고 각 꼭짓점에 모인 면의 개수가 같은 입체도형은 정다면체이다. 각 꼭짓점에 모인 면의 개수가 5인 정다면체는 정이십면체이다.

4-1 ④

4-2

5-1 회전체를 회전축을 포함하는 평면으로 자른 단면은 선대칭도형이므로 주어진 보기 중에서 선대칭도형인 것을 찾으면 ㉠, ㉡, ㉢이다.

6-1 주어진 직사각형을 직선 l을 축으로 하여 1회전 시킬 때 생기는 회전체를 회전축에 수직인 평면으로 자른 단면은 오른쪽 그림과 같다.

따라서 단면의 넓이는
$\pi \times 6^2 - \pi \times 2^2 = 36\pi - 4\pi$
$\qquad = 32\pi \ (\text{cm}^2)$

6-2 주어진 직각삼각형을 직선 l을 축으로 하여 1회전 시킬 때 생기는 회전체를 회전축을 포함하는 평면으로 자른 단면은 밑변의 길이가 4 cm, 높이가 3 cm인 이등변삼각형이다.
따라서 단면의 넓이는
$\frac{1}{2} \times 4 \times 3 = 6 \ (\text{cm}^2)$

---

01 ④	02 ②	03 ④	04 ②
05 ②	06 14	07 오각뿔대	08 ③
09 ⑤	10 ②	11 ①	12 ④
13 ④	14 변 AB	15 5π cm	16 육각뿔
17 칠각뿔대	18 (1) $36\pi \text{ cm}^2$ (2) 108 cm^2		

01 ① 오각기둥 − 다면체 ② 오각뿔 − 다면체
③ 육면체 − 다면체 ④ 원뿔대 − 회전체
⑤ 삼각뿔대 − 다면체
따라서 다면체가 아닌 것은 ④이다.

02 ① 사각뿔의 면의 개수 : 5
 사각기둥의 면의 개수 : 6
② 삼각뿔대의 면의 개수 : 5
 사각뿔의 면의 개수 : 5
③ 오각뿔의 면의 개수 : 6
 오각기둥의 면의 개수 : 7
④ 삼각뿔의 면의 개수 : 4
 사각뿔의 면의 개수 : 5
⑤ 정팔면체의 면의 개수 : 8
 팔각뿔대의 면의 개수 : 10
따라서 면의 개수가 같은 것끼리 나열한 것은 ②이다.

03 ① 오각기둥 − 직사각형 ② 사면체 − 삼각형
③ 육각기둥 − 직사각형 ④ 사각뿔 − 삼각형
⑤ 삼각뿔대 − 사다리꼴
따라서 다면체와 그 옆면을 이루는 다각형이 바르게 짝지어진 것은 ④이다.

04 ① 사각뿔의 면의 개수는 5이다.
③ 삼각기둥의 밑면은 삼각형이고, 옆면은 직사각형이다.
④ 정십이면체는 모든 면이 정오각형이다.
⑤ 사각뿔대의 모서리의 개수는 12이다.
따라서 옳은 것은 ②이다.

05 구하는 각기둥을 n각기둥이라 하면 꼭짓점의 개수가 $2n$이므로 $2n = 14$ $\therefore n = 7$
따라서 구하는 각기둥은 칠각기둥이다.
칠각기둥의 모서리의 개수는 21이므로 $x = 21$
칠각기둥의 면의 개수는 9이므로 $y = 9$
$\therefore x - y = 21 - 9 = 12$

06 구하는 각뿔을 n각뿔이라 하면 모서리의 개수가 $2n$이므로 $2n = 12$ $\therefore n = 6$

따라서 구하는 각뿔은 육각뿔이다.
육각뿔의 면의 개수는 7이므로 $x=7$
육각뿔의 꼭짓점의 개수는 7이므로 $y=7$
$\therefore x+y=7+7=14$

07 조건 (가), (다)를 만족하는 다면체는 각뿔대이다.
이때 구하는 각뿔대를 n각뿔대라 하면 조건 (나)에서 면의
개수가 7이므로
$n+2=7$ $\therefore n=5$
따라서 구하는 다면체는 오각뿔대이다.

08 ① 정다면체는 모두 5가지이다.
② 정팔면체의 모서리의 개수는 12이다.
④ 면의 모양이 정오각형인 정다면체는 정십이면체이다.
⑤ 면의 모양이 정삼각형인 정다면체는 정사면체, 정팔
면체, 정이십면체이다.
따라서 옳은 것은 ③이다.

09 주어진 전개도로 정다면체를 만들면 정팔면체이다.
정팔면체의 꼭짓점의 개수는 6, 모서리의 개수는 12이므
로 구하는 합은
$6+12=18$

10 조건 (가)를 만족하는 정다면체는 정육면체, 정팔면체이
다. 이 중에서 조건 (나)를 만족하는 것은 정육면체이다.
따라서 구하는 정다면체는 정육면체이다.

11 ① 원뿔대를 회전축을 포함하는 평면으로 자를 때 생기는
단면의 모양은 사다리꼴이다.

12 ④ 회전체를 회전축에 수직인 평면으로 잘라서 생긴 단면
은 항상 원이지만 그 크기는 다르다.

13

14 원뿔대는 두 밑면이 평행하므로 변 AB를 회전축으로 하
여 1회전 시켜야 한다.

15 회전축에 수직인 평면으로 자를 때 생기는 단면은 반지름
의 길이가 10 cm인 원이므로 그 넓이는
$\pi \times 10^2 = 100\pi$ (cm^2)

회전축을 포함하는 평면으로 자를 때 생기는 단면은 가로
의 길이가 20 cm인 직사각형이므로 원기둥의 높이를
h cm라 하면 그 넓이는
$20 \times h = 20h$ (cm^2)
이때 두 단면의 넓이가 같으므로
$20h=100\pi$ $\therefore h=5\pi$
따라서 원기둥의 높이는 5π cm이다.

16 조건 (가), (다)를 만족하는 다면체는 각뿔이다.   ······ 가
이때 구하는 각뿔을 n각뿔이라 하면 조건 (나)에서 면의 개
수가 7이므로
$n+1=7$ $\therefore n=6$ ······ 나
따라서 구하는 다면체는 육각뿔이다.   ······ 다

채점 기준	비율
가 조건 (가), (다)를 만족하는 다면체가 각뿔인 것을 말한 경우	40 %
나 구하는 각뿔을 n각뿔로 놓고 조건 (나)를 이용하여 n의 값을 구한 경우	40 %
다 구하는 다면체를 말한 경우	20 %

17 구하는 각뿔대를 n각뿔대라 하면 n각뿔대의 면의 개수
는 $n+2$, 꼭짓점의 개수는 $2n$, 모서리의 개수는 $3n$이
다.   ······ 가
이때 각뿔대의 면의 개수, 꼭짓점의 개수, 모서리의 개수
를 모두 합하면 44이므로
$(n+2)+2n+3n=6n+2=44$ ······ 나
$6n=42$ $\therefore n=7$
따라서 구하는 각뿔대는 칠각뿔대이다.   ······ 다

채점 기준	비율
가 구하는 각뿔대를 n각뿔대로 놓고 n각뿔대의 면의 개수, 꼭짓점의 개수, 모서리의 개수를 n을 사용한 식으로 각각 나타낸 경우	50 %
나 주어진 조건을 이용하여 식을 세운 경우	30 %
다 구하는 각뿔대를 말한 경우	20 %

18 (1) 회전체를 회전축에 수직인 평면으
로 자를 때 생기는 단면은 오른쪽 그
림과 같이 원이므로 그 넓이는
$\pi \times 6^2 = 36\pi$ (cm^2)   ······ 가

(2) 회전체를 회전축을 포함하는
평면으로 자를 때 생기는 단면
은 오른쪽 그림과 같이 직사각
형이므로 그 넓이는
$12 \times 9 = 108$ (cm^2)   ······ 나

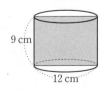

채점 기준	비율
가 회전축에 수직인 평면으로 자를 때 생기는 단면의 넓이를 구한 경우	50 %
나 회전축을 포함하는 평면으로 자를 때 생기는 단면의 넓이를 구한 경우	50 %

11 기둥의 겉넓이와 부피

본문 89쪽

STEP 1 교과서 개념 확인 테스트

1-1 (1) 26 cm² (2) 154 cm² (3) 206 cm²

1-2 (1) 84 cm² (2) 94 cm²

2-1 (1) 16π cm² (2) 80π cm² (3) 112π cm²

2-2 (1) 90π cm² (2) 8π cm²

3-1 (1) 21 cm² (2) 126 cm³

3-2 (1) 144π cm³ (2) 300 cm³

1-1 (1) (밑넓이)$=\dfrac{1}{2}\times(5+8)\times4=26\,(\text{cm}^2)$

(2) (옆넓이)$=(5+5+8+4)\times7=154\,(\text{cm}^2)$

(3) (겉넓이)$=26\times2+154=206\,(\text{cm}^2)$

1-2 (1) (밑넓이)$=\dfrac{1}{2}\times4\times3=6\,(\text{cm}^2)$

(옆넓이)$=(5+4+3)\times6=72\,(\text{cm}^2)$

∴ (겉넓이)$=6\times2+72=84\,(\text{cm}^2)$

(2) (밑넓이)$=3\times4=12\,(\text{cm}^2)$

(옆넓이)$=(4+3+4+3)\times5=70\,(\text{cm}^2)$

∴ (겉넓이)$=12\times2+70=94\,(\text{cm}^2)$

2-1 (1) (밑넓이)$=\pi\times4^2=16\pi\,(\text{cm}^2)$

(2) (옆넓이)$=(2\pi\times4)\times10=80\pi\,(\text{cm}^2)$

(3) (겉넓이)$=16\pi\times2+80\pi=112\pi\,(\text{cm}^2)$

2-2 (1) (밑넓이)$=\pi\times5^2=25\pi\,(\text{cm}^2)$

(옆넓이)$=(2\pi\times5)\times4=40\pi\,(\text{cm}^2)$

∴ (겉넓이)$=25\pi\times2+40\pi=90\pi\,(\text{cm}^2)$

(2) (밑넓이)$=\pi\times1^2=\pi\,(\text{cm}^2)$

(옆넓이)$=(2\pi\times1)\times3=6\pi\,(\text{cm}^2)$

∴ (겉넓이)$=\pi\times2+6\pi=8\pi\,(\text{cm}^2)$

3-1 (1) (밑넓이)$=\dfrac{1}{2}\times(5+9)\times3=21\,(\text{cm}^2)$

(2) (부피)$=21\times6=126\,(\text{cm}^3)$

3-2 (1) (밑넓이)$=\pi\times4^2=16\pi\,(\text{cm}^2)$

∴ (부피)$=16\pi\times9=144\pi\,(\text{cm}^3)$

(2) (밑넓이)$=\dfrac{1}{2}\times12\times5=30\,(\text{cm}^2)$

∴ (부피)$=30\times10=300\,(\text{cm}^3)$

STEP 2 기출 기초 테스트

본문 90쪽

1-1 겉넓이 : 156 cm², 부피 : 108 cm³

1-2 $(144\pi+120)$ cm²

2-1 겉넓이 : 920 cm², 부피 : 1200 cm³

2-2 겉넓이 : 48π cm², 부피 : 45π cm³

3-1 $(1000-40\pi)$ cm³

3-2 200π cm³

1-1 (밑넓이)$=6\times4-3\times2=18\,(\text{cm}^2)$

(옆넓이)$=(4+4+3+2+1+6)\times6=120\,(\text{cm}^2)$

따라서 구하는 겉넓이와 부피는

(겉넓이)$=18\times2+120=156\,(\text{cm}^2)$

(부피)$=$(큰 사각기둥의 부피)$-$(작은 사각기둥의 부피)

$=(4\times6)\times6-(3\times2)\times6$

$=144-36=108\,(\text{cm}^3)$

1-2 (밑넓이)$=\pi\times6^2\times\dfrac{270}{360}=27\pi\,(\text{cm}^2)$

(옆넓이)$=\left(2\pi\times6\times\dfrac{270}{360}\right)\times10+2\times(6\times10)$

$=90\pi+120\,(\text{cm}^2)$

∴ (겉넓이)$=27\pi\times2+90\pi+120$

$=144\pi+120\,(\text{cm}^2)$

2-1 (밑넓이)$=\dfrac{1}{2}\times15\times8=60\,(\text{cm}^2)$

(옆넓이)$=(8+15+17)\times20=800\,(\text{cm}^2)$

따라서 구하는 겉넓이와 부피는

(겉넓이)$=60\times2+800=920\,(\text{cm}^2)$

(부피)$=60\times20=1200\,(\text{cm}^3)$

2-2 밑면인 원의 반지름의 길이를 r cm라 하면

$2\pi r=6\pi$ ∴ $r=3$

따라서 구하는 겉넓이와 부피는

(겉넓이)$=(\pi\times3^2)\times2+6\pi\times5$

$=18\pi+30\pi=48\pi\,(\text{cm}^2)$

(부피)$=(\pi\times3^2)\times5=45\pi\,(\text{cm}^3)$

3-1 (부피)$=$(정육면체의 부피)$-$(원기둥의 부피)

$=(10\times10)\times10-(\pi\times2^2)\times10$

$=1000-40\pi\,(\text{cm}^3)$

3-2 (부피)$=$(큰 원기둥의 부피)$-$(작은 원기둥의 부피)

$=(\pi\times6^2)\times10-(\pi\times4^2)\times10$

$=360\pi-160\pi=200\pi\,(\text{cm}^3)$

01 $120\,\text{cm}^2$ **02** $236\,\text{cm}^2$ **03** $\dfrac{175}{2}\,\text{cm}^3$

04 겉넓이 : $(33\pi+48)\,\text{cm}^2$, 부피 : $36\pi\,\text{cm}^3$

05 $224\,\text{m}^3$ **06** $3\,\text{cm}$ **07** $120\,\text{cm}^3$ **08** $38\,\text{cm}^2$

09 $900\,\text{cm}^3$ **10** $256\pi\,\text{cm}^3$ **11** $242\pi\,\text{cm}^2$

12 겉넓이 : $156\pi\,\text{cm}^2$, 부피 : $252\pi\,\text{cm}^3$ **13** 18

---

01 (밑넓이)$=6\times6=36\,(\text{cm}^2)$
겉넓이가 $192\,\text{cm}^2$이므로
$36\times2+$(옆넓이)$=192$
$\therefore$ (옆넓이)$=192-72=120\,(\text{cm}^2)$

02 (밑넓이)$=\dfrac{1}{2}\times(8+4)\times3=18\,(\text{cm}^2)$
(옆넓이)$=(3+4+5+8)\times10=200\,(\text{cm}^2)$
$\therefore$ (겉넓이)$=18\times2+200=236\,(\text{cm}^2)$

03 (밑넓이)$=\dfrac{1}{2}\times5\times2+\dfrac{1}{2}\times5\times3=\dfrac{25}{2}\,(\text{cm}^2)$
$\therefore$ (부피)$=\dfrac{25}{2}\times7=\dfrac{175}{2}\,(\text{cm}^3)$

04 (밑넓이)$=\pi\times3^2\times\dfrac{1}{2}=\dfrac{9}{2}\pi\,(\text{cm}^2)$
(옆넓이)$=\left(2\pi\times3\times\dfrac{1}{2}+6\right)\times8$
$\qquad\quad=(3\pi+6)\times8$
$\qquad\quad=24\pi+48\,(\text{cm}^2)$
따라서 구하는 겉넓이와 부피는
(겉넓이)$=\dfrac{9}{2}\pi\times2+(24\pi+48)$
$\qquad\quad=9\pi+24\pi+48$
$\qquad\quad=33\pi+48\,(\text{cm}^2)$
(부피)$=\dfrac{9}{2}\pi\times8=36\pi\,(\text{cm}^3)$

05 (밑넓이)$=2\times\left\{\dfrac{1}{2}\times(5+2)\times4\right\}=28\,(\text{m}^2)$
$\therefore$ (부피)$=28\times8=224\,(\text{m}^3)$

06 각기둥의 높이를 $h\,\text{cm}$라 하면
(밑넓이)$=\dfrac{1}{2}\times4\times7=14\,(\text{cm}^2)$
부피가 $42\,\text{cm}^3$이므로
$14\times h=42$ $\therefore h=3$
따라서 각기둥의 높이는 $3\,\text{cm}$이다.

07 (밑넓이)$=4\times5=20\,(\text{cm}^2)$
$\therefore$ (부피)$=20\times6=120\,(\text{cm}^3)$

08 (밑넓이)$=6\times4=24\,(\text{cm}^2)$
(옆넓이)$=(6+4+6+4)\times9=180\,(\text{cm}^2)$이므로
(직육면체의 겉넓이)$=24\times2+180=228\,(\text{cm}^2)$
따라서 구하는 정육면체의 한 면의 넓이는
$228\div6=38\,(\text{cm}^2)$

09 (부피)$=$(정육면체의 부피)$-$(직육면체의 부피)
$\qquad\quad=(10\times10)\times10-(2\times5)\times10$
$\qquad\quad=1000-100$
$\qquad\quad=900\,(\text{cm}^3)$

10 주어진 직사각형을 직선 l을 축으로 하여 1회전 시킬 때 생기는 회전체는 오른쪽 그림과 같다.

$\therefore$ (부피)$=$(큰 원기둥의 부피)
$\qquad\qquad\quad-$(작은 원기둥의 부피)
$\qquad\quad=(\pi\times6^2)\times8-(\pi\times2^2)\times8$
$\qquad\quad=288\pi-32\pi$
$\qquad\quad=256\pi\,(\text{cm}^3)$

11 (밑넓이)$=\pi\times7^2-\pi\times4^2$
$\qquad\quad=49\pi-16\pi=33\pi\,(\text{cm}^2)$ ······ ㉮
(옆넓이)$=(2\pi\times7)\times8+(2\pi\times4)\times8$
$\qquad\quad=112\pi+64\pi$
$\qquad\quad=176\pi\,(\text{cm}^2)$ ······ ㉯
$\therefore$ (겉넓이)$=33\pi\times2+176\pi$
$\qquad\qquad\quad=66\pi+176\pi$
$\qquad\qquad\quad=242\pi\,(\text{cm}^2)$ ······ ㉰

채점 기준	비율
㉮ 입체도형의 밑넓이를 구한 경우	30 %
㉯ 입체도형의 옆넓이를 구한 경우	40 %
㉰ 입체도형의 겉넓이를 구한 경우	30 %

12 밑면인 원의 반지름의 길이를 $r\,\text{cm}$라 하면
$2\pi r=12\pi$ $\therefore r=6$ ······ ㉮
따라서 구하는 겉넓이와 부피는
(겉넓이)$=(\pi\times6^2)\times2+12\pi\times7$
$\qquad\quad=72\pi+84\pi$
$\qquad\quad=156\pi\,(\text{cm}^2)$ ······ ㉯
(부피)$=(\pi\times6^2)\times7=252\pi\,(\text{cm}^3)$ ······ ㉰

채점 기준	비율
㉮ 밑면인 원의 반지름의 길이를 구한 경우	40 %
㉯ 원기둥의 겉넓이를 구한 경우	30 %
㉰ 원기둥의 부피를 구한 경우	30 %

13 (원기둥 A의 부피)$=(\pi \times 6^2) \times 8$

$\qquad\qquad\qquad\qquad =288\pi \,(\text{cm}^3)$ ...... ㉮

(원기둥 B의 부피)$=(\pi \times 4^2) \times h$

$\qquad\qquad\qquad\qquad =16\pi h \,(\text{cm}^3)$ ...... ㉯

두 원기둥 A, B의 부피가 같으므로

$16\pi h = 288\pi$ $\qquad \therefore h=18$ ...... ㉰

채점 기준	비율
㉮ 원기둥 A의 부피를 구한 경우	30 %
㉯ 원기둥 B의 부피를 구한 경우	30 %
㉰ h의 값을 구한 경우	40 %

창의력·융합형·서술형·코딩

본문 93쪽

1 (1) $90\pi \,\text{cm}^3$ (2) $45\pi \,\text{cm}^3$ (3) $135\pi \,\text{cm}^3$

2 $12 \,\text{cm}$

3 $4500 \,\text{m}^3$

1 (1) 병에 들어 있는 물의 부피는

$(\pi \times 3^2) \times 10 = 90\pi \,(\text{cm}^3)$

(2) 비어 있는 부분의 부피는

$(\pi \times 3^2) \times 5 = 45\pi \,(\text{cm}^3)$

(3) 병의 부피는 병에 들어 있는 물의 부피와 비어 있는 부분의 부피의 합이므로

(병의 부피)$= 90\pi + 45\pi = 135\pi \,(\text{cm}^3)$

2 칸막이의 왼쪽 부분에 들어 있는 물의 부피는

$30 \times 15 \times 8 = 3600 \,(\text{cm}^3)$

칸막이의 오른쪽 부분에 들어 있는 물의 부피는

$20 \times 15 \times 18 = 5400 \,(\text{cm}^3)$

따라서 물의 부피는

$3600 + 5400 = 9000 \,(\text{cm}^3)$

이때 어항의 밑넓이는 $(30+20) \times 15 = 750 \,(\text{cm}^2)$이므로 칸막이를 치웠을 때 물의 높이는

$9000 \div 750 = 12 \,(\text{cm})$

3 10분 동안 흐른 물의 양은 밑면이 주어진 그림과 같은 사다리꼴이고 높이가 $10 \times 10 = 100 \,(\text{m})$인 사각기둥의 부피와 같다.

따라서 구하는 물의 양은

$\left\{ \dfrac{1}{2} \times (8+7) \times 6 \right\} \times 100 = 4500 \,(\text{m}^3)$

---

12 뿔과 구의 겉넓이와 부피

STEP 1 교과서 개념 확인 테스트

본문 96쪽

1-1 (1) $33\pi \,\text{cm}^2$ (2) $224 \,\text{cm}^2$

1-2 (1) $64 \,\text{cm}^2$ (2) $36\pi \,\text{cm}^2$

2-1 (1) $378 \,\text{cm}^3$ (2) $144\pi \,\text{cm}^3$

2-2 (1) $30 \,\text{cm}^3$ (2) $48\pi \,\text{cm}^3$

3-1 (1) 겉넓이 : $324\pi \,\text{cm}^2$, 부피 : $972\pi \,\text{cm}^3$

(2) 겉넓이 : $27\pi \,\text{cm}^2$, 부피 : $18\pi \,\text{cm}^3$

3-2 (1) 겉넓이 : $144\pi \,\text{cm}^2$, 부피 : $288\pi \,\text{cm}^3$

(2) 겉넓이 : $108\pi \,\text{cm}^2$, 부피 : $144\pi \,\text{cm}^3$

1-1 (1) (밑넓이)$=\pi \times 3^2 = 9\pi \,(\text{cm}^2)$

(옆넓이)$=\pi \times 3 \times 8 = 24\pi \,(\text{cm}^2)$

$\therefore$ (겉넓이)$= 9\pi + 24\pi = 33\pi \,(\text{cm}^2)$

(2) (밑넓이)$= 8 \times 8 = 64 \,(\text{cm}^2)$

(옆넓이)$=\left(\dfrac{1}{2} \times 8 \times 10 \right) \times 4 = 160 \,(\text{cm}^2)$

$\therefore$ (겉넓이)$= 64 + 160 = 224 \,(\text{cm}^2)$

1-2 (1) (밑넓이)$= 4 \times 4 = 16 \,(\text{cm}^2)$

(옆넓이)$=\left(\dfrac{1}{2} \times 4 \times 6 \right) \times 4 = 48 \,(\text{cm}^2)$

$\therefore$ (겉넓이)$= 16 + 48 = 64 \,(\text{cm}^2)$

(2) (밑넓이)$=\pi \times 3^2 = 9\pi \,(\text{cm}^2)$

(옆넓이)$=\pi \times 3 \times 9 = 27\pi \,(\text{cm}^2)$

$\therefore$ (겉넓이)$= 9\pi + 27\pi = 36\pi \,(\text{cm}^2)$

2-1 (1) (밑넓이)$= 9 \times 9 = 81 \,(\text{cm}^2)$

$\therefore$ (부피)$= \dfrac{1}{3} \times 81 \times 14 = 378 \,(\text{cm}^3)$

(2) (밑넓이)$=\pi \times 6^2 = 36\pi \,(\text{cm}^2)$

$\therefore$ (부피)$= \dfrac{1}{3} \times 36\pi \times 12 = 144\pi \,(\text{cm}^3)$

2-2 (1) (밑넓이)$= \dfrac{1}{2} \times 5 \times 6 = 15 \,(\text{cm}^2)$

$\therefore$ (부피)$= \dfrac{1}{3} \times 15 \times 6 = 30 \,(\text{cm}^3)$

(2) (밑넓이)$=\pi \times 4^2 = 16\pi \,(\text{cm}^2)$

$\therefore$ (부피)$= \dfrac{1}{3} \times 16\pi \times 9 = 48\pi \,(\text{cm}^3)$

3-1 (1) (겉넓이)$= 4\pi \times 9^2 = 324\pi \,(\text{cm}^2)$

(부피)$= \dfrac{4}{3}\pi \times 9^3 = 972\pi \,(\text{cm}^3)$

(2) (겉넓이)$=(4\pi\times3^2)\times\dfrac{1}{2}+\pi\times3^2$

$\qquad\qquad=18\pi+9\pi=27\pi\,(\mathrm{cm}^2)$

(부피)$=\left(\dfrac{4}{3}\pi\times3^3\right)\times\dfrac{1}{2}=18\pi\,(\mathrm{cm}^3)$

3-2 (1) (겉넓이)$=4\pi\times6^2=144\pi\,(\mathrm{cm}^2)$

$\qquad$(부피)$=\dfrac{4}{3}\pi\times6^3=288\pi\,(\mathrm{cm}^3)$

(2) (겉넓이)$=(4\pi\times6^2)\times\dfrac{1}{2}+\pi\times6^2$

$\qquad\qquad=72\pi+36\pi=108\pi\,(\mathrm{cm}^2)$

(부피)$=\left(\dfrac{4}{3}\pi\times6^3\right)\times\dfrac{1}{2}=144\pi\,(\mathrm{cm}^3)$

3-1 (밑넓이)$=\pi\times3^2+\pi\times6^2$

$\qquad\qquad=9\pi+36\pi=45\pi\,(\mathrm{cm}^2)$

(옆넓이)$=\pi\times6\times16-\pi\times3\times8$

$\qquad\qquad=96\pi-24\pi=72\pi\,(\mathrm{cm}^2)$

$\therefore$ (겉넓이)$=45\pi+72\pi=117\pi\,(\mathrm{cm}^2)$

3-2 (밑넓이)$=4\times4+8\times8$

$\qquad\qquad=16+64=80\,(\mathrm{cm}^2)$

(옆넓이)$=\left\{\dfrac{1}{2}\times(4+8)\times3\right\}\times4=72\,(\mathrm{cm}^2)$

$\therefore$ (겉넓이)$=80+72=152\,(\mathrm{cm}^2)$

4-1 (부피)$=\dfrac{1}{3}\times(\pi\times6^2)\times8-\dfrac{1}{3}\times(\pi\times3^2)\times4$

$\qquad\qquad=96\pi-12\pi=84\pi\,(\mathrm{cm}^3)$

4-2 (부피)$=\dfrac{1}{3}\times(9\times6)\times6-\dfrac{1}{3}\times(3\times2)\times2$

$\qquad\qquad=108-4=104\,(\mathrm{cm}^3)$

5-1 (부피)$=$(구의 부피)$\times\dfrac{3}{4}$

$\qquad\qquad=\left(\dfrac{4}{3}\pi\times8^3\right)\times\dfrac{3}{4}$

$\qquad\qquad=512\pi\,(\mathrm{cm}^3)$

5-2 (겉넓이)$=$(구의 겉넓이)$\times\dfrac{7}{8}+$(사분원의 넓이)$\times3$

$\qquad\qquad=(4\pi\times4^2)\times\dfrac{7}{8}+\left(\pi\times4^2\times\dfrac{1}{4}\right)\times3$

$\qquad\qquad=56\pi+12\pi=68\pi\,(\mathrm{cm}^2)$

| 본문 97~98쪽

STEP 2 기출 기초 테스트

1-1 겉넓이 : $24\pi\,\mathrm{cm}^2$, 부피 : $12\pi\,\mathrm{cm}^3$

1-2 겉넓이 : $96\,\mathrm{cm}^2$, 부피 : $48\,\mathrm{cm}^3$

2-1 $14\pi\,\mathrm{cm}^2$ $\qquad$ **2-2** $45\pi\,\mathrm{cm}^2$

3-1 $117\pi\,\mathrm{cm}^2$ $\qquad$ **3-2** $152\,\mathrm{cm}^2$

4-1 $84\pi\,\mathrm{cm}^3$ $\qquad$ **4-2** $104\,\mathrm{cm}^3$

5-1 $512\pi\,\mathrm{cm}^3$ $\qquad$ **5-2** $68\pi\,\mathrm{cm}^2$

6-1 $48\pi\,\mathrm{cm}^2$ $\qquad$ **6-2** $\dfrac{80}{3}\pi\,\mathrm{cm}^3$

1-1 (겉넓이)$=\pi\times3^2+\pi\times3\times5$

$\qquad\qquad=9\pi+15\pi=24\pi\,(\mathrm{cm}^2)$

(부피)$=\dfrac{1}{3}\times(\pi\times3^2)\times4=12\pi\,(\mathrm{cm}^3)$

1-2 (겉넓이)$=6\times6+\left(\dfrac{1}{2}\times6\times5\right)\times4$

$\qquad\qquad=36+60=96\,(\mathrm{cm}^2)$

(부피)$=\dfrac{1}{3}\times36\times4=48\,(\mathrm{cm}^3)$

2-1 (겉넓이)$=\pi\times2^2+\pi\times2\times5$

$\qquad\qquad=4\pi+10\pi=14\pi\,(\mathrm{cm}^2)$

2-2 밑면인 원의 반지름의 길이를 $r\,\mathrm{cm}$라 하면

$2\pi r=2\pi\times12\times\dfrac{1}{4}$ $\qquad\therefore r=3$

$\therefore$ (겉넓이)$=\pi\times3^2+\pi\times3\times12$

$\qquad\qquad=9\pi+36\pi$

$\qquad\qquad=45\pi\,(\mathrm{cm}^2)$

6-1 회전체는 오른쪽 그림과 같다.

(원뿔의 옆넓이)$=\pi\times3\times5$

$\qquad\qquad=15\pi\,(\mathrm{cm}^2)$

(원기둥의 옆넓이)$=(2\pi\times3)\times4$

$\qquad\qquad=24\pi\,(\mathrm{cm}^2)$

(원기둥의 밑넓이)$=\pi\times3^2=9\pi\,(\mathrm{cm}^2)$

$\therefore$ (겉넓이)$=15\pi+24\pi+9\pi=48\pi\,(\mathrm{cm}^2)$

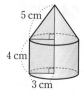

6-2 회전체는 오른쪽 그림과 같다.

$\therefore$ (부피)$=$(원뿔의 부피)$-$(반구의 부피)

$\qquad\qquad=\dfrac{1}{3}\times(\pi\times4^2)\times6$

$\qquad\qquad\qquad-\left(\dfrac{4}{3}\pi\times2^3\right)\times\dfrac{1}{2}$

$\qquad\qquad=32\pi-\dfrac{16}{3}\pi=\dfrac{80}{3}\pi\,(\mathrm{cm}^3)$

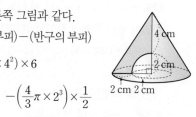

01 $96\pi\,\text{cm}^2$ 02 $64\,\text{cm}^2$ 03 8 04 $144°$

05 $48\pi\,\text{cm}^2$ 06 $12\,\text{cm}$ 07 $180\,\text{cm}^3$

08 겉넓이 : $210\pi\,\text{cm}^2$, 부피 : $312\pi\,\text{cm}^3$ 09 15

10 $1:27$ 11 반지름의 길이 : $9\,\text{cm}$, 부피 : $972\pi\,\text{cm}^3$

12 $\dfrac{320}{3}\pi\,\text{cm}^3$ 13 $\dfrac{640}{3}\pi\,\text{cm}^3$

14 $200\pi\,\text{cm}^2$ 15 $54\pi\,\text{cm}^3$ 16 $2\,\text{cm}$ 17 8개

18 $98\,\text{cm}^2$ 19 $112\pi\,\text{cm}^3$ 20 8 21 5

22 겉넓이 : $300\pi\,\text{cm}^2$, 부피 : $\dfrac{2000}{3}\pi\,\text{cm}^3$

23 $79\pi\,\text{cm}^2$ 24 $50\pi\,\text{cm}^2$

25 (1) 원기둥의 부피 : $54\pi\,\text{cm}^3$

　　 구의 부피 : $36\pi\,\text{cm}^3$

　　 원뿔의 부피 : $18\pi\,\text{cm}^3$

　 (2) $3:2:1$

01 (밑넓이)$=\pi\times 6^2=36\pi\,(\text{cm}^2)$

　 (옆넓이)$=\pi\times 6\times 10=60\pi\,(\text{cm}^2)$

　 $\therefore$ (겉넓이)$=36\pi+60\pi=96\pi\,(\text{cm}^2)$

02 (밑넓이)$=4\times 4=16\,(\text{cm}^2)$

　 (옆넓이)$=\left(\dfrac{1}{2}\times 4\times 6\right)\times 4=48\,(\text{cm}^2)$

　 $\therefore$ (겉넓이)$=16+48=64\,(\text{cm}^2)$

03 $\pi\times 5^2+\pi\times 5\times x=65\pi$이므로

　 $25\pi+5\pi x=65\pi$, $5\pi x=40\pi$

　 $\therefore x=8$

04 옆면인 부채꼴의 중심각의 크기를 $x°$라 하면

　 $2\pi\times 6=2\pi\times 15\times\dfrac{x}{360}$

　 $\therefore x=144$

　 따라서 구하는 중심각의 크기는 $144°$이다.

05 원뿔의 모선의 길이를 $r\,\text{cm}$라 하면 원뿔의 옆넓이는

　 $4\pi r\,\text{cm}^2$이다.

　 반지름의 길이가 $r\,\text{cm}$인 원 O의 둘레의 길이는 원뿔의

　 밑면인 원의 둘레의 길이의 2배이므로

　 $2\pi r=2\times(2\pi\times 4)$

　 $\therefore r=8$

　 즉 원뿔의 옆넓이는 $4\pi\times 8=32\pi\,(\text{cm}^2)$이고 밑넓이는

　 $\pi\times 4^2=16\pi\,(\text{cm}^2)$이므로

　 (겉넓이)$=32\pi+16\pi=48\pi\,(\text{cm}^2)$

06 정사각뿔의 높이를 $h\,\text{cm}$라 하면 정사각뿔의 부피가

　 $400\,\text{cm}^3$이므로

　 $\dfrac{1}{3}\times(10\times 10)\times h=400$

　 $\dfrac{100}{3}h=400$　　$\therefore h=12$

　 따라서 정사각뿔의 높이는 $12\,\text{cm}$이다.

07 주어진 입체도형의 부피는 정육면체의 부피에서 삼각뿔
　 의 부피를 뺀 것과 같으므로

　 $6\times 6\times 6-\dfrac{1}{3}\times\left(\dfrac{1}{2}\times 6\times 6\right)\times 6=180\,(\text{cm}^3)$

08 회전체는 오른쪽 그림과 같다.

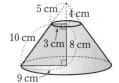

　 (밑넓이)$=\pi\times 3^2+\pi\times 9^2$

　　　　　 $=9\pi+81\pi$

　　　　　 $=90\pi\,(\text{cm}^2)$

　 (옆넓이)$=\pi\times 9\times 15-\pi\times 3\times 5$

　　　　　 $=135\pi-15\pi$

　　　　　 $=120\pi\,(\text{cm}^2)$

　 따라서 구하는 겉넓이와 부피는

　 (겉넓이)$=90\pi+120\pi=210\pi\,(\text{cm}^2)$

　 (부피)$=\dfrac{1}{3}\times 81\pi\times 12-\dfrac{1}{3}\times 9\pi\times 4=312\pi\,(\text{cm}^3)$

09 사각뿔의 부피는 높이가 $5\,\text{cm}$인 사각기둥의 부피와 같
　 으므로

　 $\dfrac{1}{3}\times(9\times 9)\times x=9\times 9\times 5$　　$\therefore x=15$

10 (작은 구의 부피)$=\dfrac{4}{3}\pi\times 3^3=36\pi\,(\text{cm}^3)$

　 (큰 구의 부피)$=\dfrac{4}{3}\pi\times 9^3=972\pi\,(\text{cm}^3)$

　 따라서 두 구의 부피의 비는

　 $36\pi:972\pi=1:27$

11 구의 반지름의 길이를 $r\,\text{cm}$라 하면 구의 겉넓이가

　 $324\pi\,\text{cm}^2$이므로

　 $4\pi r^2=324\pi$, $r^2=81=9^2$

　 $\therefore r=9\,(\because r>0)$

　 즉 구의 반지름의 길이는 $9\,\text{cm}$이므로 구의 부피는

　 $\dfrac{4}{3}\pi\times 9^3=972\pi\,(\text{cm}^3)$

12 (부피)$=$(반구의 부피)$+$(원뿔의 부피)

　　　　 $=\left(\dfrac{4}{3}\pi\times 4^3\right)\times\dfrac{1}{2}+\dfrac{1}{3}\times(\pi\times 4^2)\times 12$

　　　　 $=\dfrac{128}{3}\pi+64\pi=\dfrac{320}{3}\pi\,(\text{cm}^3)$

13 (부피)=(원기둥의 부피)+(반구의 부피)×2

$$=(\pi\times4^2)\times8+\left(\frac{4}{3}\pi\times4^3\times\frac{1}{2}\right)\times2$$

$$=128\pi+\frac{256}{3}\pi$$

$$=\frac{640}{3}\pi\,(\text{cm}^3)$$

14 (겉넓이)=(구의 겉넓이)×$\frac{1}{4}$+(반원의 넓이)×2

$$=(4\pi\times10^2)\times\frac{1}{4}+\left(\pi\times10^2\times\frac{1}{2}\right)\times2$$

$$=100\pi+100\pi=200\pi\,(\text{cm}^2)$$

15 원기둥 모양의 통은 밑면의 반지름의 길이가 3 cm이고
높이가 18 cm이므로 부피는

$(\pi\times3^2)\times18=162\pi\,(\text{cm}^3)$

또 반지름의 길이가 3 cm인 공 3개의 부피는

$\left(\frac{4}{3}\pi\times3^3\right)\times3=108\pi\,(\text{cm}^3)$

따라서 통 속의 빈 공간의 부피는

$162\pi-108\pi=54\pi\,(\text{cm}^3)$

16 쇠공의 부피는 올라간 물의 부피와 같으므로 올라간 물의
높이를 h cm라 하면

$(\pi\times12^2)\times h=\frac{4}{3}\pi\times6^3$　∴ $h=2$

따라서 올라간 물의 높이는 2 cm이다.

17 (반지름의 길이가 6 cm인 쇠공의 부피)

$=\frac{4}{3}\pi\times6^3=288\pi\,(\text{cm}^3)$

(반지름의 길이가 3 cm인 쇠공의 부피)

$=\frac{4}{3}\pi\times3^3=36\pi\,(\text{cm}^3)$

이때 $288\pi\div36\pi=8$이므로 쇠공을 8개까지 만들 수 있다.

18 (밑넓이)$=3\times3+5\times5=9+25=34\,(\text{cm}^2)$

(옆넓이)$=\left\{\frac{1}{2}\times(3+5)\times4\right\}\times4=64\,(\text{cm}^2)$

∴ (겉넓이)$=34+64=98\,(\text{cm}^2)$

19 (부피)$=\frac{1}{3}\times(\pi\times8^2)\times6-\frac{1}{3}\times(\pi\times4^2)\times3$

$$=128\pi-16\pi$$

$$=112\pi\,(\text{cm}^3)$$

20 (밑넓이)$=6\times6=36\,(\text{cm}^2)$　······ ㉮

(옆넓이)$=\left(\frac{1}{2}\times6\times x\right)\times4=12x\,(\text{cm}^2)$　······ ㉯

사각뿔의 겉넓이가 132 cm²이므로

$36+12x=132,\ 12x=96$

∴ $x=8$　······ ㉰

채점 기준	비율
㉮ 사각뿔의 밑넓이를 구한 경우	20 %
㉯ 사각뿔의 옆넓이를 x를 사용하여 나타낸 경우	40 %
㉰ x의 값을 구한 경우	40 %

21 ([그림 1]에 들어 있는 물의 부피)

$$=\frac{1}{3}\times\left(\frac{1}{2}\times10\times15\right)\times6=150\,(\text{cm}^3)\quad\cdots\cdots\ ㉮$$

([그림 2]에 들어 있는 물의 부피)

$$=\left(\frac{1}{2}\times6\times x\right)\times10=30x\,(\text{cm}^3)\quad\cdots\cdots\ ㉯$$

이때 [그림 1]과 [그림 2]에 들어 있는 물의 양은 같으므로 $30x=150$　∴ $x=5$　······ ㉰

채점 기준	비율
㉮ [그림 1]에 들어 있는 물의 부피를 구한 경우	30 %
㉯ [그림 2]에 들어 있는 물의 부피를 구한 경우	30 %
㉰ x의 값을 구한 경우	40 %

22 (반구의 구면의 넓이)$=(4\pi\times10^2)\times\frac{1}{2}$

$$=200\pi\,(\text{cm}^2)\quad\cdots\cdots\ ㉮$$

(단면인 원의 넓이)$=\pi\times10^2=100\pi\,(\text{cm}^2)$　······ ㉯

따라서 구하는 겉넓이와 부피는

(겉넓이)$=200\pi+100\pi=300\pi\,(\text{cm}^2)$　······ ㉰

(부피)$=\left(\frac{4}{3}\pi\times10^3\right)\times\frac{1}{2}=\frac{2000}{3}\pi\,(\text{cm}^3)$　······ ㉱

채점 기준	비율
㉮ 반구의 구면의 넓이를 구한 경우	25 %
㉯ 단면인 원의 넓이를 구한 경우	25 %
㉰ 반구의 겉넓이를 구한 경우	10 %
㉱ 반구의 부피를 구한 경우	40 %

23 (작은 반구의 구면의 넓이)$=(4\pi\times2^2)\times\frac{1}{2}$

$$=8\pi\,(\text{cm}^2)\quad\cdots\cdots\ ㉮$$

(큰 반구의 구면의 넓이)$=(4\pi\times5^2)\times\frac{1}{2}$

$$=50\pi\,(\text{cm}^2)\quad\cdots\cdots\ ㉯$$

(포개어지지 않은 부분의 넓이)$=\pi\times5^2-\pi\times2^2$

$$=21\pi\,(\text{cm}^2)\quad\cdots\cdots\ ㉰$$

∴ (겉넓이)$=8\pi+50\pi+21\pi=79\pi\,(\text{cm}^2)$　······ ㉱

채점 기준	비율
㉮ 작은 반구의 구면의 넓이를 구한 경우	30 %
㉯ 큰 반구의 구면의 넓이를 구한 경우	30 %
㉰ 포개어지지 않은 부분의 넓이를 구한 경우	30 %
㉱ 입체도형의 겉넓이를 구한 경우	10 %

24 한 조각의 넓이는 공의 겉넓이의 $\dfrac{1}{2}$이고 소프트볼 공의

반지름의 길이는 $\dfrac{1}{2} \times 10 = 5$ (cm)이다. ⋯⋯ ㉮

∴ (한 조각의 넓이)$= (4\pi \times 5^2) \times \dfrac{1}{2}$

$= 50\pi$ (cm^2) ⋯⋯ ㉯

채점 기준	비율
㉮ 한 조각의 넓이는 공의 겉넓이의 $\dfrac{1}{2}$임을 알고 소프트볼 공의 반지름의 길이를 구한 경우	50 %
㉯ 한 조각의 넓이를 구한 경우	50 %

25 (1) (원기둥의 부피)$= (\pi \times 3^2) \times 6$

$= 54\pi$ (cm^3) ⋯⋯ ㉮

(구의 부피)$= \dfrac{4}{3}\pi \times 3^3 = 36\pi$ (cm^3) ⋯⋯ ㉯

(원뿔의 부피)$= \dfrac{1}{3} \times (\pi \times 3^2) \times 6$

$= 18\pi$ (cm^3) ⋯⋯ ㉰

(2) 원기둥, 구, 원뿔의 부피의 비는

$54\pi : 36\pi : 18\pi = 3 : 2 : 1$ ⋯⋯ ㉱

채점 기준	비율
㉮ 원기둥의 부피를 구한 경우	25 %
㉯ 구의 부피를 구한 경우	25 %
㉰ 원뿔의 부피를 구한 경우	25 %
㉱ 원기둥, 구, 원뿔의 부피의 비를 구한 경우	25 %

창의력·융합형·서술형·코딩 본문 103쪽

1 (1) $\dfrac{32000}{3}\pi$ cm^3 (2) $\dfrac{5324}{3}\pi$ cm^3 (3) 8892π cm^3

2 28π cm^3 **3** $\dfrac{36}{5}$ cm

1 (1) (구 모양의 행성 모형의 부피)$= \dfrac{4}{3}\pi \times 20^3$

$= \dfrac{32000}{3}\pi$ (cm^3)

(2) (핵의 부피)$= \dfrac{4}{3}\pi \times 11^3 = \dfrac{5324}{3}\pi$ (cm^3)

(3) (맨틀의 부피)$= \dfrac{32000}{3}\pi - \dfrac{5324}{3}\pi$

$= 8892\pi$ (cm^3)

2 (비행체의 부피)$= \dfrac{1}{3} \times (\pi \times 4^2) \times 6 - \dfrac{1}{3} \times (\pi \times 2^2) \times 3$

$= 32\pi - 4\pi = 28\pi$ (cm^3)

3 (반구 모양의 그릇의 부피)$= \left(\dfrac{4}{3}\pi \times 3^3\right) \times \dfrac{1}{2}$

$= 18\pi$ (cm^3)

원기둥 모양의 그릇에 담겨 있는 물의 높이를 x cm라 하면 $\pi \times 5^2 \times x = 18\pi \times 10$

$25\pi x = 180\pi$ ∴ $x = \dfrac{36}{5}$

따라서 원기둥 모양의 그릇에 담겨 있는 물의 높이는

$\dfrac{36}{5}$ cm이다.

Ⅲ. 통계

13 줄기와 잎 그림과 도수분포표

STEP 1 교과서 개념 확인 테스트 | 본문 108쪽

1-1 (1) 3 (2) 46세 (3) 16명 (4) 29세 (5) 5명

1-2 (1) 3 (2) 20명 (3) 37회 (4) 2회

2-1 (1) 3분 (2) 12명 (3) 22명

2-2 (1) 풀이 참조 (2) 8명
　　　(3) 70점 이상 80점 미만 (4) 13명

1-1 (1) 줄기가 1인 잎이 4개, 줄기가 2인 잎이 4개,
줄기가 3인 잎이 6개, 줄기가 4인 잎이 2개이므로 잎이 가장 많은
줄기는 3이다.
(3) 총 회원의 수는 잎의 총 개수와 같으므로
$4+4+6+2=16$(명)

1-2 (1) 줄기가 0인 잎이 2개, 줄기가 1인 잎이 4개, 줄기가
2인 잎이 4개, 줄기가 3인 잎이 6개, 줄기가 4인 잎이 4개이
므로 잎이 가장 많은 줄기는 3이다.
(2) 수연이네 반 학생 수는 잎의 총 개수와 같으므로
$2+4+4+6+4=20$(명)

2-1 (1) (계급의 크기)$=43-40=3$(분)
(2) 참가자 수가 가장 많은 계급은 52분 이상 55분 미만이므로
구하는 도수는 12명이다.
(3) 기록이 49분 이상인 참가자 수는
$10+12=22$(명)

2-2 (1)

수학 점수(점)	학생 수(명)
$50^{이상} \sim 60^{미만}$	1
60 ～ 70	4
70 ～ 80	8
80 ～ 90	5
90 ～ 100	2
합계	20

(2) 수학 점수가 73점인 학생이 속하는 계급은 70점 이상 80점
미만이므로 구하는 도수는 8명이다.
(4) 수학 점수가 80점 미만인 학생 수는
$1+4+8=13$(명)

STEP 2 기출 기초 테스트 | 본문 109~110쪽

1-1 (1) 13명 (2) 20 %

1-2 (1) 4 (2) 48 %

2-1 (1) 9 kg (2) 풀이 참조

2-2 (1) 29권 (2) 여학생

3-1 (1) 3명 (2) 3만 원 이상 4만 원 미만

3-2 60 %

4-1 $A=7, B=9$

4-2 16명

1-1 (1) 윗몸 일으키기 기록이 40회 이상인 학생 수는
$7+6=13$(명)
(2) 윗몸 일으키기 기록이 30회 이상 40회 미만인 학생 수는 줄
기가 3인 잎의 개수와 같으므로 5명이고, 전체 학생 수는 25
명이므로
$\dfrac{5}{25} \times 100 = 20$ (%)

1-2 (1) 줄기가 0인 잎이 2개, 줄기가 1인 잎이 4개, 줄기가
2인 잎이 5개, 줄기가 3인 잎이 4개, 줄기가 4인 잎이 7개,
줄기가 5인 잎이 3개이므로 잎이 가장 많은 줄기는 4이다.
(2) 학교 누리집 방문 횟수가 35회 이상인 학생 수는
$2+7+3=12$(명)이고, 전체 학생 수는 25명이므로
$\dfrac{12}{25} \times 100 = 48$ (%)

2-1 (1) 배구부에서 5번째로 무거운 학생의 몸무게는 67 kg
이고, 씨름부에서 5번째로 무거운 학생의 몸무게는 76 kg
이므로 두 학생의 몸무게의 차는
$76-67=9$ (kg)
(2) 씨름부의 잎이 배구부의 잎보다 대체로 줄기의 값이 큰 쪽
에 치우쳐 있으므로 배구부의 몸무게의 평균보다 씨름부의
몸무게의 평균이 더 클 것이다.

2-2 (2) 책을 가장 적게 읽은 학생은 5권을 읽은 여학생이다.

3-1 (1) 한 달 용돈이 15000원인 학생이 속하는 계급은 1만
원 이상 2만 원 미만이므로 구하는 도수는 3명이다.

3-2 달리기 기록이 18초 미만인 학생 수는
$2+6+10=18$(명)이고, 전체 학생 수는 30명이므로
$\dfrac{18}{30} \times 100 = 60$ (%)

4-1 30세 미만인 고객이 전체의 20 %이므로

$\dfrac{1+A}{40} \times 100 = 20,\ 100 + 100A = 800$

$100A = 700$ $\therefore A = 7$

이때 $1+7+B+13+7+3 = 40$이므로

$31 + B = 40$ $\therefore B = 9$

4-2 $x+5+3x+4+3 = 28$이므로

$4x + 12 = 28,\ 4x = 16$ $\therefore x = 4$

따라서 운동 시간이 30분 이상 50분 미만인 학생 수는

$3 \times 4 + 4 = 16$(명)

STEP 3 교과서 기본 테스트 |본문 111~112쪽

01 ④ **02** 9 **03** 5명 **04** ⑤

05 25 % **06** ②

07 (1) $A = 14,\ B = 3$ (2) 27.5 %

08 (1) 풀이 참조 (2) 10명

09 $A = 10,\ B = 6,\ C = 30$

---

01 ① 전체 학생 수는 $4+5+7+4 = 20$(명)이다.

② 줄기가 4인 잎이 4개, 줄기가 5인 잎이 5개, 줄기가 6인 잎이 7개, 줄기가 7인 잎이 4개이므로 잎이 가장 많은 줄기는 6이다.

③ 몸무게가 70 kg 이상인 학생은 70 kg, 74 kg, 75 kg, 77 kg의 4명이다.

④ 몸무게가 3번째로 적게 나가는 학생의 몸무게는 46 kg이다.

⑤ 몸무게가 가장 무거운 학생의 몸무게는 77 kg이고, 몸무게가 가장 가벼운 학생의 몸무게는 43 kg이므로 두 학생의 몸무게의 차는

$77 - 43 = 34$ (kg)

따라서 옳지 않은 것은 ④이다.

02 $3+5+A+17+6 = 40$이므로

$A + 31 = 40$ $\therefore A = 9$

03 기록이 35회인 학생이 속하는 계급은 20회 이상 40회 미만이므로 구하는 도수는 5명이다.

04 ③ 기록이 60회 미만인 학생 수는

$3+5+9 = 17$(명)

⑤ 기록이 좋은 쪽에서 5번째인 학생이 속하는 계급은 80회 이상 100회 미만이다.

따라서 옳지 않은 것은 ⑤이다.

05 통학 시간이 30분 이상인 학생 수는 $5+4 = 9$(명)이고, 전체 학생 수는 36명이므로

$\dfrac{9}{36} \times 100 = 25$ (%)

06 ① 성적이 가장 높은 학생은 100점으로 서현이네 반이다.

② 성적이 93점 이상인 학생은 수지네 반에서 3명, 서현이네 반에서 5명으로 모두 8명이다.

③ 수지네 반에서 성적이 70점 이하인 학생은 4명이고, 수지네 반 학생 수는 20명이므로

$\dfrac{4}{20} \times 100 = 20$ (%)

서현이네 반에서 성적이 70점 이하인 학생은 5명이고, 서현이네 반 학생 수는 20명이므로

$\dfrac{5}{20} \times 100 = 25$ (%)

④ 수지네 반에서 4번째로 성적이 높은 학생은 85점이고, 서현이네 반에서 4번째로 성적이 높은 학생은 95점이므로 수지네 반에서 4번째로 성적이 높은 학생은 서현이네 반에서 4번째로 성적이 높은 학생보다 성적이 낮다.

⑤ 서현이네 반의 잎이 수지네 반의 잎보다 대체로 줄기의 값이 큰 쪽에 치우쳐 있으므로 서현이네 반 성적이 수지네 반 성적보다 높다.

따라서 옳지 않은 것은 ②이다.

07 (1) 체험 활동의 수가 7개 이상 9개 미만인 학생이 전체의 35 %이므로 $\dfrac{A}{40} \times 100 = 35$

$100A = 1400$ $\therefore A = 14$

이때 $1+4+10+14+8+B = 40$이므로

$37 + B = 40$ $\therefore B = 3$

(2) 체험 활동의 수가 9개 이상인 학생은 $8+3 = 11$(명)이므로 $\dfrac{11}{40} \times 100 = 27.5$ (%)

08 (1)

기록(초)	학생 수(명)
6 이상 ~ 7 미만	4
7 ~ 8	10
8 ~ 9	16
9 ~ 10	6
10 ~ 11	4
합계	40

……㉮

(2) 기록이 9초 이상인 학생들이 재도전할 기회를 얻으므로 구하는 학생 수는 $6+4 = 10$(명) ……㉯

채점 기준	비율
㉮ 도수분포표를 완성한 경우	50 %
㉯ 재도전 기회를 얻은 학생 수를 구한 경우	50 %

09 ㈎에서 $A=2\times5=10$　　　　$\cdots\cdots$ ㉮

㈏에서 일일 방문자 수가 95명 이상인 날수는 전체의 50 %이므로 일일 방문자 수가 95명 이상인 날수와 95명 미만인 날수는 같다. 즉

$1+4+10=5+B+4$

$15=B+9$　　$\therefore B=6$　　　　$\cdots\cdots$ ㉯

채점 기준	비율
㉮ A의 값을 구한 경우	30 %
㉯ B의 값을 구한 경우	40 %
㉰ C의 값을 구한 경우	30 %

창의력·융합형·서술형·코딩　　　　본문 113쪽

1 (1) 풀이 참조　(2) 부산
2 (1) 풀이 참조　(2) 21개

1 (1)

최고 기온　(5|1은 5.1 ℃)	
줄기	잎
5	1　2
6	2　3　3　8
7	2　2　5　9
8	4　9
9	2　4　9
10	4　8
11	1　6　8　8

(2) 최고 기온이 3번째로 높은 지역은 11.6 ℃인 부산이다.

2 (1)

크기(msr)	별자리 수(개)
0^{이상} ~ 50^{미만}	7
50 ~ 100	6
100 ~ 150	8
150 ~ 200	7
200 ~ 250	4
250 ~ 300	2
300 ~ 350	1
합계	35

(2) 크기가 150 msr 미만인 별자리 수는
$7+6+8=21$(개)

---

14 히스토그램과 도수분포다각형

STEP 1 교과서 개념 확인 테스트　　　　본문 116쪽

1-1 $A=12$, $B=5$, $C=40$
1-2 (1) 계급의 개수 : 5, 계급의 크기 : 2시간　(2) 30명
　　　(3) 6시간 이상 8시간 미만　(4) 7명
2-1 $A=5$, $B=15$, $C=50$
2-2 (1) 5분　(2) 27명　(3) 5분 이상 10분 미만　(4) 15명

1-2 (1) 계급의 개수는 직사각형의 개수와 같으므로 5
(계급의 크기)=$2-0=2$(시간)
(2) 각 계급의 도수는 각각 3명, 4명, 8명, 9명, 6명이므로
(전체 학생 수)=$3+4+8+9+6=30$(명)
(4) 봉사 활동 시간이 4시간 이하인 학생 수는
$3+4=7$(명)

2-2 (1) (계급의 크기)=$10-5=5$(분)
(2) 각 계급의 도수는 각각 1명, 5명, 6명, 8명, 3명, 4명이므로
(전체 학생 수)=$1+5+6+8+3+4=27$(명)
(4) 통학 시간이 20분 이상인 학생 수는
$8+3+4=15$(명)

STEP 2 기출 기초 테스트　　　　본문 117~118쪽

1-1 (1) 25년　(2) 100일 이상 110일 미만　(3) 28 %
1-2 (1) 12초 이상 15초 미만　(2) 37.5 %
2-1 (1) 15명　(2) 30 %　(3) 15분 이상 20분 미만
2-2 (1) 36명　(2) 5.5시간 이상 6시간 미만　(3) 6명
3-1 ㉢　　　　　　　　　**3-2** ㉠, ㉡, ㉢
4-1 (1) 11명　(2) 45 %　　**4-2** 12명

1-1 (1) 각 계급의 도수는 각각 2년, 5년, 10년, 6년, 2년이므로 $2+5+10+6+2=25$(년)
따라서 모두 25년을 조사하였다.
(3) 강수일이 100일 미만인 해의 수는 $2+5=7$(년)이므로
$\dfrac{7}{25}\times100=28$ (%)

1-2 (1) 21초 이상 24초 미만인 계급의 도수는 1대, 18초 이상 21초 미만인 계급의 도수는 2대, 15초 이상 18초 미만인 계급의 도수는 4대, 12초 이상 15초 미만인 계급의 도수는 6대이다.
따라서 비행시간이 10번째로 긴 모형 글라이더가 속하는 계급은 12초 이상 15초 미만이다.

(2) 비행시간이 9초 이하인 모형 글라이더의 수는

$3+9=12$(대)이고, 전체 모형 글라이더의 수는

$3+9+7+6+4+2+1=32$(대)이므로

$\dfrac{12}{32} \times 100 = 37.5\,(\%)$

2-1 (1) 버스를 기다린 시간이 20분 이상인 사람의 수는

$8+7=15$(명)

(2) 버스를 기다린 시간이 20분인 이상인 사람의 수는 15명이므로

$\dfrac{15}{50} \times 100 = 30\,(\%)$

(3) 25분 이상 30분 미만인 계급의 도수는 7명, 20분 이상 25분 미만인 계급의 도수는 8명, 15분 이상 20분 미만인 계급의 도수는 10명이다.

따라서 버스를 20번째로 오래 기다린 사람이 속하는 계급은 15분 이상 20분 미만이다.

2-2 (1) 각 계급의 도수는 각각 2명, 6명, 10명, 8명, 6명, 4명이므로

(전체 학생 수)=$2+6+10+8+6+4=36$(명)

(2) 5시간 이상 5.5시간 미만인 계급의 도수는 2명, 5.5시간 이상 6시간 미만인 계급의 도수는 6명이므로 수면 시간이 5번째로 짧은 학생이 속하는 계급은 5.5시간 이상 6시간 미만이다.

(3) 수면 시간이 7시간인 학생이 속하는 계급은 7시간 이상 7.5시간 미만이므로 구하는 도수는 6명이다.

3-1 ㉠ 남학생의 그래프가 여학생의 그래프보다 왼쪽으로 치우쳐 있으므로 여학생보다 남학생의 기록이 대체로 좋다.

㉡ (남학생 수)=$2+3+7+10+3+1=26$(명)

(여학생 수)=$2+3+5+8+6+3=27$(명)

따라서 남학생 수와 여학생 수는 같지 않다.

㉢ 기록이 15초 이하인 학생 수를 각각 구하면

남학생 : $2+3+7=12$(명), 여학생 : 2명

따라서 여학생보다 남학생이 더 많다.

따라서 옳은 것은 ㉢이다.

3-2 ㉠ 국어 성적이 80점 이상인 학생 수를 각각 구하면

1반 : $7+2=9$(명), 2반 : $6+4=10$(명)

따라서 1반보다 2반이 더 많다.

㉡ (1반 학생 수)=$2+4+7+10+7+2=32$(명)

(2반 학생 수)=$1+3+7+7+6+4=28$(명)

따라서 1반과 2반을 합한 학생 수는

$32+28=60$(명)

㉢ 국어 성적이 90점 이상인 학생 수는 $2+4=6$(명)이므로

$\dfrac{6}{60} \times 100 = 10\,(\%)$

따라서 옳은 것은 ㉠, ㉡, ㉢이다.

4-1 (1) 영어 성적이 60점 이상 70점 미만인 학생 수는

$40 \times \dfrac{25}{100} = 10$(명)

따라서 영어 성적이 70점 이상 80점 미만인 학생 수는

$40-(3+5+10+7+4)=11$(명)

(2) 영어 성적이 70점 미만인 학생 수는

$3+5+10=18$(명)이므로

$\dfrac{18}{40} \times 100 = 45\,(\%)$

4-2 기록이 40 m 이상 50 m 미만인 학생 수를 x명이라

하면 $(5+12+10+x+6) \times \dfrac{40}{100} = x+6$

$(x+33) \times \dfrac{40}{100} = x+6,\ 40(x+33)=100(x+6)$

$40x+1320=100x+600,\ 60x=720$

$\therefore x=12$

따라서 기록이 40 m 이상 50 m 미만인 학생 수는 12명이다.

본문 119~121쪽

STEP 3 교과서 기본 테스트

01 ②	02 ⑤	03 5배	04 20 %
05 12명	06 5명	07 ㉢	08 ③
09 35명	10 18명	11 80점	12 13명
13 ④	14 (1) 32명 (2) 8명 (3) 25 %		
15 3배	16 20 %	17 20 %	

01 ① 날아간 거리가 40 m 미만인 학생 수는

$3+8+9=20$(명)

③ 참가한 학생 수는

$3+8+9+13+10+5=48$(명)

④ 날아간 거리가 52 m인 학생이 속하는 계급은

50 m 이상 60 m 미만이다.

⑤ 히스토그램을 보면 고무 동력기가 날아간 거리의 분포 상태를 알 수 있다.

따라서 히스토그램을 보고 알 수 없는 것은 ②이다.

02 ① (계급의 크기)=$70-50=20\,(g)$

② 전체 토마토의 개수는

$3+7+12+9+4=35$

③ 무게가 70 g 이상 90 g 미만인 토마토의 개수는

7이므로

$\dfrac{7}{35} \times 100 = 20\,(\%)$

⑤ 130 g 이상 150 g 미만인 계급의 도수는 4개, 90 g 이상 110 g 미만인 계급의 도수는 12개이다.

따라서 130 g 이상 150 g 미만인 계급의 직사각형의 넓이는 90 g 이상 110 g 미만인 계급의 직사각형의 넓이의 $\frac{1}{3}$배이다.

따라서 옳지 않은 것은 ⑤이다.

03 도수가 가장 큰 계급은 8회 이상 10회 미만이므로 그 도수는 10명, 도수가 가장 작은 계급은 12회 이상 14회 미만이므로 그 도수는 2명이다.

따라서 도수가 가장 큰 계급의 도수는 도수가 가장 작은 계급의 도수의 5배이다.

04 연극 관람 횟수가 10회 이상인 학생 수는 $5+2=7$(명)이고, 전체 학생 수는 $3+6+9+10+5+2=35$(명)이므로

$\frac{7}{35} \times 100 = 20\ (\%)$

05 맥박 수가 85회 이상 90회 미만인 학생 수는 $38-(2+5+9+7+3)=12$(명)

06 맥박 수가 78회인 학생이 속하는 계급은 75회 이상 80회 미만이므로 구하는 도수는 5명이다.

07 ㉠ 기록이 25회 이상 30회 미만인 학생이 11명으로 가장 많다.

㉡ 기록이 22회인 학생 수는 알 수 없다.

㉢ 기록이 5회 이상 10회 미만인 학생이 1명으로 가장 적다.

따라서 옳은 것은 ㉢이다.

08 ③ 도수가 가장 큰 계급은 4만 원 이상 5만 원 미만이다.

④ 저축한 금액이 3만 5천 원인 학생이 속하는 계급은 3만 원 이상 4만 원 미만이므로 그 도수는 13명이다.

따라서 옳지 않은 것은 ③이다.

09 각 계급의 도수는 각각 6명, 12명, 10명, 4명, 3명이므로 (전체 학생 수)$=6+12+10+4+3=35$(명)

10 수학 성적이 50점 이상 70점 미만인 학생 수는 $6+12=18$(명)

11 수학 성적이 상위 20 % 이내에 들려면 $35 \times \frac{20}{100} = 7$(등) 이내에 들어야 한다.

한편 수학 성적이 90점 이상인 학생이 3명, 80점 이상인 학생이 $4+3=7$(명)이므로 최소한 80점 이상을 받아야 한다.

12 몸무게가 50 kg 이상 55 kg 미만인 학생 수를 x명이라 하면

$40 \times \frac{55}{100} = x+8+1$

$22 = x+9$ ∴ $x=13$

따라서 몸무게가 50 kg 이상 55 kg 미만인 학생 수는 13명이다.

13 ① (남학생 수)$=1+4+6+9+3+2=25$(명)

(여학생 수)$=1+2+5+8+6+3=25$(명)

따라서 남학생 수와 여학생 수는 같다.

② (전체 학생 수)$=25+25=50$(명)

④ 남학생의 그래프가 여학생의 그래프보다 왼쪽으로 치우쳐 있으므로 남학생이 여학생보다 대체적으로 기록이 좋다.

⑤ 기록이 9.0초 이상인 학생 수를 각각 구하면

남학생 : $3+2=5$(명), 여학생 : $8+6+3=17$(명)

따라서 옳지 않은 것은 ④이다.

14 (1) (전체 학생 수)$=4+9+11+4+3+1$

$=32$(명) ⋯⋯ ㉮

(2) 기록이 15초 이상인 학생 수는

$4+3+1=8$(명) ⋯⋯ ㉯

(3) 기록이 15초 이상인 학생은 수행 평가 점수가 만점이므로

$\frac{8}{32} \times 100 = 25\ (\%)$ ⋯⋯ ㉰

채점 기준	비율
㉮ 전체 학생 수를 구한 경우	30 %
㉯ 기록이 15초 이상인 학생 수를 구한 경우	30 %
㉰ 만점을 받은 학생은 전체의 몇 %인지 구한 경우	40 %

15 식사를 마치는 데 걸리는 시간이 70분 이상 80분 미만인 손님 수는 30명이다. ⋯⋯ ㉮

또 식사를 마치는 데 걸리는 시간이 50분 이상 60분 미만인 손님 수는 10명이다. ⋯⋯ ㉯

따라서 식사를 마치는 데 걸리는 시간이 70분 이상 80분 미만인 손님 수는 50분 이상 60분 미만인 손님 수의 3배이다. ⋯⋯ ㉰

채점 기준	비율
㉮ 식사를 마치는 데 걸리는 시간이 70분 이상 80분 미만인 손님 수를 구한 경우	30 %
㉯ 식사를 마치는 데 걸리는 시간이 50분 이상 60분 미만인 손님 수를 구한 경우	30 %
㉰ 식사를 마치는 데 걸리는 시간이 70분 이상 80분 미만인 손님 수는 50분 이상 60분 미만인 손님 수의 몇 배인지 구한 경우	40 %

16 식사를 마치는 데 걸리는 시간이 80분 이상인 손님 수는
$15+5=20$(명) $\qquad$ ㉮
한편 전체 손님 수는
$10+40+30+15+5=100$(명) $\qquad$ ㉯
따라서 식사를 마치는 데 걸리는 시간이 80분 이상인 손님 수는 전체의
$$\frac{20}{100}\times100=20\,(\%)$$ $\qquad$ ㉰

채점 기준	비율
㉮ 식사를 마치는 데 걸리는 시간이 80분 이상인 손님 수를 구한 경우	30 %
㉯ 전체 손님 수를 구한 경우	30 %
㉰ 식사를 마치는 데 걸리는 시간이 80분 이상인 손님 수는 전체의 몇 %인지 구한 경우	40 %

17 인혁이네 반의 전체 학생 수는
$1+6+9+14+8+2=40$(명)이므로 인혁이네 반에서 상위 25 % 이내에 드는 학생 수는
$$40\times\frac{25}{100}=10$$(명) $\qquad$ ㉮
인혁이네 반에서 성적이 80점 이상인 학생 수가
$8+2=10$(명)이므로 상위 25 % 이내에 드는 학생의 성적은 80점 이상이다. $\qquad$ ㉯
한편 혜선이네 반의 전체 학생 수는
$3+5+8+12+4+3=35$(명)이고 혜선이네 반에서 성적이 80점 이상인 학생 수는 $4+3=7$(명)이므로
$$\frac{7}{35}\times100=20\,(\%)$$ $\qquad$ ㉰
따라서 인혁이네 반에서 상위 25 % 이내에 드는 학생의 수학 성적은 혜선이네 반에서 상위 20 % 이내에 든다. $\qquad$ ㉱

채점 기준	비율
㉮ 인혁이네 반에서 상위 25 % 이내에 드는 학생 수를 구한 경우	30 %
㉯ 인혁이네 반에서 상위 25 % 이내에 드는 학생의 성적을 구한 경우	20 %
㉰ 혜선이네 반에서 성적이 80점 이상인 학생이 상위 몇 %인지 구한 경우	30 %
㉱ 인혁이네 반에서 상위 25 % 이내에 드는 학생의 수학 성적은 혜선이네 반에서 상위 몇 % 이내에 드는지 구한 경우	20 %

15 상대도수

1-1 (1) $A=20$, $B=1$ (2) 45 %
1-2 (1) 24명 (2) 30 %
2-1 (1) A 중학교 : 60명, B 중학교 : 60명
  (2) A 중학교
2-2 (1) 70분 이상 80분 미만, 80분 이상 90분 미만
  (2) 여학생

1-1 (1) $A=2+3+6+5+4=20$
상대도수의 합은 항상 1이므로 $B=1$
(2) $\dfrac{5+4}{20}\times100=45\,(\%)$

1-2 (1) 기록이 7초 이상 11초 미만인 학생 수는
$50\times(0.18+0.3)=24$(명)
(2) 기록이 9초 미만인 계급의 상대도수의 합은
$0.12+0.18=0.3$이므로
$0.3\times100=30\,(\%)$

2-1 (1) 책을 9권 미만 읽은 학생 수를 각각 구하면
A 중학교 : $300\times(0.05+0.15)=60$(명)
B 중학교 : $200\times(0.1+0.2)=60$(명)
(2) A 중학교의 그래프가 B 중학교의 그래프보다 오른쪽으로 치우쳐 있으므로 A 중학교 학생들이 비교적 책을 많이 읽었다고 할 수 있다.

2-2 (1) 여학생과 남학생의 각 계급의 도수를 구하면 다음과 같다.

휴대 전화 사용 시간(분)	학생 수(명)	
	여학생	남학생
30이상~40미만	$200\times0.05=10$	$300\times0.1=30$
40 ~50	$200\times0.1=20$	$300\times0.25=75$
50 ~60	$200\times0.1=20$	$300\times0.3=90$
60 ~70	$200\times0.25=50$	$300\times0.2=60$
70 ~80	$200\times0.35=70$	$300\times0.1=30$
80 ~90	$200\times0.15=30$	$300\times0.05=15$
합계	200	300

따라서 여학생 수가 남학생 수보다 더 많은 계급은 70분 이상 80분 미만, 80분 이상 90분 미만이다.
(2) 휴대 전화를 70분 이상 사용한 비율을 각각 구하면
여학생 : $0.35+0.15=0.5$, 남학생 : $0.1+0.05=0.15$
따라서 휴대 전화를 70분 이상 사용한 비율은 여학생이 남학생보다 더 높다.

1-1 (1) 풀이 참조 (2) 19 %

1-2 (1) $a=0.42$, $b=12$, $c=0.24$, $d=50$ (2) 0.24

2-1 (1) 40명 (2) 6명

2-2 (1) 36 % (2) 25명

3-1 (1) 풀이 참조 (2) B 마을

3-2 (1) B의 팬클럽 (2) 80명

4-1 0.1　　　　　　　　**4-2** 15명

1-1 (1)

우유의 양(mL)	학생 수(명)	상대도수
0^{이상} ~ 200^{미만}	24	$\dfrac{24}{200}=0.12$
200 ~ 400	$200 \times 0.27 = 54$	0.27
400 ~ 600	84	$\dfrac{84}{200}=0.42$
600 ~ 800	$200 \times 0.11 = 22$	0.11
800 ~ 1000	16	$\dfrac{16}{200}=0.08$
합계	200	1

(2) 하루에 마시는 우유의 양이 600 mL 이상인 계급의 상대도수의 합은 $0.11+0.08=0.19$이므로
$0.19 \times 100 = 19\,(\%)$

1-2 (1) $\dfrac{4}{d}=0.08$　　∴ $d=\dfrac{4}{0.08}=50$

한편 $4+10+21+b+3=50$이므로
$b+38=50$　　∴ $b=12$
$a=\dfrac{21}{50}=0.42$
$c=\dfrac{12}{50}=0.24$

(2) 수면 시간이 15번째로 많은 학생이 속하는 계급은 8시간 이상 9시간 미만이므로 구하는 상대도수는 0.24이다.

2-1 (1) $\dfrac{10}{(\text{전체 학생 수})}=0.25$이므로
$(\text{전체 학생 수})=\dfrac{10}{0.25}=40$(명)

(2) 기록이 53회인 학생이 속하는 계급은 50회 이상 60회 미만이므로 구하는 도수는 $40 \times 0.15 = 6$(명)이다.

2-2 (1) 통학 시간이 40분 이상인 계급의 상대도수의 합은
$0.2+0.16=0.36$이므로
$0.36 \times 100 = 36\,(\%)$

(2) $\dfrac{3}{(\text{전체 학생 수})}=0.12$이므로
$(\text{전체 학생 수})=\dfrac{3}{0.12}=25$(명)

3-1 (1)

나이(세)	A 마을 주민 수(명)	A 마을 상대도수	B 마을 주민 수(명)	B 마을 상대도수
20^{이상} ~ 30^{미만}	5	0.05	6	0.03
30 ~ 40	7	0.07	12	0.06
40 ~ 50	37	0.37	64	0.32
50 ~ 60	25	0.25	70	0.35
60 ~ 70	26	0.26	48	0.24
합계	100	1	200	1

(2) 나이가 40세 이상인 주민의 비율을 각각 구하면
A 마을 : $0.37+0.25+0.26=0.88$
B 마을 : $0.32+0.35+0.24=0.91$
따라서 나이가 40세 이상인 주민의 비율은 B 마을이 A 마을보다 더 높다.

3-2 (1) 나이가 40세 이상 50세 미만인 계급의 상대도수가 A의 팬클럽은 0.2, B의 팬클럽은 0.24이므로 나이가 40세 이상 50세 미만인 회원의 비율은 B의 팬클럽이 A의 팬클럽보다 더 높다.

(2) A의 팬클럽의 그래프에서 10세 이상 20세 미만인 계급의 상대도수가 0.2이므로 그 회원 수는
$400 \times 0.2 = 80$(명)

4-1 $\dfrac{4}{(\text{전체 학생 수})}=0.08$이므로
$(\text{전체 학생 수})=\dfrac{4}{0.08}=50$(명)
따라서 기다린 시간이 20분 이상 30분 미만인 계급의 상대도수는 $\dfrac{5}{50}=0.1$이다.

4-2 도서관 방문 횟수가 10회 이상 15회 미만인 계급의 상대도수는
$1-(0.16+0.22+0.18+0.14)=0.3$
따라서 도서관 방문 횟수가 10회 이상 15회 미만인 학생 수는
$50 \times 0.3 = 15$(명)

01 $A=0.1$, $B=18$, $C=40$, $D=0.45$, $E=1$

02 (1) $A=0.14$, $B=1$ (2) 13개

03 0.2　　**04** 11명　　**05** 16명　　**06** 26 %

07 7명　　**08** ㉡, ㉢　　**09** 100명　　**10** 8 : 15

11 0.85　　**12** 20명　　**13** 남학생

01 $\frac{q}{c}=0.225$ ∴ $C=\frac{9}{0.225}=40$

한편 $4+9+B+7+2=40$이므로

$B+22=40$ ∴ $B=18$

$A=\frac{4}{40}=0.1$, $D=\frac{18}{40}=0.45$, $E=1$

02 (1) 상대도수의 합은 항상 1이므로 $B=1$

∴ $A=1-(0.04+0.2+0.3+0.26+0.06)$

$\qquad =0.14$

(2) $50\times0.26=13$(개)

03 음악 수행 평가 점수가 10점 이상 20점 미만인 계급의 도수가 10명이므로 구하는 상대도수는

$\frac{10}{50}=0.2$

04 도수가 가장 큰 계급은 50점 이상 60점 미만이므로 구하는 도수는

$50\times0.22=11$(명)

05 성적이 70점 이상인 계급의 상대도수의 합은

$0.2+0.12=0.32$이므로

$50\times0.32=16$(명)

06 성적이 50점 미만인 계급의 상대도수의 합은

$0.1+0.16=0.26$이므로

$0.26\times100=26$ (%)

07 $\frac{6}{(전체\ 선수의\ 수)}=0.24$이므로

$(전체\ 선수의\ 수)=\frac{6}{0.24}=25$(명)

안타 수가 28개 이상인 계급의 상대도수의 합은

$0.16+0.12=0.28$이므로

$25\times0.28=7$(명)

08 ㉠ B 학교에 책을 한 권도 읽지 않은 학생은 없다.

㉡ 읽은 책의 수가 8권 이상 10권 미만인 계급의 상대도수가 A 학교는 0.36, B 학교는 0.2이므로 책을 8권 이상 10권 미만 읽은 학생의 비율은 A 학교가 B 학교보다 더 높다.

㉢ A 학교의 전체 학생 수가 100명일 때, 책을 10권 이상 12권 미만 읽은 학생 수는

$100\times0.12=12$(명)

따라서 옳은 것은 ㉡, ㉢이다.

09 $\frac{25}{(전체\ 학생\ 수)}=0.1$이므로

$(전체\ 학생\ 수)=\frac{25}{0.1}=250$(명)

기록이 10 m 이상 15 m 미만인 계급의 상대도수는

$1-(0.15+0.35+0.1)=0.4$이므로

$250\times0.4=100$(명)

10 예원이네 반과 주현이네 반의 전체 학생 수를 각각 $3a$명, $2a$명이라 하고, 어떤 계급에 속하는 학생 수를 각각 $4b$명, $5b$명이라 하면 이 계급의 상대도수의 비는

$\frac{4b}{3a}:\frac{5b}{2a}=\frac{4}{3}:\frac{5}{2}=8:15$

11 $(전체\ 학생\ 수)=1+5+11+13+10$

$\qquad =40$(명) ······ ㉮

턱걸이 횟수가 9회 이상인 학생 수는

$11+13+10=34$(명) ······ ㉯

따라서 구하는 상대도수는

$\frac{34}{40}=0.85$ ······ ㉰

채점 기준	비율
㉮ 전체 학생 수를 구한 경우	30 %
㉯ 턱걸이 횟수가 9회 이상인 학생 수를 구한 경우	30 %
㉰ 턱걸이 횟수가 9회 이상인 계급의 상대도수를 구한 경우	40 %

12 상대도수가 0.1인 계급의 도수가 5명이므로

$\frac{5}{(전체\ 학생\ 수)}=0.1$

∴ $(전체\ 학생\ 수)=\frac{5}{0.1}=50$(명) ······ ㉮

인터넷 사용 시간이 15시간 이상인 계급의 상대도수의 합은 ······ ㉯

$0.24+0.16=0.4$

따라서 구하는 학생 수는

$50\times0.4=20$(명) ······ ㉰

채점 기준	비율
㉮ 전체 학생 수를 구한 경우	40 %
㉯ 인터넷 사용 시간이 15시간 이상인 계급의 상대도수의 합을 구한 경우	30 %
㉰ 인터넷 사용 시간이 15시간 이상인 학생 수를 구한 경우	30 %

13 남학생의 그래프가 여학생의 그래프보다 왼쪽으로 치우쳐 있다. ······ ㉮

따라서 남학생이 여학생보다 기록이 더 우수하다고 할 수 있다. ······ ㉯

채점 기준	비율
㉮ 어느 쪽 그래프가 왼쪽으로 치우쳐 있는지 말한 경우	50 %
㉯ 어느 쪽의 기록이 더 우수한지 말한 경우	50 %

Memo.

Memo.